世上是不是有神仙 3

樊馨蔓——著

生命可[illegible]此

辟穀記（下）

目次

1

辟穀第六天

三十多年的日復一日，餐復一餐，每一日的「餐餐組成」，早已經與身體默契成為重要的規程。現在好了，像個退休的人，它自己由此無所事事，茫然起來……

辟穀進入第六天了……

幾乎一夜未睡。本來睡眠已經越來越「精煉」，而臨睡前的「尿血」，像被一隻陰冷的無形魔幻之手，一把拽入黑夜，拽入黑色的想像……

夜越來越黑，夜逐漸淡藍，夜變成白……

心情融在夜色，慢慢淡藍，慢慢「白」，慢慢有光……光能夠驅散恐怖。

可能是參照了「全身發出紅疹子」的前車之鑑，當窗外有光，擔憂終於隨黑夜漸漸淡去，迷迷糊糊地瞌睡起來……

入夢便忙於很多吃事。奇妙的是，在夢裡不是「吃什麼」，而是忙「吃法」，先吃什麼，應該怎麼吃……這一串的繽紛忙碌之後，夢境停泊在一隻雞上。持續拆解著一隻雞的各種做法：半隻用粉絲炒了，油汪汪香噴噴，然後滿屋子找小綠蔥；半隻用來清蒸，要放黃酒；半隻滾水過一下，白切，醬油的調配是如何的重要；半隻燉湯，薑片要大；半隻……當似睡非睡突然消逝、醒來的時候，發現腦筋在燉魚湯。魚湯的各種不同燉法……

呵呵，辟過穀的仙友，一定有與我一樣奇妙、一樣不可思議的各個白天與黑夜。其實，所有的「想，往」，都是緣由了「珍惜」。事事，物物，人人。當我們小船兒一般飄離了原先站立的岸，對「岸」的看待與理解，才會因為距離與記憶，而分明、珍貴和期待起來。

一模一樣的早晨。灰灰的天空依舊下著柔柔的細雨。我洗完冷水澡，練完功，沒有找到道長，卻在走廊遇到了常月。我告訴她夜裡發生的事情，以及我對身體、對腎臟的擔憂。

常月還是笑吟吟的，沒有因為我的敘說而與我一般的緊張。我心裡感激她的從容。她的解釋也與她的笑容一般輕鬆簡單：「每個人在辟穀期間的反應都不一樣，與自己平常的狀況也會大不一樣，用不著緊張，不會出任何事情的。」

我說：「但是……」

常月笑：「沒有但是，肯定沒有事情的，你自己就能夠知道……」

我：「知道什麼？」

常月：「你自己的感覺啊，今天比昨天怎麼樣？」

我回顧：「更好一點。更有精力了，注意力更集中了。」

常月笑：「就是啊，如果是尿血，你的身體不會騙你的，你還會感覺比昨天好一點嗎？」

是啊，除了尿色反常，沒有任何的不適。

於是，安下一顆心來，去練功房與大家一起「站樁」、「導引術」。十點，功畢，有出汗的，有無汗的，大家嘰嘰喳喳交流感受，各自回房間收拾。

我在地板上坐下。辟穀似乎把我變得「慢了三拍」，凡事都是落在人去屋空之後。看窗外雨絲，自人生第一眼記憶，它就是這樣的。天空也是，山也是，天空與山之間的樹葉也是。我定定看著，讓心裡錯覺二十年前，五十年前，一百年前，兩百年前，四百年前……眞的即便是四千年前，這雨絲，這天空，山的顏色，樹的姿態，也不見得有什麼變化。雨一直在這般的天空下、這麼靜靜飄飛著，但是在我的「錯覺」之中，多少人在這「雨裡」又站了起來，笑了起來，哭了起來，醉了起來……生離死別，一生崎嶇或者平淡……呵呵，我在做著一個自己逗樂的遊戲。辟穀讓我有時間做這般神思的飄遊了。什麼發生過？什麼沒有發生過？什麼是別人？什麼是我？

輪迴起伏。收回視線，覺得心裡空落落的。若無著落，若有所失。左思右想，翻來揀去，才明白可能是因爲肚裡無食已經多日，身體自己不習慣了。三十多年的日復一日，餐復一餐，每一日的「餐餐組成」，早已經與身體默契成爲重要的規程。現在好了，像個退休的人，它自己由此無所事事，茫然起來……

這樣的感受是我沒有料想到的。我倒是一心一意開始辟穀，而我的這具在塵世浸泡、奔波了三十多年的身子，慣性仍使它在悄悄滑行。於是，它又帶著心，難以察覺地奔向了——回北京去見什麼朋友，去哪家書店，看什麼電影，吃什麼東西，在哪喝茶……待我明察，時間又滑溜過去了一大截……

我起身。在雨幕的背襯下，「回到現在」，離開練功房……

＊　＊　＊

二樓喝茶的小玻璃間，小男、無話不說、人馬座、生的偉大，又是一圈人圍住了道長。

聽見無話不說正苦苦糾纏：「……道教不是講理、法、術嗎？能不能給我們一點術，讓我們更加信服？更加心服口服呢？道長？」

我拖把椅子擠入「圈內」，坐在能夠看見道長的位置。

道長：「我幾乎沒有和你們講過術，你們注意到沒有？」

生的偉大：「不但注意到了，還讓無話不說相當懷疑了！哪怕是個魔術，道長，你也給我們變一變……」

道長笑：「我一直沒有和你們講到過術，是因爲我本人非常不喜歡表演術，尤其還想要依此『術』來證明、說明我們自己。反過來說，如果我說的你們完全不相信，難道我給你們表演了什麼，你們就深信不疑了嗎？那你們爲什麼不去相信魔術師呢？」

人馬座：「辟穀算不算是術？」

道長：「看從哪個方面理解。就像我用電檢查你們身體的潛在疾病，單從表面來看，當然也是術的一種，如果它們沒有更爲實際的作用，比如像辟穀，不能夠爲你們提升生命品質，同時根治一些疾病，整體超越一些東西，我也不會讓你們用。」

小男問無話不說：「你想讓道長表現什麼術？」

無話不說：「辟穀的術，道長是不給我用了。那像穿牆，穿越時空，把我們帶到唐朝，這是不可能的；但是看一看我的生辰八字，算算我究竟有多長的壽命，這點病算不算得了什麼，這總可以吧，道長？」

道長笑：「你想知道的，在你應該知道的時候都會知道。術在有用的時候才用，否則再重要的術也算是嘩眾取寵。術對於不相信的人來說，更是術，因爲『術』本身其實是沒有用的。假定你們沒有與我這裡的因緣，只是偶爾旅遊路過這裡，也同樣看了、待了幾天，你們會相信人是可以這樣辟穀的嗎？會相信我不用任何的藥，也不節食，就能夠把無話不說的糖尿病治好嗎？即使你們這樣經歷了，有一天你們也許還是會認爲：這都是假的。因爲你們不了解你們心裡慣性的力量有多大。術也是這樣，即使你們親自看到了，同樣沒有自己親身的體驗，沒有觀念的轉變，你們也會說，這是假的，這是魔術。」

小男點頭：「是的。凡是知道我來辟穀的，客氣點的說要我小心，不大客氣的直接就說是『假的』、『騙人的』……」

道長點頭：「一個人即使深入地了解了一些事情，都還很難說會不會因此而改變他，更不用說不去深入地了解和體驗了。我們已經很習慣把我們生存經驗裡所沒有的、不能夠理解的事情，通通懷疑為假的。我們常常在說『這是假的』，『這也是假的』，但是我們有沒有試著想一想，我們認為假的事物，有沒有可能會是眞的呢？如果這『假的』僅僅是因為我們沒有接觸過，或者是知道的人沒有機會、也不願意跟我們多說呢？」

道長笑望著無話不說：「你跟我說，『你來點眞的演示給我們看』，那我一定是會讓你失望的，因為我們具有的能力是不應該像魔術師一般用來表演的。包括我的這些弟子們，他們有很多本事，也可以說有很大本事，但很多事情都要有一定的緣分。如果是為了給大家治病，像用電治療，可以幫助我們節省一些功力，這不是為了表演，而是別無選擇。而我們其他的一些功夫，或者說技術，如果沒有特別必要，我們就不會去提，更不會去表演，這都是我們很忌諱的。我更願意大家坐而論道，談談話。」

無話不說：「也有為了證明給大家看有眞本事而表演特異功能的，不能說是嘩眾取寵啊……」

道長：「問題是看了以後你就相信了嗎？你還不是一樣不信人體是可以擁有這樣的功能的嗎？反過來，我覺得一個人如果眞的擁有一些非常特殊的本領，尤其是常年修煉的人，他應該更加不會這麼昭示自己。一表演，那個感覺就很不對了，道流於術的階層，就是術士了。什麼是術士呢？那就是江湖。道是博大精深的，以術來取悅於人，是我們不願意的。但是術，我們也要練，我們修術的目的是爲了合道，而不是爲了『顯得』怎樣。我也是這樣來引導我的這些學生們，他們每個人都有自己的本事，都可以說是身懷絕技，到社會上完全可以獲得很多金錢上、名譽上的收益。但是我們是修道的人，不會那樣去做。金錢對於我們修煉的人來說，沒有那麼大的魅力。我們如果是用術來維繫我們的這個狀況，那就是另外一條路了。」

小男：「道長，我可以問一下，你認爲的術包括哪些？」

道長：「因爲你們不了解術，所以會覺得神奇。其實術就是技術，包括各種各樣的技術。延伸開來，我們這個時代就是術的時代。你們看，『科學技術』就是術，任何東西都是一個技術。對我們來說，你們比較能夠理解的，像星相，無話不說提到的時辰八字——算命，都是術，很簡單的術。」

無話不說：「是啊，我只是想了解一個簡單的術而已！比如算命，我最想知道的，依據一個人的出生時辰，就能夠推算出這個人一生的主要經歷嗎？如果眞是這樣，我認爲這是很牛的事情，這太牛了！」

道長笑：「這不是什麼很牛的事情，這只是一道數學公式，從一個人出生的年、月、日、時辰，一定能夠推斷出這個人一生的過程與經歷……」

2
在道中而不知道

每一個中國人，只要你是生活在這片土地上，你都潛移默化地受到道文化的影響。比方說我們每年都要過年，年是一種動物，和道家有關；每年到了清明，大家都要上墳。我們為什麼年年都要這樣做？

道長：「修祖墳就是連通一個訊息管道，我們主動地去接受這些訊息是非常好的。」

我：「人的預感屬於什麼呢？也是打開了一些心門？」

道長面對興致勃勃的聽眾：「大家以往都習慣認爲『算命』、『八卦』這些是『迷信』，實際上這是科學，是『前科學』，或者說是現代『很未來』的科學。因爲這無非是一個數學公式……」

人馬座點頭：「我非常贊同這種說法。我們是被鎖定在一個自身的生命模式裡面了。就是這個公式……」

道長：「人出生的年、月、日、時辰這四個時間，被我們稱作『四柱』，然後『天干地支』，天和地是空間，年的天干地支、月的天干地支、日的天干地支、時辰的天干地支，就構成了八個字，這代表時間和空間的八個字就形成了你生命的閉合時空數學模型，就可以因此推導出你一生的變化。你，就在這裡面波動。這是算『術』，一點都不神祕。」

生的偉大笑：「完全正確！贊同！就像我如果去和一個從來沒有接觸過數學與物理、沒有接觸過現代化過程的人，講解什麼X平方、Y幾次方的方程式和微積分什麼的，然後居然還要得出一個答案，用在蓋房子或者飛機什麼的方面，我就是傳播迷信，他們惱火起來，就會把我燒死！呵呵……」

認眞的小男有點撓耳地不解：「這個……這個兩者可以相提並論嗎？」

道長：「當然，這些是我用了我翻譯的語言來跟你們講。這些都是技術，從這個層面講，它與數學、微積分什麼的是同一類，只是表達的方式不同。你們都可以學，任何一個人，我教你半年時間，你就可以運算自己的『命運』了，在這方面你就會是專家了。」

無話不說：「怎麼理解天干地支？」

道長：「干是主幹，支是分支；同時也可以這樣理解：干是干預的意思，支是支撐。」

胖子：「通俗地說，就是一個人出生時候的時辰，表明『天』對你這個生命體的干預，和地對於我們生命的支撐……」

一人：「現在教我們一點？」

人馬座笑：「最起碼你要學習半年呢，現在教你一點算什麼呢？」

小男：「還有哪些術？」

道長：「道的術是無窮無盡的……」

小男：「觀天象也是術嗎？」

我：「還有搬運術？把東西或者人，從這裡搬運到那裡？不是魔術？魔術也是術啊……」

道長：「道的術與『魔術』，是性質不一樣的術……」

無話不說：「等等，你們說我打岔，你們才是。這算命的事還沒有說完呢！道長，人的命運是怎麼一回事呢？算術，依靠出生的四個時間，就能夠算出人一生的過程、命運了嗎？」

道長：「對，完全可以算出來。因爲他始終在重複一個固有的行爲模式或習性，所以他的命運基本上是被定了格的……」

人馬座對無話不說：「我們是被固定、被鎖定在一個自身的生命模式裡面了。我不是已經說過了嘛……」

胖子：「我聽說不能夠給出家人或者修行的人算命，說是算不出來，這是爲什麼？」

道長：「是的，因爲修行人的行爲已經沒有模式、沒有習性，擺脫了習性的束縛，所以說不能夠算出來了。」

小男：「不是還有俗語『改變命運』嗎？怎麼就被完全固定住了呢？」

道長：「命和運不是一回事，你們混淆了這兩個不同的概念。一般說命是難以改的——當然如果非要那麼做的話，也可以改命，只是非常難。運很容易改，我們通常說一個人的運不好，運勢不好，運氣不好，我們就有辦法把他的運轉一轉。」

無話不說：「怎麼轉？」他舉手轉動手腕，「像這麼容易嗎？」

道長笑：「對我們來說是容易的，比如說給他做一場法事，他的運馬上就會變好。」

生的偉大：「原來法事是可以用來轉運的？」

道長：「這對我們都是常識。一個人的運是什麼？運是一個時空因素中最活躍的一點，它是最好變的。命則難以改。打個比方，假定一個人從政，他的命理最高可以做到總經理，最低可以做到處長，這兩條水平線代表了他命中的最高官運和最低官運，這個最底點和最高點就是他的命的格局區間，他的運就在這裡面波動，他有可能一輩子就在處長級，也有可能經過了努力而到達了經理級。他不會再差了，但是他的官位也不能再往上去了，千萬不能夠上了，首先他拼盡了力氣也難以上去，而如果這個人不識命，拼了老命、用了一切辦法上去了，那這個人百分之百要倒大楣，就是我們常常說的要倒運了。這就是一個人的命與運。我們身邊有很多這樣的例子。人一旦越過了命的臨界線，就會發生質的變化，我們說『物極必反』。這個格就是命，很難改變。而之間的拋物線，這個是運勢，是可以改變的，氣場的調整就可以改變。」

我：「爲什麼一場法事就能夠改變人的運呢？怎麼改變？」

道長：「做法事在道家叫做『齋醮科儀』，就是我們用我們的方式爲你增加能量。改變能量狀態，就是改變了運。」

小男：「這個……我們怎麼理解呢？」

道長：「一個人成功與否，依靠三個條件：天，地，人。有的人靠天補台，靠天來幫忙，什麼意思呢？就是我們常說的『天時』。舉個例子來說，假如沒有遇到戰亂時期，希特勒在和平時代就是一個排隊領救濟金的人，因爲他很古怪，也很難與社會、人群相融合。但是他成爲了被歷史記住的人，這就是天時對他這樣人的幫助。他們的成或不成，首要條件完全就是『靠天吃飯』。

「還有的人依靠環境，你們一定遇到過這樣的人，他在這個單位就是不行，但是他只要離開到了另外一個地方，馬上就很行，所有的才華和能力都能夠顯現出來；有的人認爲某個地方很好，結果他去了運氣卻很差，做什麼，什麼就不行，這個環境，就是地，我們通常會說『地利』。

「還有的人是靠人的，靠人的人分爲兩種，一種是有的人如果不遇到另一個人，他就成不了事。像劉備，他是遇到了諸葛亮和關羽，才成了事；如果沒有遇到這兩個人，劉備也就不可能成爲現在我們知道的劉備了，因爲在劉備沒有遇到諸葛亮之前只是一個流寇，如果說沒有關羽，那他連流寇都當不了，他只有賣他的涼蓆了！遇到了關羽，劉備才可以帶著兵到處跑，但是他從來沒有打過勝仗，或者說沒有一個眞正意義上的勝仗……這是一類，一個人要遇到另一個人，才能夠成事。而還有的人就是不需要有人幫助他就可以發展起來；還有的人是靠自己的祖宗運，所以就有人去修祖墳。有的人是必須要修祖墳的，修了祖墳，運馬上就變了，因爲這種人是有祖宗運的……」

無話不說打岔：「有祖宗運的人有什麼特點嗎？提點一下，道長，別該上墳的時候我不知道，錯過了運勢……」

大家笑：「這人……」

道長：「有祖宗運的人額形很寬大，很方正，這是最簡單的特徵。當然還不止這些，這種人的運氣一定是祖宗帶給他的，他一旦修了祖墳，就接上了這個祖運。這幾種人的發展叫靠人脈，而這個有祖宗運的叫祖宗脈。」

無話不說摸著自己的額頭：「我還是不明白，怎麼修了祖墳，就接上了這個祖運？依靠修祖墳就可以改變人的運氣？」

道長：「我說過很多遍，任何一個因緣都不是孤立存在的，它都是無量因緣運動的結果，這些因緣和我們的關係有深有淺，能夠修得同船渡都需要很多年的時間，那麼修得同爲一家人，更是需要很多很多的因緣。這些因緣，他們的發願，和我們的關係就很大。同樣的人和不同的人說話，甚至說同樣的話，產生的影響都是不一樣的。因緣也是這樣。簡單來說，修祖墳就是透過一種方式，一種祭祀祖宗的方式，放下自我，讓我的訊息和他（祖宗）的訊息連通。這個事情不是我們常常說的『信則靈，不信則不靈』，訊息不是你想要它存在就存在，不是這樣的。像在我們之前就有電波，幾千年前就有宇宙波，到現在我們還能夠接收到它，你不去接收是因爲你沒有儀器。就像如果你就是不打開電視機，不等於這兒沒有電視訊號，這個訊息是白白地送出來了，沒有被你接收；而如果你信，就會想辦法找到一台電視機，並且打開電視來接收。你經過調整，當然就能夠接收到電視的訊號。修祖墳就類似於這種情況。我們透過一種方式去溝通。修祖墳就是我們透過一種方式溝通靈的方法。祖輩的訊息一直都在，只是我們大部分人都不知道還有這樣一個事實。」

大家靜默，一定都是在心裡重新「定義」這些以往被認定「很迷信」的事情。其實，即便換一個角度，多一個視角看待生命，開闊世界，也沒有什麼不好的……

道長：「祖輩的訊息一直都在，他一定是想傳給後代的，因爲作爲一個人，他最放心不下的就是兒孫。祖輩的訊息是一直想幫你，但是卻難以找到管道，他唯一能夠主動的管道是做夢，托夢就是這個道理。祖輩托夢交代事……」

像一石激起多層浪，氛圍頃刻鬆快起來……

小男：「哎，說到夢，我們不解的事情就更多了。我有一個朋友超神的，她本來就有點奇怪，她一直在國外生活，自己開了一家店舖。她說有一天黃昏她睡著了，夢見鄰居給她打電話，說她家遭小偷了，然後她就看見自己家裡的門窗被打開，有人進去偷東西，她眼睜睜地看著小偷偷走了她的筆記型電腦。她醒了以後覺得做了一個不舒服的夢，但沒在意。第二天下午，店裡的電話響了，她說她回身接電話的感覺就像是昨天傍晚的夢，電話的位置、她的角度、她伸手的動作……電話眞的是她做夢夢到的那個鄰居打來的，告訴她說家裡遭小偷了！她說她當時恐懼極了，因爲所發生的一切都與她前一天夢裡夢到的一樣，尤其是她回家後發現什麼也沒有丟，除了她的筆記型電腦！」

我們聽得目瞪口呆……

我：「這個有點不一樣了，剛才說的是托夢，是有靈的訊息在傳遞，或者是由於自己的思念導致……」

道長：「兩種情況都可能是。夢不僅僅是思念這樣一種情況，具體的分辨就看自己的判斷了。像這個夢，與思念什麼的就沒有關係，是訊息在接通她，而訊息一定是相互的。」

我：「對於未來要發生的事情，這個訊息是誰發送過來的呢？」

道長：「它本身就存在，如果我們進入這種狀態，這些訊息隨時隨地都在昭示著我們。而我們只有在做夢時才一下子開放了我們的一些東西，我們才能夠接收到。我們的心有很多的門，在睡夢中無形地打開了一些心門，訊息接通了……」

道長：「是的。但是人的預感也受到我們的欲望控制，而我們的欲望就像是一個罩子，把預感罩住了，因此大部分人非常難以準確地、及時地感受到『預感』。有一個例子，所謂『事不關己，關己則亂』。古代的醫生是不給自己治病的，也不給自己家人治病，也不給自己預測，就是這個道理。無論幫別人預測有多麼準確的人，給自己預測就會比較亂，因爲自己的感情和訊息都會干擾預測。」

我：「除了修祖墳外，還有什麼方法能夠接通這些訊息？」

道長：「有很多。像『修祖墳』是『有』的行爲，還不是『無』的行爲，無的行爲就是徹底放鬆，透過一種特殊的形式去進入。」

小男：「不是說靈魂會轉世嗎？即便靈魂轉世也消除、改變不了這個訊息嗎？這樣訊息不是越來越多了嗎？」

道長：「不要以人的物理空間概念來理解我們的宇宙、空間。」

無話不說：「道長，你得說清楚一點。我們只能夠以人的角度理解……否則就是不理解……」

道長笑：「好吧。這麼說，資訊，波，不占有空間，但是充滿空間。我們的這個房間裡面充滿了各種各樣的波，宇宙所有的波在這裡面都有，但是它們並不占有空間。像空氣，空氣是到處彌漫的，但是空氣占滿空間嗎？還有像光線，這個燈光充滿了空間，但是並不占有空間。」

小男：「這挺玄的啊，一個現在的人依靠過去時間裡一個曾經的人來指點迷津！」

人馬座：「這就是玄妙的，訊息不滅嘛！」

道長：「這也是現代科學能夠理解的一個基本道理。我們做一場法事是什麼意思呢？做法事是幫助你溝通天地，達成善願，超度眾生，祈禱諸天尊加持能量的儀式。一個人的狀態好不好，用我們的話說就是能量好不好。你們聽說過『運氣不好的時候連喝口水都塞牙』這句話嗎？人運勢很好的時候，遇到天大的事，人不補台天補台，這就是說能量的狀態有時候幫助了你。用什麼方式來支持能量的變化呢？我們做一場法事，就是幫助你加強能量的一種方式。比方說不同的人遇到同樣的事，有的人遇到了就特別的順，有的人就怎麼都不行，這個就是自身的能量狀態。調節能量的狀態就是調節運，做法事就能起到這些作用。」

小男：「如果一個人的命不好，是不是運也好不到哪兒去？」

道長：「不完全是這樣，還是可以變化的。比方我剛才說的處長級到經理級之間，如果說運好的話，就也不錯，雖然他無法超過這個極限，但是他可以在這個框架內追求他的最高線，這是第一；第二，之間的波動可以調節，不是有一個上限和下限嗎？你出生的年、月、日、時辰這個『八字』，四柱，可以幫助你找到你的最佳時機和最佳位置。」

無話不說感慨地：「道長，你掌握了很多我們常人不具備又非常需要的東西。其實無論哪一樣，比如說以一個人的八字、四柱來調整一個人的運，你就完全可以活得比任何人都好……」

道長笑：「一個修煉的人，本身就比任何人活得要明白一點，這個明白算不算好？」

人馬座笑：「對於我們俗人，有的時候還是不明白一些比較好……」

無話不說似鐵了一個什麼心：「道長，你出山吧！」

大家笑，對無話不說：「你以為你是在找金礦呢……」

「你是來治病、修煉的，還是來拐人的……」

「看來心還是沒有調好……」

道長嘿嘿笑：「有一個現象，不知道你們注意到沒有。在民間，千古以來給人算命的人，從來就沒有什麼好的，不是瞎子，就是跛子，不是絕後，就是自身有殘疾。這一方面說上天有好生之德，給了這些人一個生存的機會；另一個方面就是因果問題。雖然整個宇宙最根本的規律是因緣，但若就某個存在層面從水平方向的運動來看的話，因果同樣起著決定命運的作用。有史以來，無史以來，都沒有說有了一個因，卻沒有這個果的。因果的運動就像呼吸一樣，有呼就有吸，它有自己的規律。一個人的命運形成同樣也是因果因緣所導致：你必須承擔你的命運。」

道長：「算命就是挑戰宇宙的規律，所以我從來不算命，哈哈……」

生的偉大：「某個人的命運之果，突然間被一個掌握了什麼術的人挑明了、避開了，那麼那個導致了果的因怎麼辦？宇宙的因果規律是個鐵律，你怎麼可能眞的避開呢？這個報應肯定是要落下來的，沒有報到這個人身上，會報到哪兒去呢？」

無話不說：「我想先知道，確定了這個因果的又是誰呢？」

道長笑：「就是我們人自己啊！如果不是你自己的因，怎麼會由你來承擔這個果呢？這是宇宙的自然現象，也是基本規律。」

道長舉起雙手拍了幾下掌：「聽見了嗎？這個就是因果規律，我一拍，它就一定要響。」

無話不說：「我沒有說清楚。我是說，是誰制定了這個因果規律？」

道長：「這就是自然法則。我們說的『道』。你說一定是誰規定了這樣一拍、它就一定要響，那能不能不響呢？這是一個規律，除非我不做這個動作，就可以沒有這個聲音。因果規律不是屬於宗教的，哲學也在講，物理學也在講，任何的事情都是有因必有果，簡單的就像拍掌，我做了動作，你就一定會聽到。就是這麼簡單的道理。

道長：「那生命的種種各不相同，其實也是各種因果不同的原因？」

道長：「一方面是從平面方向看事物在先後順序上存在的一個線性關係，但是實際情況並非是線性的，而是無量因緣共同作用的結果。所以，人們很難直接看到一一對應的因果關係，導致很多人對因果報應抱持懷疑態度。另一方面，一定是有因才有果，這個簡單的道理包含了整個世界，包含了整個宇宙，更包含了我們一生的形成。如果沒有因，或者說不是你的因，這個果就與你無關了。而怎樣才能沒有『我』的因呢？這是修行的一個重要方面。」

大家面面相覷。即便我們能夠聯想到一些什麼「眼前」的因果，急匆匆去理解我們看似偶然、充滿了八卦、其實可能是必然的人生境遇，我們也未必能夠把握道長所說的這一番話。

道長：「你們都當過學生，考試的時候複習得好，當然考試就好；你有了秋天的收穫，一定是有了春天的播種，是不是這樣？這就是我們近在眼前的『因果』關係。一切的東西都有因，這個因就導致了果。所有的宗教都承認這個因果關係，因果關係導人爲善。」

胖子：「這是你說的與因果相關的修行嗎？」

道長微微點頭：「道家的修行是導人向上的，告誡人『要多做善事』，而多做善事的本質，就是爲了要修正我們的因，眞正幫助我們避禍。做一場法事來幫助你增加能量還是很簡單的，但是解決問題的根本不在這裡，根本在於修善因。明白人都在乎『因』，而塵世中的芸芸眾生，大部分人只看到、只在乎『果』。修因，就能夠改果。道在醫學領域的運用同樣是這個道理，我們不改正出現的病果，而是去尋找、修正病因。」

大家各有所思，連空氣似都在「思索」了……

許久，無話不說：「有個關鍵問題。如果是這樣的話，這個世界一切現象都是因和果所導致的？這難以解釋啊！像飛機失事呢？美國的九一一事件呢？難道有那麼多人的因都合到了同樣一個果上來了？」

道長：「你問了一個非常深刻的問題，這個涉及個別際遇與共同遭遇的原因問題。」

所有人都屏聲靜氣了——

道長：「可以從兩個方面來理解，一是任何一件事情的出現，一定是一個因緣運動的結果，一定是無量因緣的合和，差一個因素都不行，而且不可能找到根本的原因是什麼。二是不同遇難者的相同遭遇。這個問題比較簡單，但很難被理解。從整體或者從垂直的角度看，遇難者和幸運者並無差別，就是說遇難與未遇難是一樣的，這個是世間人最不可思議的，而且也難以說明白，即使說明白了，也很難被人接受。從水平的角度看，人們的命運千差萬別，但歸結起來，不外乎兩大類，即從『我』出發的利弊、得失、吉凶、禍福、苦樂、健康與疾病、喜歡與討厭等等，當然還可以再加上生和死。無論何時何地，何種類型的群體，都是這兩大類情景前後相隨的水平滾動。因爲只有兩個大類，所以不同個人的相同遭遇就沒什麼特別的了，也是容易被了解的。你們仔細想想是不是這個樣子呢？這個話題非常難以用『簡單』來表達清楚，要從更深層面了解。」

無話不說：「對於我這樣直線思考、直截了當的人來講，道長你等於沒有正面回答我的問題。」

道長笑：「是嗎？你這麼認爲？」

沉默。

道長：「大部分人的生活都像是在夢境中一樣，是不透徹、不明白的，發生了不知道是爲什麼發生，得到了也不清楚是爲什麼得到。一點小小的利益、便宜，就可以讓大部分人欣喜若狂；而一旦失去了什麼，也同樣會讓很多人難以承受，看不清生命的本質，看不到生命的可貴。有一句話你們應該知道：天網恢恢，疏而不漏。幾百人、幾千人，甚至更多的人有相同的命運，或者說結果，在這麼浩大的宇宙，算得了什麼？雖然人人的生活方式、生活經歷都不一樣，但是他們都有自己的因緣，並非是這一世的因緣，也可能是幾世的因緣，因緣到了一定的時候必定要爆發，以各種的方式來呈現。從這方面來說，活著和死去沒有哪個好、哪個不好的差別，只是因緣不同表現的方式。人是很難理解這些的，因爲人被感情困擾了，被簡單的『對、錯』困擾了。人因爲不能夠了解這些，有些話說透了就會被誤解，會傷害世人的感情。」

小男：「這個問題如果不是巧合發生的話，確實是十分可怕的。這足夠我思考好一陣子了。」

人馬座：「而出家人可能就是用一生在思考……」

胖子：「山下、山上都是修行，是不同角度和作爲的思考……」

無話不說：「但是我又有新的疑問了：來自不同生活、不同境遇、不同經歷的人，可以同時遭遇一個結果，這個我暫且接受。那麼在同一家醫院、同一年、同一天、甚至同一個時辰出生，具有相同四柱的那些人呢？他們的命運和結局爲什麼是毫不相干的呢？他們應該具有相同的個人生命數學模型啊？」

＊　＊　＊

生的偉大回答得比道長還快：「這個我替道長回答你——雖然同年同月同時甚至同刻出生，但是他們的父母不同，父母的父母更加不同，所以大的因就不同，小的果自然不可能相同。」

無話不說：「怎麼你都比我清楚，顯得我最沒有悟性。那麼雙胞胎呢？有大量命運不同的雙胞胎，你怎麼往上推他們都是同一個『因』啊！」

生的偉大瞬間被「卡」在那兒：「呵呵……所以，我是一個持科學態度者，這些東西無法解釋，或者科學還沒有跟進……我們想得太多了，上帝就要笑壞身體了，哈哈……」

道長笑：「我們這裡好像學術氛圍很足，哈！你們上午功都練了嗎？是放下一切練的嗎？」

大家紛紛表示都「放下一切地」練了「科學難以理解」的功，除了持科學態度者生的偉大：「我爬山，」生的偉大繪聲繪色，「我放下一切地爬，盡量與自然達成融洽……」

大家一致警告生的偉大不許再打岔，敦促道長解釋無話不說的疑問。

道長顯得有點無奈：「呵呵，這些話題，實則都是很深入的課題，我們隨便這樣講講是不負責任的，一個嚴肅的東西被這樣來講解的話，就是嘩眾取寵。這些東西不應該是這麼八卦地來說的……」

小男：「道長，如果你不說，那就更加八卦了！你多少讓我們知道一些道理、原理什麼的……」

無話不說：「就是比如說你已經是很偉大的數學家了，道長，你也有責任讓我們知道，負數也是數！這對你來說是一個簡單的說明，可能也就是一句話……」

大家笑。又紛紛制止無話不說，不許再說話打岔。

無話不說小聲喃喃自語：「抑鬱症就是這麼被好歹不知地壓抑出來的……」

道長：「好吧，我只能淺顯地說一點。但是我覺得應該先補充一下，在這個問題之前，無話不說提到的上一個問題：他說這個世界一切的現象都是因和果所導致，那難以解釋像飛機失事啊，一些大的災難，難道有那麼多人的因都合到了同樣一個果上來了？」

無人敢輕易插話，都點頭示意，期望道長盡快說下去。

道長：「一方面，我剛才說了，天網恢恢，疏而不漏，幾百人、幾千人，甚至更多的人有相同的命運，在這麼浩大的宇宙算得了什麼？個人的因緣，今世的因，或者幾世的因，都終有一日會成爲自己的果。另一方面，就是我現在要補充的，我們用人的生辰八字描述命運，是想要準確地了解清楚兩個方面的情況，一是這個人的存在層面，包括性格與緣分，比如有一生富貴顯達的，也一生平庸的，有身強體壯的，也有一生被疾病糾纏的等等；二是對有生之年運程軌跡的描述，比如起運、轉運、旺相休囚等等，是把生辰八字的五行屬性與流年的五運六氣相比對，從而了解運勢的強弱好壞等。我們已經說過了，可以把人的際遇歸結爲兩大類情景前後相隨的水平滾動，現在我接著說的是，無論人們生存在哪個層面，照樣也都是兩大類情景前後相隨的水平滾動，無一例外。只是每個人進入這個滾動洪流的順序不同和滾動的節奏不同而已。也正是這點不同，在必有事發之時，陰差陽錯地某些人趕上了，同樣還是陰差陽錯地某些人錯過了。這個象數模型與結果的關係，就好比數學公式與代入數值的關係。同樣一個公式，代入不同的數值，結果便完全不同。因此，八字只是這個數學的部分，它是一個特殊的數學計算公式，這個公式保證我們對於一個人的預測起碼有50%到60%能夠說得準確，那還有40%和50%的東西靠什麼來確定呢？靠推算命運的人的靈感，這個人的能力，就是我們在修煉中的通靈。如果這個人的功夫修行得很好，通靈性，計算公式又學得很好，預測的能力到了80%、90%，那就不得了了！」

小男：「關鍵是這個通靈的事情是不是眞的存在……」

道長：「能啊，用通俗的話說，就是感應。一般人之間感應最明顯的例子是親人之間的，比如兒子與媽媽，如果兒子在千里、萬里之外出了什麼事，媽媽也是會有感覺的，會坐立不安……」

午飯的音樂響起，大家嘆息：「還是沒有解答雙胞胎的問題……」

道長笑：「一時也講不清，下午有時間再講吧。」

無話不說：「道長，我可記得啊，兩大要事：一，沒有給我辟穀；二，還沒有解釋爲什麼相同時辰出生的人，命運依然不一樣……」

道長笑：「我也記得。」

大家戀戀不捨地挪步，邁向人間煙火的一樓餐廳。

小男：「道長，其實你跟我們多說這些，也是弘揚道文化啊！像科學有很多的理論，但是科學的被普及實際是因爲『科學技術』。你說的也是一種術吧，讓很多人受益，並且信服了。無論生物科學、數學、物理科學，還是……任何一方面。」

道長：「但是道的術，因爲關乎修煉與心靈，是內在的力，是很難被普及的，必須透過自己的實證過程。弘道是一定的，弘道就是弘揚我們民族的文化。一個民族的發達發展，首先是它的文化發達和發展。因爲文化是既能夠發展，也能夠瓦解一個民族和人心的核心。世界上有那麼多的紛爭、血腥、暴力事件，乃至戰爭，都是由於宗教問題而引起的，但是只有中國的道教沒有任何這方面的問題，因爲中國的道文化是一個『和』的文化。所以，中國的道文化應該以自己的種種形式，向外界傳播。」

無話不說：「道長，你們開始給我泡藥浴了，這也算是在弘道嗎？」

大家一愣，爆笑！這話與話的，接得太緊了，只有無話不說這般「內心寬闊」之人，才能夠瞬間將文化對於一個民族的影響，對於世界和平的內力，直接對應到眼前的泡藥浴！

無話不說依舊冷靜而嚴肅：「你們扯太遠了。泡藥浴是下午的事。我心裡應該是怎麼個想法的支持，比未來世界大亂要緊迫得多。」

道長笑：「道無處不在。哪怕就是我們在珍惜身體、修養生命，哪怕像你泡藥浴的時候，也可以由此進入到道的文化之中。」

人馬座：「確實應該弘揚和傳播中國的文化。近現代以來，特別是最近一百年以來，中國的傳統文化因爲『現代文明的發展』遭到很大的破壞，民族自尊心也屢屢挫傷。」

胖子贊同：「現在的小孩，在家裡，對父母不孝順，在生活裡，自己也很鬱悶，在社會上，對主管也不尊敬。拍馬屁不是尊敬。中國近兩百年以來經歷的戰亂，包括我們的文革，很多傳統文化都被毀壞了，而這種破壞直接導致的就是人心的寧靜被毀掉了，沒有了人生的方向，不知道什麼是應該的，什麼是不應該的……」

道長：「所以我們要花費很大的精力培養專門的人，能夠有能力傳承我們流傳了幾千年的東西，傳承古老的中國文化。」

道長指著正好路過的山門之下：「我們這裡的道學院就是要做到這些。首先要有人、有能力看懂我們祖先留下來的文字，比方說一部花費了兩百多年、四代皇帝兩代天師、窮盡天下的智慧財富集成的《道藏》。但是現在能夠看懂《道藏》的人已經很少了，這是萬分遺憾的一件事情。你連書都不看，怎麼會認同書裡面告訴你的東西呢？一個從來不知道生物學、化學是什麼東西的人，也從來不看化學生物學的書，怎麼可能相信生物學與化學呢？同樣的道理，現在很多人連什麼是『道藏』都不知道。」

轉眼已到餐桌邊，大家紛紛落座，「葵花朵朵向道長」地：「道長，《道藏》是什麼？還沒有上菜，請你跟我們講講啊……」

道長：「《道藏》是非常龐大的一部典藏。歷史上的說法有五千四百八十五卷，什麼概念呢？如果是舊版書的話，像我們現在這個房間可以堆滿五、六間。現在大的圖書館都藏有《道藏》，但是你看了第一篇就不想看下去了，因爲完全看不懂。就算是學古文的也看不下去，你學了古文，但是你不懂道教書的章法符號祕訣，還是看不懂。中國現在急需要的是能夠讀懂這些傳統經典的人。我天天在和你們講的，也在其他地方和其他人不停說的，並不是我的東西，而是上千年流傳的先人智慧，我是在用一個大家聽得懂的方式，敘說幾千年前的文化和智慧，僅此而已。」

小男點頭：「確實是。應該說完全不知道，還不是不了解。」

道長：「是的。但是我不停在說的這些東西雖然很多人都不夠了解，甚至不知道，然而並不意味著我們都很疏遠這些智慧和知識。因爲每一個中國人其實都生活在道中，所謂『在道中而不知道』。

每一個中國人，只要你是生活在這片土地上，你都潛移默化地受到道文化的影響。比方說我們每年都要過年，年是一種動物，和道家有關；每年到了清明，大家都要上墳。我們為什麼年年都要這樣做？參與做這樣事的人很多，但知道為什麼要這樣做的人很少。人們自古相見都是拱手為禮，二十四個節氣的時候我們要去參與。

「你們思考過沒有？我們中國人和西方人，不是認知上的不同，不是語言上的不同，不是我們的身分證、國籍的不同，也不是靈性化程度的不同，都不是，是我們文化的不同。文化才是我們真正的身分證。這個文化是誰決定的？是由幾千年決定的。中國換了這麼多代的皇朝，換了這麼多的皇帝，從來就沒有換過這個文化和傳統。全世界的文化只有中國文化是統一的。」

沒有人理會這時已經擺滿了一桌的菜，心底裡，其實都恨不得此時依然在二樓小茶座，聽道長沒完沒了說下去……假裝都看不到菜，聞不到菜香。

道長：「我們中華民族是一個非常偉大的民族。中國歷來有很多外來民族的入侵，但是入侵的結果始終是在被我們同化。中華文明的傳統一直保存到了現在，沒有斷代，這是因為中華文明的核心是我們的道文化。道文化承載、容納、吸收、同化了一切外來文化，自始至終彰顯著我們的文化尊嚴。這個世界的很多戰爭都是宗教戰爭，只有中國沒有因為宗教而起的戰爭，只有中國道教把儒、釋、道三教的聖人都毫無分別地供奉在道觀，在全世界的宗教中只有我們的道教真正做到了三教合一。中國八百年前道教王重陽祖師有一句話：『儒門釋戶道相通，三教從來一祖風』，就是這句話奠定了三教合一論，三教同源論。三教同源論體現的是中國的大乘思想。」

大家靜默。沒有人反對「中華民族是一個了不起的民族，是因為有一個了不起的文化」。

菜自飄香。

道長：「我們中國實際上是牛氣了幾千年，現在的自卑心理是非常短暫的現象。唐朝的時候，我們的民族自尊心還是非常強大的，用現在的觀點說，那個時候我們就非常注重環境治理、天人合一。那時我們就有五十米寬的大街，唐朝士子在一千年前穿著華貴的絲綢漫步在長安街上（非北京現在的長安街）所表現的君子之風，比現在西方人的紳士風度更有風度。我們是在最近將近兩百年才頹敗下來。現在的中國人有很多歷史上沒有出現過的劣跡，比如在公眾場合高聲喧嘩、隨地吐痰等等不可思議的劣習，這是我們傳統斷了傳承的結果。在歷史的長河裡，中國一直是全世界的楷模，是一個文明的標誌，用當下的話說，是先進文化的代表。到現在爲止，檢閱我們自己的文化，我們仍然是全世界文化領先的一個大國，是文化唯一沒有斷代的國家。」

＊　＊　＊

無話不說率先觸摸筷子：「道長，你說的這些道理非常好，讓我充滿作爲中國人的驕傲與信心。但是對於我這樣的俗人來說，僅僅道理是不夠的。道長，請你趕快率領我們吃飯，然後我等著解答爲什麼相同時辰出生的人，命運依然不一樣然後我才能夠思考著泡藥浴……」

大家在笑聲中各自拿起筷子，在道長「細嚼慢嚥」的叮囑中開始享用午餐。

我們幾個「帶帽青年」依然是兩眼發綠地全程「盯蹤」，依然是感慨惋惜他們豬八戒吃人參果般風捲殘雲——儘管他們都已經認爲是相當相當地慢、相當相當地細嚼了！

之後，我回房間，以餐桌現實的參照，用百般的耐心與細緻，好好練了午飯功。之後站樁，之後調理……

3

煩惱是吃出來的？

道長：「這還不是辟穀唯一讓你們感悟到的。你們還會有靜心的體驗，慢慢的你們都會知道……」

胖子：「不用慢慢的，我現在就體會到了，那些平常非常困擾我的事情都顯得十分遙遠。怎麼不吃東西連煩惱都沒有了？煩惱是不是也是五穀雜糧、人間煙火滋養的啊？」

大家再次見面，都是在這「一番流水」之後了。也紛紛抄完了《清靜經》，依舊在被秋天的雨幕圍裹著的二樓玻璃房，幾路會合。

胖子一定是「抄了近路」，他的調理都在我之後，但是待我抄完經文尋到二樓，他與道長已經在聊了。

胖子面露擔憂與困惑：「……爲什麼我的血壓還是那麼高？一直以來低壓起碼都有一二〇，高壓一五〇，這樣眞的沒事嗎？」

道長笑：「沒事。有沒有家族遺傳？」

胖子：「有，我父母、兄弟姐妹，家裡都是高血壓。」

道長點頭：「只要是家族性的，就有遺傳性。人與人是不一樣的，不能夠以一個統一的標準來恆定所有人的健康標誌。你生下來可能就比別人的血壓要高。這種有遺傳性的狀況，你就不要太在意數字，要依靠你的感覺，你的感覺非常重要。如果你依照一般正常的血壓調整，對於別人是正常的數字，對於你可能又會有問題。」

人馬座：「這是不是就像不應該設立標準身高、標準體重一樣。每個人的情況不同，不能夠說我不到一百八十公分就是個病人。」

道長：「對。以一個相對狹小的數字範圍，爲大多數人設計了一個固定的模式，而沒有考慮到人是個案，這也是現代醫學模式中的一些弊端。凡事是有普遍性，也有特殊性的，比如人在高空作業，若把他們的血壓降下來的話，馬上會出問題，他們的有些指標就不能夠參照平常大多數人的指標。你也一樣，因爲你的父母、你父母的父母都是高血壓，你的遺傳就是這樣，所以你不要太在意數字。你的血壓自己會調節，問題是你難受不難受？」

胖子搖頭：「倒沒有難受，就跟我平常吃了藥以後一樣，就是擔心得不行，尤其是一測量血壓……」

道長笑：「數字只是一個參照，並不是絕對的說明。你們都習慣相信數字，反而不相信自己的身體了。不要太依靠血壓計，那樣反而增加了心理的負擔。你今天有些什麼反應呢？」

小男笑：「心情的反應，一直後悔平時太草率的生活，放掉了那麼多可以盡興享受的東西！眞是點點滴滴！」

道長笑：「已經有感受了啊！在我們平常的人生中，幸福唾手可及，幾乎到處都是，但是非常可惜的是，幾乎沒有人察覺到，更不用說去細細體會。」

一人微微質疑：「有嗎？到處都是？不就是……可能得不到的反而好，還是煩惱很多啊……」

小男笑：「你錯了！眞的不是，你辟穀就知道了，點點滴滴都是幸福……」

道長：「能夠讓我們感受到的幸福，是隨處可見的，簡單到隨心地喝一杯果汁、一杯茶或者吃一點稀飯，哪怕只就著豆腐乳……」

「哎呀！夢寐以求！」我們這幾個正在辟著穀的，聽到稀飯豆腐乳，眼睛裡都放出了光芒！

道長：「這些都是最簡單的，任何人隨時都有可能辦到，但是確實眞的能夠帶給我們深刻的幸福。你們幾位辟穀的，感受已經很深了。」

小男：「平時啊，不要說稀飯豆腐乳，就是什麼山珍海味的，現在人想吃，也都吃得到，也吃得無味了，與幸福感沒有一點聯繫。」

胖子贊同，捏著一塊橘子皮在鼻子下面嗅著：「連橘子皮都是這麼好的東西，你們想得到嗎？一塊橘子皮都能夠帶來幸福感，不是瞎說的！」

大家笑，有手快的立刻剝了一顆橘子，將整個橘子皮遞給胖子：「爲你的幸福橘子皮，我勉強吃一顆橘子吧！哈哈……」

胖子笑容可掬，謝著接來橘子皮就按在了鼻子上：「才知道橘子是這般香味……」

小男笑著感歎：「平時吃就吃了，剩就剩了，扔就扔了，現在想來，我們眞是糟蹋了多少好東西！好東西本身就應該伴隨得到了的快樂和幸福感，但是我們有多少人會有這種幸福感受的聯繫呢，眞是罪過啊！我這幾天腦子裡老是有以前吃飯剩下的菜，夾過幾筷子的魚，才嚐了幾口的什麼什麼，唉！我還以爲自己已經挺懂事了呢！」

道長舉杯喝了一口茶：「是啊，幸福就伴隨在簡單、平常的日常生活間，而在平時，我們都忽略了。像這一小口茶，還有這一點點魚片……」

道長從茶桌的食品袋中拿出一小細條乾魚片，咬下一點：「這個美味，並不需要很多，卻足以讓我們知道人生的幸福與充足。你們仔細地體會過沒有？眞的足矣了！可以品嚐到、感受到全部的幸福。」

大家的表情在發生微妙的變化……

道長：「這還不是辟穀唯一讓你們感悟到的。你們還會有靜心的體驗，慢慢的你們都會知道……」

胖子：「不用慢慢的，我現在就體會到了，那些平常非常困擾我的事情都顯得十分遙遠。怎麼不吃東西連煩惱都沒有了？煩惱是不是也是五穀雜糧、人間煙火滋養的啊？」

道長：「辟穀結束之後，你們的人間煙火、五穀雜糧都還會回來，但是煩惱就不會像以前那麼多地回來了，而是會很靜心。」

小男一直看著道長一點一點將細條魚片乾嚼盡，搖頭嘆息：「眞的，你們是眞的不知道一點點慢慢、慢慢吃的樂趣！我辟完穀後，絕不會和你們現在吃飯那樣，你們太浪費了，不是說你們剩下來的，是指你們吃下去的，也是太浪費了！」

無話不說裹著大浴袍出現：「還是顚倒了，我白泡這個浴了，腦子裡面沒有什麼想法，原先想琢磨著命運的事進行著藥浴，給自己弘揚一下的……你們說什麼？煩惱是吃出來的？辟穀之後連煩惱都沒有了嗎？」

生的偉大笑：「錯！苦惱和麻煩是長出來的。他們沒有煩惱是因爲他們煩惱的根淺，不吃東西了，煩惱就鬧災荒連根荒掉，所以沒有了。你與他們完全不同，你不吃了，頂多煩惱不長罷了，但是根還在，隨時等待長！」

無話不說：「根不根的由它了……道長，爲什麼相同時辰出生的人，命運依然不一樣呢？」

大家笑。雖然都惦記著這件事，但是無話不說的執拗，顯示出他認眞可愛的一面……

道長：「我和你們說過，命和運不是一回事，但是在你們的這個問題上面，你們顯然還是把命、運攪和在一起。

「相同時辰出生的人，他們的『命』，一定是大致相同的，不同的是未來各自的運。運是什麼呢？依照我們的說法，運是此人的命格之中、生命能量的漲跌曲線。一個人的運勢，就是這個漲跌曲線的趨勢。而通俗的理解，這個命格之中的漲跌曲線，即是各人際遇的各自因緣。

「同時辰出生的人，命格一定是差不多的，但是不同波動的是他們的運。命是先天的；運是後天的，隨著際遇、環境、因緣而不同。舉個簡單的子承父業的比方，幾個相同命的人，一人出生在讀書人家，一人出生在做生意人家，一人出生在官宦人家……這三個人都算是有不錯的先天的命，然後各自受到不同生命環境、心意、機緣的影響，在他們各自的命中，做官人家的孩子長大也做了官，商家的孩子從了商，教書的孩子成了老師。在他們分別的運勢中，能量體現的方式不一樣了，由此日積月累，若干年過去之後，做官的成了好官，做生意的有了資產，教書的成了模範教師，他們都很好，但是從表面看來，顯得有『千差萬別』了。其實這都是一樣的命，但是世俗的人對於這個『千差萬別』的看待就不一樣了，世俗的分別心，把做官、商人、老師來了一個等級看待，於是人們說——像你說，『爲什麼相同時辰出生的人，命運不一樣呢？』哪裡有不一樣？是你們的分別心有不一樣，當官，和做老師，成了商人，或者畫家，都是一樣的，他們都很成功，無非是在不同的領域，從事的事情不同。這還是一般世間人的一般生命經歷……」

小男：「不一般的指的又是什麼呢？」

道長：「發願的心。心的力量導致根本差別，還有努力不努力，修煉與否。你們不是也有疑惑嗎？『既然命都定了，還需要什麼努力？』這個理解非常狹隘。一方面，確實是，無論一個人怎麼努力，改變的只是運勢，他的命格基本上是難以改變的。但是努力與否，有發善願與否，修煉與否，對這個人的運勢是有很大影響的。你可能有做大官的命，但是你從來不修行，也不努力，沒有善心善行，你的能量始終沒有得到你的調整，你可能渾渾噩噩混個一般的官也是一生；而另一方面，如果這麼絕對，命就是不可改變的話，那我們修行人的方向與境界呢？通俗地說，做善事又有何意義呢？

「出家、修行的人可以改變命格，這就是常言『跳出三界外，不在五行中』。上午我們說『出家人、修行人是不能夠算命的』，並沒有講解得很清楚，爲什麼不能夠算命？要知道算命，算的就是五行，而一個修行人、出家人，修的就是自己的一顆心，他就不在五行之內了。人都是『相由心生』，他的這顆心天天都在修煉，都在變化，他的命當然也是在變幻的，怎麼可能算得準呢？算不出來就是無法算。

「道家的修行人可以改命，巨大的善心也可以改變命格。出家人、君子、聖人、賢人，都有可能改命。因爲世俗中的自然人，他的喜怒哀樂，全部都是受到他自身之外的一切外界因素、好壞論斷的影響，他是被世事把握的，他找不到、把握不到他自己，他爲外界所控制；而修行的人是不斷修心的，不斷的在修行、改變自己，修行的目的就是掌控自己的心，就是『貧賤不移，富貴不淫』，是始終與自己同在的。」

沉寂。我的心被什麼輕輕地推動。有自身的反思，有悲憫，有宏大的寬容，有自嘲的微笑，還有一個未來的光明開啓……「與自己的心同在。」在幾萬分之一秒的時間內，以超光速的心速，千萬感觸，千言萬語……

有感動，然而同時我也清醒地感受到了辟穀所帶來的淡淡寧靜。心動了，但是並沒有澎湃……與此同時，我看見有同樣被感動的淚光，閃動在另外一些眼睛裡面……

道長：「所以即便是雙胞胎，有著更加一樣的命格，依舊是運的區間漲跌曲線不一樣。是什麼決定了一對雙胞胎完全不同的人生際遇？是他們善待因果的方式不一樣，動的心念不一樣，修行與否不一樣，所以逐漸地各自遇到的事情就不一樣。緣起不一樣了，遇到的人也會不一樣。還有這個在這裡工作，那位是在另一個地方，不同地方的『風水』，對這個人的磁場影響也不一樣。如此這般，就導致了運勢曲線的上格或者下格。表現出來的世態，就被人們認作爲『不同』。是心的改變。我回答清楚了嗎？」

＊　＊　＊

然後天色就昏暗下來，帶著山上雨霧的朦朧，黃昏匆匆降臨。

一天過得很快。練兩次功，調理一次，就剩下一點點近中午與近晚餐的時間，與道長「胡攪蠻纏」地請教，聆聽道長道文化的種種講解，然後就期待晚餐之後，八點到將近十一點的道長講座。

晚飯的時候，雨並沒有停。大家下樓去了餐廳，我回房間「吃晚飯功」。我的「晚飯」不需要任何的東西，只要一個靜謐的空間和一個安寧知足的心境。關閉了燈，聽著沙沙的雨打在竹林、樹葉上，任時光分秒滴滴流淌……

我自覺我的「晚飯」越來越好吃了，雖然沒有味覺、嗅覺、觸覺的參與，不是感官的直接享受，卻有自己平時無論怎麼去料想也不可能揣摩到的精神愉悅與享受，美妙，極致，難以言表，再不是剛開始時的枯燥。

不知過了多久，我「用膳完畢」，明顯精神飽滿，體力充沛，下樓去尋找人間煙火之中的眾仙友們，居然不由自主是平時跑樓梯的習慣，完全忘了我已經六天沒有吃任何東西了！我想起我在辟穀之前的種種疑慮，但是這六天以來的事實正在快速地瓦解這些常規的擔憂和疑慮，我完全可以不依靠食物而好好活著的，也許我——人的體內，眞的配備有第二套陰性系統，道長幫助我啓動它正常工作了！

我暗暗自嘲以「眞的」如何如何的句式，依然在質疑我的親身體驗……被習慣拘謹、固定住了的常規意識，看來確實是相當頑固呢！即便是自己都已經在實踐了，還是在認知上面「也許」、「眞的」什麼什麼，不認爲同樣是常規，而好像只是一個「意外」，遭遇一件奇蹟……

呵呵！這其實是一個被實踐了好幾千年的「規則」啊，一直隱藏、埋伏在人體之內的祕密，卻被多少人遺忘到了徹底否定，最後連身體到心靈一併放棄了……

我感慨、浮想聯翩地走進餐廳。

他們的晚餐還沒有結束。道長依舊在侃侃而談。這些天的任何一個時候，只要與道長在一起，大家就有無窮無盡的「那麼……」「爲什麼……」，道長都是以全部的熱情和眞誠，以他的博學，滔滔不絕地傳播他了解的知識、他通曉的道理。

我既享受我因爲晚間的獨處而感受到的那一點「自得」，又遺憾沒有在這裡的「同時出現」，錯過道長「道論」。如果可以實修一門術，看來我要首選「分身之術」，嗯嗯……

我悄悄潛身坐下，聽明白了道長正在講的是餐廳西面牆上畫著的「河圖」與「洛書」。

左邊一副是「洛書」。

「洛書」據說是大禹當年治水時，發現了一隻五色彩龜出現在洛水，背上的紋理形態如同文字。

於是，大禹發現了「洛書」。

右邊的一幅「河圖」，傳說中是早大禹八百年的伏羲發現的。

道長：「……『河出圖，洛出書，聖人則之』，《論語注》稱河圖就是先天八卦，宇宙的象數模型就是這麼建立起來的。河圖、洛書中的數字概念，反映了中國古代文化中的數學成就。洛書中的數字排列，實際上是中國古代的『幻方』，或稱『縱橫圖』。在近代數學發展過程中，幻方理論是數論的組成部分，即在正方形方格中填充適當的數字，使橫行、豎行及對角線的各組數字相加之和都相等。中國古代對於幻方的認識比西方國家早千年以上，東漢時就出現了每邊爲3的幻方，稱爲九宮，這是在八卦的基礎上推演出來的。上個世紀，英國的李約瑟發現了宇宙中的萬有寶庫，就在我們的八卦圖裡面，它的數學模型實際上就是還原了整個宇宙生存變化的模型。」

我出神地望著牆上這兩幅圖，感覺連餐廳暖暖的白熾燈光都散發著神聖的光暈……

道長：「這就是中國最早的宇宙象數模型。我們的原則用的就是陰和陽，這反映了互相的影響，

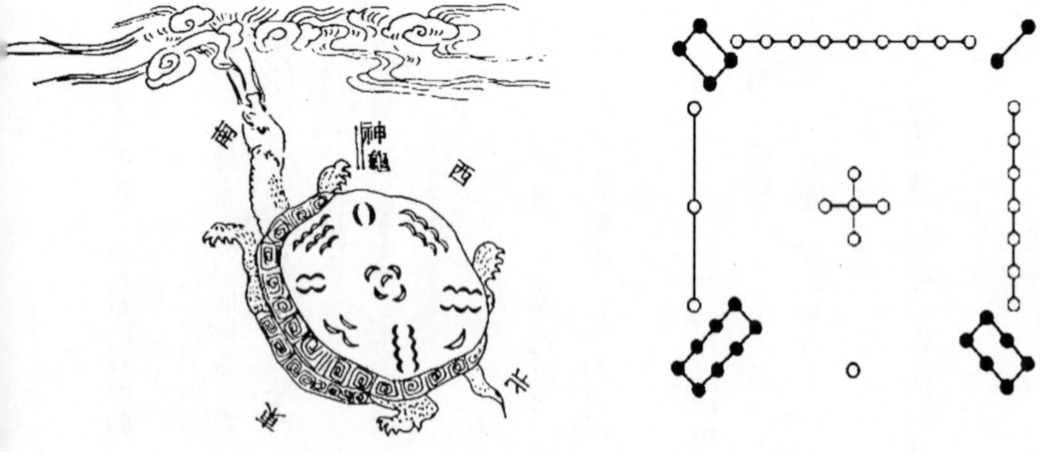

洛書

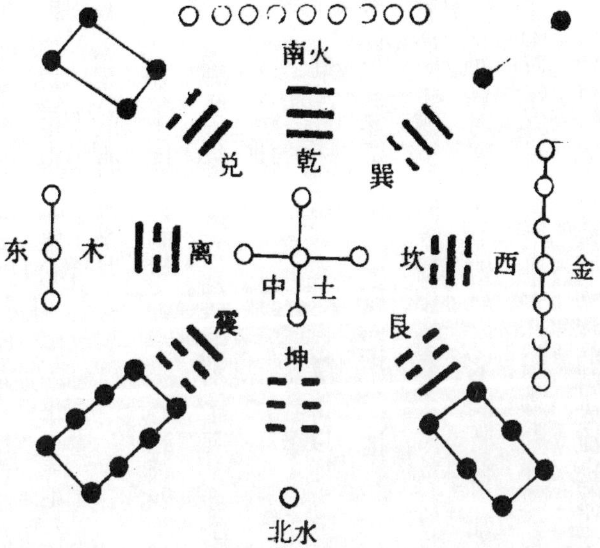

洛書配八卦

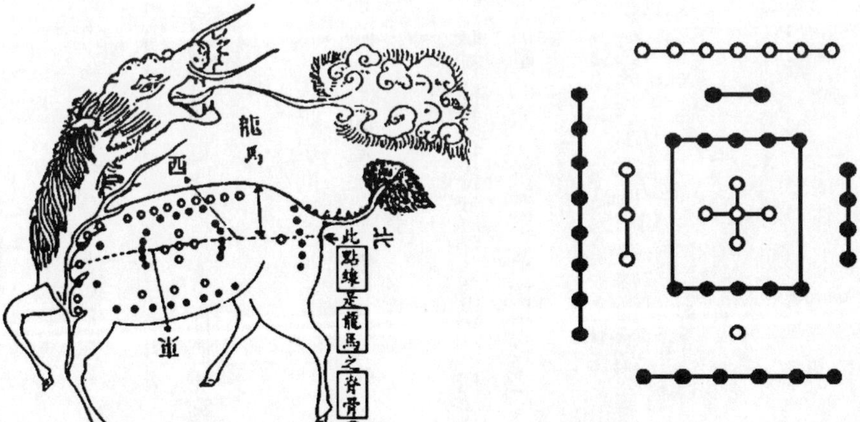

河圖

變幻成為我們現在的許多東西。現在任何的一個物理狀態都是用數學模型來演示的。」

有人輕聲請求，請道長跟我們略微講解……

道長頷首：「請你們仔細看我們的河洛圖。你們看下方的『一』，是陽，代表了天，它的下面有六個黑點，代表著陰，代表著地。用語言解釋就是『天一生水，地六成之』，『天一生水』表示宇宙萬事萬物是由水開始的。『天一生水，地六成之』這個說法已經有將近四千年了，你們能夠接近一點我們祖先的智慧嗎？」

穿著牛仔褲們的燈下諸人，心靈被四千年前的天、地、水、人吸引而去……

道長再提醒：「你們看明白了嗎？看上面是陽，下面是陰；上面是天，下面是地。」

眾人凝神。

此刻如果是電影表現，鏡頭可以從大家類似「入定」的眼神穿越，從河圖、洛書的白紙黑線條、看似平淡無奇之中，一直「推入，推入」，幻化出千年之前流動的水，沉沉、萬物生長之大地，風起雲湧、生靈依靠四季變化之天空……款款之世界。

而「河圖」、「洛書」之旁的時鐘，卻以「戚、嚓」之輕微提示，面無表情地彰顯著時光在二〇〇五年九月二十二日十九點五十五分的駐足……

這眞是迷人又驚心動魄的時光流逝啊……

道長微笑：「我們應該結束晚餐了吧？馬上要八點了……」

小潔：「道長，晚上你就跟我們講講八卦吧？」

道長呵呵笑：「可能需要另外選擇一個時間，因為這是一個難以講清的學問，如果講得略微清楚些，起碼也需要半年……」

4

大海是怎樣越過沙漠的

海水很絕望，它似乎永遠也到達不了另外一個陸地。它只要一開始行動，就被沙漠吞噬了。無論海水怎樣冒險，怎樣一次一次不斷嘗試，都注定無法越過沙漠。

直到有一天……

只有幾分鐘的差別，我們從暖融融的餐廳，「移師」到了二樓的練功房。人更多了，坐滿一地，燈光敞亮，洞開的窗飄進來陣陣夜晚夾雜著雨氣的芳香。大家身上大多加了薄毛衣。

人們還在陸續走入，我乘機問道長，我的精神越來越好，體力輕鬆，是不是身體的第二套系統工作正常了？

道長微笑點頭。才來兩天的小潔、人馬座非常不解，問什麼是第二套系統？

人們陸續坐定了，道長開講：

「我們說到過生命有兩個系統，一個陽性，一個陰性，但是我們沒有很清楚地講解過這兩個系統不同的作用。

「我們有兩個系統，一個是『有』的系統，一個是『無』的系統。『有』的這個系統和我們的邏輯思維是有關係的，我們用『有我』這個感覺，用我們的邏輯思維，去應驗、去理解外有的世界。我們能夠控制儀器，試圖以我們的能力去掌控外在的世界，這些我們努力了，也許或多或少能夠做到，但是我們永遠也控制不了『我們今天晚上做什麼夢』。我們可以控制自己，也能夠做到控制身邊的人和事，但就是不能控制我們的夢。誰能說我能控制今天晚上做什麼夢？白天還有人問我夢暗示的是什麼，與我們實際之間的關係，通俗地說『怎麼解夢』，這就關係到那個『無』的系統。我們無法克制的『夢』，這個系統是與無限深遠的宇宙、無限深遠的生命內在意識系統息息相關。我們說我們很有能力，同時可能更重要的是我們也知道我們還有潛力。這個『潛力』，就是和我們的潛意識有關係。

「佛洛伊德發現了潛意識，但是他不知道潛意識下面還有一個意識系統。他晚期的著書說他透過催眠術，能夠推斷到很多人的思想行為來源於這個人幼年時候的經歷，所以他認為人的一生中，幼年的經歷或者童年的陰影，會伴隨人走過漫長的一生。但是如果這個催眠術繼續往前催呢，他自己都不會相信了，被他催眠的人會說出許許多多他都不明白、或許會認為是胡說八道的事情。那其實就是我們說的前世的事情了，那些『胡言亂語』就是前世和今生的關係。這就超出佛洛伊德『控制』的範圍了，所以他到此就打住了，沒有辦法進行下去了。

「許多的心理學家，包括榮格，他們的研究到這裡都打住了，因為再往前研究，他們都以為是在胡說八道。其實再往前走，就進入了中國幾千年文化中最核心的一個狀態，這個狀態就是我們的『元意識』。

「我們古老的中國智慧，把人的意識系統分成了師神、識神和元神三個部分。道家有句話叫『身外有身』，用現在科學的話來說就是叫『意識漂浮』。這個『身外有身』，也是『意識漂浮』，我們很多人在很多的時候都有過體驗。比如睡覺的時候感覺到意識飄出去了，能夠看見很多景物，了知一些自己並不知道的現象；有的時候我們到了一些地方，覺得這個地方怎麼這麼熟悉，好像來過，但是確實又沒有去過；還有夢到的事情，過了一段時間眞實地發生了。在我們這個無的系統裡面，實際上是不受我們有意識的邏輯思維控制的。在無的這個領域裡，我們所謂的這個『時間』是有伸縮性的，它可以調整到前面去，也可以去到無限伸延的今後。我們做夢的時候，我們的顯在意識，也就是我們的陽性意識退掉了，代替的是我們的陰性意識。陰性意識就是我們的非邏輯思維，這種時候就是我們進入了潛意識狀態。在這個潛意識狀態中，我們將要出現、體現到的意向，以一種陰性的狀態來告訴我們。」

小男：「我們在平時、在清醒的時候也有陰性狀態嗎？比如說預感？」

道長：「不是以邏輯思維的方式告訴我們有可能面臨到的事情，那些『沒有來由』，卻又是分明提醒了我們什麼的感覺，比如說你提到的『預感』，都是潛意識的工作。人所蘊藏的能力無窮，只是因爲我們不相信自己，不了解自己，把自己弱化到了非常表面、非常有限的一個侷限。」

小男尋思狀：「我這兩天都在想，我前天晚上怎麼無端做了一個殺人的夢，挺可怕的，那與我本人不符，而且我都到這裡了。這個夢是什麼意思呢？」

道長：「這個夢預示著你會有一個很大程度上的改變，一個對過去的了結，一個新生命的創生。夢裡的殺人是一種很極端的、超常規的狀態，這在現實生活中也是最極端的極限，這個極限是我們不能去碰觸的，因爲它代表著我們常規思想中所不能允許的、不能去做的，是我們的常規侷限住的東西。而在夢中遇到了自己親手去殺人，這表示將有一些事情會在你的身上出現，這些事情一定是打破常規的事情。簡單地說，你原有的很多狀態會得到突破。而在此之前，這些跡象就是先透過夢境出現。」

小男：「什麼時候會出現我的轉變狀況呢？」

道長：「一般這種夢出現過之後，不久你的生活就會出現變化，或者說轉機，對個人都是突破性的事情，比如說對原來思想框架的突破、對原來工作模式的突破等等。」

小男：「那究竟是好的突破，還是不好的突破呢？」

道長：「這就看你夢裡殺人的程度。」

小男：「昨天晚上這個夢又接著來了，有很多的死人。」

道長：「這就是你的變化將帶來很多的連鎖效應。這個變化是巨大的，轉變是巨大的，而且這種轉變是以突破形式出現的，它不是常規的工作變化，人的交往變化，是一種突破常理的突變。夢的解釋有正解法和反解法。有的夢是反的，也有的夢是正的。還有做夢的時間也很重要。」

人馬座：「我很少能夠記住我做的夢……」

道長點頭：「夢是有先兆性、先驗性的，它以影像的方式來暗示我們。每一個人在正常情況下，夜裡會做四到八個夢，我們所有人都是。但是我們大部分都會忘掉，因爲夢有覆蓋性。我做第二個夢時就把前一個夢覆蓋掉了，所以我們往往記得的是最後一個夢。而在一夜的夢裡面，眞正比較重要的是第三個和第四個夢。人們常說『日有所思，夜有所夢』，白天受到的刺激、暗示，在夜裡的夢中有所反映，實際上不是的。比較極端的例子是，當我們有親人離開這個世界，我們天天追思，但就是『怎麼也夢不到他（她）』，所以並不一定是白天所思就夜有所夢。

「粗略地分，夢有三個層面，有淺表層面、潛意識層面，還有在元意識層面。夢中和我們的生活、工作相關的內容，基本上都屬於淺表性質的夢。淺表層的夢大都屬於釋放性的，其中一個很重要的作用就是清除工作生活留下的影像垃圾。有點像電腦的註冊表及垃圾檔，運行一段時間就要啓動『優化大師』把註冊訊息及垃圾檔清理一下，否則運行速度就會下降。而人則是在睡覺時自動清理，比電腦高級多了。另外就是身體有病，會有相關的夢。睡覺時，身體受壓或其他影響也會有相關的夢，這都是屬於淺表性質的夢。

「第二層是實現層的夢，也就是我們在醒著的時候很難實現的欲望，夢境裡能幫助我們實現。比如做夢娶媳婦、做夢升官發財等等。

「第三層是預示性的，或者叫先驗性的，是潛意識本身的一個流程，而不是我們白天輸入的一些意識。就是說當一個訊息要在你身上出現時，會透過夢境先告訴你。每一個狀態都是暗喻一個事物，這裡面也是按照金、木、水、火、土五行分類。實際上，我們前面介紹過生命的各個層面，每個層面都有自己相應的夢境和意義，但是講這個就和你們希望我講一講我們的八卦一樣，需要很多的時間，需要有很多道家知識的準備。我們回到眼前，僅僅以小男這個夢為例子。

「小男在夢裡殺了人，是什麼意思呢？就是他將用他的努力，別開生面地開創一個現實生活中的新局面，說明他的生活將出現一種突變性的轉機。如果在夢裡是他被刺，那就又不一樣了，就表示會有一個重要的機遇在他面前出現，有一個機會要出現了，在這個機會到來的時候，他是被動的，這個機會就像是中了六合彩一樣是突然出現的。」

無話不說：「為什麼我們在夢裡很少看到陽光燦爛的樣子？」

大家笑。其實我也從來沒有夢到過「天氣」，比如說陽光燦爛。但是無話不說一開口，總能讓人浮想聯翩地笑起來……

道長：「這是個體差異性，也有人會夢到萬里晴空。」

胖子：「有托夢一說嗎？我老是夢見我的父親，他已經去世十幾年了，我夢見他都是在夢裡和我說什麼事，就像他活著的時候一樣。」

道長：「托夢的現象在我們這裡的解釋就是訊息不滅。能量是長存的，以波和波群方式存在的生命體，在我們的生命中是可以疊加的。我們睡眠的時候是最為放鬆的時候，我們放鬆了對自身的控制，我們處在一個『開』的狀態，有能量通過我們腦部的神經反映出來，這很正常。在睡眠之中，與我們現在感受的方式是不一樣的。」

我：「不同的波段，是不是可以理解爲不同的生命狀態呢？」

道長：「是的。」

無話不說：「我挺納悶的，爲什麼還沒有發生的事會是我們的元神來告訴我們？我們自己的元神老是跑來跑去，跑到了我們以後的時空去看看將要發生的事，然後又跑到我們今天來暗示我們，是這個意思嗎？」

道長笑：「你也可以這樣理解。」

無話不說自語：「那求人不如求己了……」

笑……

人馬座：「道長，我想知道你剛才說的識神是什麼意思？」

道長：「識神就是我們的邏輯思維，是我們人接受教育，接受資訊，了解各種情況並加以分析判斷的功能。我們總是錯以爲我們是憑我們的意志在控制生命，包括我們所謂的邏輯思維，實際上不是的。眞正在控制我們的是我們的潛意識。很多事情我們控制不了，比如我們見到某一個什麼人，就是生氣，我也不知道爲什麼，但就是生氣，我們發了火之後自己也很後悔，我爲什麼要發火，但是我們根本控制不住就是要發脾氣。反過來，我見到某人第一面就喜歡，很高興，很好……只有我們的潛意識知道原因。」

小潔：「這也跟上輩子有關係吧？」

道長笑：「是很多因素的合成。」

無話不說：「我又落到白天你說的那個因緣的循環裡面了。我想知道：我們這些人現在這樣坐在一起，我們要有多久的修煉——我是指上輩子或者更早，才能混到今天這樣一鍋粥一樣的緣分？雖然這一鍋粥也才熬十幾天……」

當即有人抗議：「無話不說，我們交往才十幾天嗎？」

無話不說：「你們的邏輯思維太嚴謹了吧！剛剛說過，放鬆一點，我是打個比喻。大家這麼多人，不就十幾天嗎。我和你單說……」

大家笑：「那你和我呢……」

有人回答：「這個緣分，起碼得往五百年以上去想了吧……」

道長：「白天我們不是說到有句古話『十年修得同船渡』嘛，我們可以借助邏輯來推斷一下。」

生的偉大：「那要看依據的是十分鐘的渡船，還是三個小時的渡船，還是半個月的豪華地中海遊輪……」

笑……

道長：「因緣的牽連是非常重要的，這不是一句戲言。我們能夠坐在這裡，都是很不容易的因緣。大家都有很多很多的事，稍微錯一點兒，可能坐在這裡的都不是我們。這樣的聚合，我們就叫做緣分。我在歐洲的時候跟西方人講緣分，我不知道『緣分』這個詞用英文應該怎麼翻譯，我們中國人說緣分都懂。最後他們翻譯出來的是『命運的安排』。」

人馬座：「緣分又是怎麼一回事呢？」

道長：「我們白天講了很多，命和運不是一回事，而我們常常掛在嘴邊的『緣分』，與命、運一樣，緣和分也不是一回事。重要的是如何在日常生活中加深了解緣與分，在『必有事發』之時知道如何應對，知道怎樣隨緣和安時而處順。」

大家再次紛紛要求「這一定要跟我們講講啊……」

＊　＊　＊

道長笑：「我們的講座是不是太自由了，說到哪兒就講到哪兒，完全不顧課程的安排啊……」

無話不說：「這樣好，這樣比較隨緣，我們話題的緣分到了這兒，不說都不行……」

大家：「道長，你已經有很多內容『以後找機會再說』了，這個就不要以後找機會了，現在就是機會……」

道長笑：「好吧。命、運、緣、分是不同的，但卻總是交織在一起共同發揮作用。前面說過，命是我們存在的一個層面，運是前後相隨的滾動軌跡，在這個反映命的層面上，運化的過程中，遇到的人和事，就是我們的緣分。

「換句話說，就是我們的『命』所在層面的前後左右，都限制在我們的緣分之內。不同的命運層面都被相應的緣分所制約。好比我們開車，在一高上就必然受到一高路況的制約，在二高上同樣也有二高的路況制約。坐飛機就要受到機場、航班和氣流的制約。你在出行中所遇到的相關車流、人流、交通、肇事等萬事萬物，都是你的緣分。除非你離開一高，才能擺脫一高路況對你的制約，離開二高才能擺脫二高路況的制約。走在哪條『道』上，或者說『命』在哪個層面上，並無高低好壞之分（雖然不同人的命從形式上看好像有貧富貴賤之差），實際上都是平平等等。關鍵是能不能無論在哪條『道』上都能處理好自己的緣。如何善待自己的緣，才是修行人修『行』時的關鍵所在。這其實也就是在道上修道。

「緣和分是兩樣東西。緣，使我們在一起；分，是我們有多少時間去做事情。分是會發生變化的，需要我們的心的變化。有緣才能夠在一起，這很對；但是那個分，是需要調整的。怎麼理解『緣』與『分的調整』？

「因爲在很多時候，我們每一個人都固執地站在自己的立場上，不了解緣的意義。我們的心總是不願意去接受、去嘗試、去改變。如何善待緣分？只有當你的心有了透徹的了解，你才會去轉變你的人生態度。類似這樣的話，可能你們都聽過無數次了，但是有幾句會進入到你們的心裡？所以不講這些道理了。有一個故事『大海是怎麼樣越過沙漠的』，講的就是這個，希望對大家在生活中的遭遇，有更多『緣分』的認識：

「大海總想越過沙漠，到達沙漠另一端的地方。但是每一次海水努力地漫上來、漫上來，努力地想越過沙漠的時候，都會發生很可怕的事情：沙漠很輕易地就呑噬了大海。沙漠是吸水的，水一遇到沙馬上就沉下去了。海水很絕望，它似乎永遠也到達不了另外一個陸地。它只要一開始行動，就被沙漠呑噬了。無論海水怎樣冒險，怎樣一次一次不斷嘗試，都注定無法越過沙漠。直到有一天，水遇到了風。那天早上風告訴水一件事情，說如果你願意改變的話，你完全可以到達你想去的另一個大陸。水很迫切地問要怎樣改變。風和顏悅色地說：『如果你願意變成水蒸氣的話，由我這個風把你吹帶到那邊，然後降爲雨，再變回成水。』水答應了，變通了，它變成了水蒸氣漂浮到空中，然後在風的吹動幫助下，到達了另外的一片陸地。海水終於越過了沙漠。」

道長停下，很專注地看著我們，像是用他的無語在詢問我們：有多少人願意改變自己，「登陸另一個理想中的大陸？」

每個人都在安靜中尋找自己的答案。面對我們自己心中的願望，我們除了努力，除了幻想「天上掉個大餡餅」，有過「先改變自己，順應客觀」的念頭嗎？

道長：「在我們生活中的很多地方，這個故事都值得借鑑。那麼我們再考慮緣分是什麼？爲什麼會有緣而無分？我們有沒有一點變通的主動和靈活？或者說甘願犧牲一下？我們願不願意改變一點自己？如果我們固守，我們是越不過所有沙漠的，人與人之間的距離也越不過。如果我們願意改變，我們就會達到一切的目標。每一個人都需要改變，你一定要知道，你是無形的，你就能改變。你回到無的狀態下改變，不要以一個固定的模式看待。『上善若水』，最重要的就是水根本無形狀，你給它什麼容器都能夠裝下。但是我們自己很執著，我有了固定的思維模式，你非要我來適應就會出問題。而事實上，我的固定思維模式並不一定適合每一個人、每一件事、，每一個事實。」

生的偉大：「道在證道。」

道長：「好，我們回到原先的話題上了。你們如果理解了這句話，許多中國道家的文化就理解了。宇宙自己的這個根本的道，有一個證道的過程，道自己在證明自己，道通過它的運動在證明它的本身。我們是道在證道過程中的一個非常重要的環節，在這個過程中，是由不得我們的，因爲它的證道，在這裡都要回到自己的本源，回到生命本來的面目上去。在這個『回』的路上，在這個過程中，我們的生命實際上是一點點在按照這個道在證道的過程中去找自己的軌跡。在這裡面，道在證道是一個最核心的命題。我們有時會疑問，人的命都定了，那我們自己、個體的努力還有什麼意義？是不是就宿命了？乾脆我們就不要努力了，就按照命運一切的預定好了？」

無話不說：「起碼我就是這麼想的。隨它去吧……」

道長：「不對的。我們所說的『宿命』，就是一個人的命、運，本身就包含了一個人的努力，也就是說你個人的努力是包含在你的命運之中、而不是排除於外的，它也是我們命的一部分。命在因緣裡面波動，無量因緣運動的結果就是推動我們的生命生生不息地向前走，而這個『走』，是一個『回』的過程，是道在證道的過程，我們是在證道的過程中，無論我們是在工作，還是在吃東西，還是在運動、打鬧、喝茶、看書、求學、休息、和喜愛的人在一起、和不喜歡的人在一起，都是有非常的意義的。因緣，命運，緣分，其實都是一回事，都是無量因緣運動的結果。只要你在必有事發的緣起之時能『應物不迷』，『常應常靜』，不斷地經歷過而超越，就是在不斷地提高生命層次，不斷地『歸根復命』，就能達到『知常曰明』、『沒身不殆』的境地。」

靜默。

小男：「道在證道只是描述了道存在的一種狀態？而不是道本身要去證明給你看：我是道……」

道長：「我們的存在，就是證道。正是因爲我們有了生命，我們成了一個觀者。《道德經》裡有這樣一段話：『萬物並作，吾以觀其復。夫物芸芸，各復歸其根……』『吾以觀其復』就是『我』透過觀宇宙回到本源的這個過程。我們現在正在走向的就是這個境界，同時在這個過程中，我們也是它的因緣。但是在這個過程中，很多人卻活得非常痛苦。你們白天抄的《清靜經》裡，太上老君曰：『上德不德……』講到了眾生的煩惱是從哪裡來的？我們的情緒往往都被外在的事情所操縱，因爲有了外在，就有了我的判別，我和誰誰好，我又和誰誰不太好，人就會根據自己的觀點，和所有的萬事萬物產生了一個關係，以我爲中心。因爲人有一個基本的本性是趨吉避凶，於是這裡面就有一個得失和取捨，總想得到我想要的東西，總想把那些不好的東西避開，這就產生了貪求，貪求就是痛苦。古人說人生啊，『不如意事常八九，能與人言無二三』。你們中的大部分人都還是這個社會中的成功人士，但是你們想一想，即使這樣，你們心裡不如意的事情還是很多，還有很多的想法沒有達到，在你們心裡大部分的東西還是不如意的。你們現在都能夠講出你們很輝煌的東西，你們的成績啊、成就啊，但是你們還有更多的事情是不能夠去和人講的，是屬於你們內心深藏的東西……」

人馬座深深地點頭：「沒錯，『不如意事常八九』幾乎成爲我的座右銘了……」

無話不說：「道長，這裡面是不是還有這麼一個區別，我們見到一個東西，肯定都是即生貪求，最後自生煩惱不說，什麼也沒有達到。但是我聽到一個說法，假如我們能夠天天想，月月想，時時想，就像我們現在練功，氣感就有點像想出來的……」

生的偉大大笑打斷他：「原來你是這麼自欺欺人的！氣感只是你想像出來的……」

無話不說：「你別打岔。也屬於是眞的感受到了，那就叫夢想成眞吧！而像有的事情，我們在平時都是有一搭無一搭地在想，若想要朝思暮想，我就專想這個了，有志者事竟成，可能最終在無量因緣的作用下，就眞的讓我想著了。這種情況是不是也有呢？」

道長沒有笑：「有。這是心志啊，苦心一志，眞的會成功。」

無話不說：「那你說是應該不想它呢，還是應該想它呢？」

笑……

道長：「要看你是怎麼想的。一個朝思暮想的人，他也會很痛苦，他會失去很多很多的樂趣……」

無話不說：「但是他的目的達到了。一般來說，我們是應該看他最後得到的東西呢，還是……」

小男：「其實按照這幾天我聽道長說的這些道理，應該是你得到的，其實也不用你非得朝思暮想才能得來的，你就算不朝思暮想，也能得到，跟你想不想沒有關係。」

無話不說：「那不對吧，說這東西遲早是我的，那就等著？那不就是道長剛才說的，無需努力的宿命嗎？」

小男：「關鍵是你想也沒有用，因爲有很多事情是我們的人力達不到的。如果是你的，你根本就不用多想，是不是這樣，道長？」

大家看著道長，等待著聆聽爭論的道長開口解釋……

5
知 命

道長：「平時大家最關心的就是要怎樣發展才能夠最成功。大部分人只想成功，卻很少人會想，成功的極限是什麼？知道了自己的極限以後，就是『知命』，就可以迴避暗礁，就知道控制。」

道長沉吟良久：「大家相信在一切的現象與規律中，沒有絕對地看待一個問題吧？從根本上說，我們能夠索求的東西是有限的。我們以爲可以透過自己的努力去獲得的東西，很多都是即使努力了也根本辦不到的。這點小男說的是對的。可能依靠更多的是緣分。那麼即使獲得了，也是你眾多想法中很少的一部分。我們可以估略一下在每一天裡面，我們的心裡有多少的念頭？什麼念頭都會有，小到任何一件小事，大到『爲什麼我不是君王』……」

笑……

道長：「但是又有多少念頭是能夠實現的呢？在我們這個世界，萬物是何以發生了種種聯繫的呢？有了聯繫就有得有失，有了得失就產生了痛苦。因爲求不得，愛別離，怨憎會，都是我們最基本的痛苦。越是冤家越聚頭，越是討厭這人還越是在我面前晃悠，想要的東西得不到，得到的東西總是不喜歡！身心就在這裡面憂苦，於是很多人就在這裡面流浪生死，常沉苦海。

「有的時候還會是這樣的，還不僅僅是像無話不說所說的，一門心思朝思暮想，一個人爲了得到他特別想得到的東西，甚至會使用很多的陰謀詭計，去算計害別人。到最後有的人才會明白，但也並不是人人都會不明白——他所得到的東西，他本來就會得到，用不著這樣整人、害人，這也是白整人、白害人，白做了對不起人的事情。這樣一來，就又把因緣重新牽扯進來了。當我們去做什麼事情的時候，要知道，萬事萬物都是由因緣所生，你製造了一個什麼樣的因，必然會成爲一個由這個因導致的果，這是宇宙的規律。我們講過了，當你拍手的時候就會聽見響聲，這是屬於現時現報；爲了明天的考試，今天熬夜複習，明天果然考好了，那是今天的因明天的報；當我們春天耕作秋天收穫，那是需要一年的時間來報；假設我們有人從小遊手好閒，一切坐享現成，結果到了老年衣食不周，那就是一生來報。我們的今世，不管是善緣、惡緣，都是一個因，有的就會在來世得報，成爲來世的果。古人說『不是不報，日子未到』，這個報是肯定的，這個報和無量因緣的結合織成了一道網，就是使得我們今天在這裡遇到了這麼一件事情、做成了這麼一個狀態……」

亞女：「不可改變嗎？」

道長：「想要改變一個狀態也可以，必須改變因，才能改變果。所以修行人注重的是『因』的導致，世俗之人才看重『果』。當我們下定決心要改變一個結果的時候，我們應該先下決心改變這個因，才能夠把這個果改變過來。」

人馬座：「當果報已經呈現的時候，怎麼修改因呢？還怎麼來得及呢？」

道長：「通俗地說，本來有一個惡報，但是只要我們發心向善，積極地做好事，惡報就能夠改變。以前的古書裡有很多記載，祖輩希望兒孫有富，身體好，就發個善願，架橋修路，還有準備了多少資金搭個粥棚發善粥……」

胖子：「以前老人家常常勸年輕人要多做善事，說做善事對你好，這其實就是修因吧？」

道長：「也是。人要有畏懼心，因果之間的報應是分毫不爽的，我們說過『天網恢恢，疏而不漏』，這是這個世界，也是宇宙的根本規律。如果說一個人透過因的調整得到了他所期望的，這是最好；而這個人如果整天朝思暮想，甚至用不屑的手段來獲得，而本身這個東西又是他命中不該有的，那不但不會讓他有什麼好的收益，還會種下許多不好的因數，導致不好的果，像俗話說的『偷雞不成蝕把米』。我說了這麼多，不知道算不算對你們疑問的回答？」

無話不說：「基本上算吧，還是應該『坐等』多於『努力』……」

大家笑，說無話不說歪曲……

無話不說：「或者說，在坐等命中注定的前提下，盡量地努力一番。總之是不要不擇手段挖空心思，尤其不能害人反害了己，這個對了吧？」

道長笑：「你再次證明了『表達』對我而言是一件多麼困難的事情……」

無話不說：「關鍵不是我們聽懂了多少，反正各人有各人聽懂的部分；關鍵是我必須知道：對我們來說，怎麼知道這個東西是值得朝思暮想去努力的，還是努力了也沒用，還有可能招災？」

道長點頭：「你要明悟因緣。我們慢慢地朝著一個方向去走，每時每刻所出現的事情，都會引導我們朝著這個方向而去，只要我們留心。樓下餐廳牆上掛有『其盜機也，天下莫不能知，莫不能見，君子得之固躬，小人得之輕命』，不知道大家注意到沒有？這幾句話摘自《黃帝陰符經》。

「《黃帝陰符經》是中國道家非常偉大的一部經典（大家又要花錢買書了，哈～），治國平天下，做人處世，乃至於醫學養生，莫不是這部經典裡面所涵蓋的。所以面對世事，一定要明悟我們自己的因緣，像在運程中我們要知道我們自己的度——什麼是應該的，什麼是過了度的。你有沒有這件事的因緣，就是你有沒有過『度』，這是一個標準。過了這個標準、這條線，馬上就起變化了。就個人而言，並不是越發展、越成功就越好。其實針對很多事情也是這樣，很多時候過度發展就是問題，就是麻煩。」

人馬座：「這個度該怎麼把握呢？」

道長：「審時度勢啊，這是道家創建的另外一句話。」

無話不說：「怎麼能夠修得這樣的火眼金睛，審時度勢呢？像你說的，有好幾維空間，而我一個凡人肉眼，哪看得到這個要命的『度』啊？」

道長：「我們的道觀裡面有兩個字：『無爲』。大家都知道無爲，卻可能不太知道整個這句話是『無爲而無不爲』。一個無爲的人應該是一個什麼樣的人呢？無爲不是消極，不是說『無爲』就是什麼事都不做，而是知道事情該怎麼去做。

「無爲是非常積極、明晰的一種狀態。一個無爲的人是積極的人、非常入世的人、熱情奔放的人，或者說很投入的人。一個懂得無爲的人，他就知道怎麼進入這個社會，怎麼生活，在生活中怎麼去對待。而我覺得，一個修煉的人，從來就沒有出世和入世的概念。」

靜默……

無話不說：「就是說因爲有了這個『度』對於我們的把握，有什麼事情做成了的話，基本上還是因爲我們積了德，與我們自己現在的努力沒有多大關係，但是與我們『從前的努力』反而是有絕對關係的？」

道長笑了：「不否定我們每個人的努力，但是也不要誇大我們的努力。我們前幾天說過，比你們努力的人很多，卻沒有你們成功；比你們不努力的人也很多，卻可能比你們成功得多。你們仔細想想自己做成的事情，其中你們有80％的努力都是白費的。在你們成功的事情上，你們至多只花費20％的努力便獲得了，是不是？你們客觀地想想……」

大家目瞪口呆地抓取各自回憶……

道長：「你們剩下的大部分所謂『努力』，都是屬於白見人、白送禮、白說話、白生氣、白著急，但是人們焦慮得願意去做這些無用之功。你們放大自己的視野去觀照、去想。這個觀點會遭到很多人的駁斥，最起碼的駁斥會說，『成功是九十九分的汗水加一分的機會，或者說靈感。』這個公式沒有錯，它承認了有機運，這個1％就是機運，但是對於主、次的理解，我們的世俗觀念卻搞錯了。每一件事情的做成，都有一個偶發事件的牽連。你眞正的成功是由一瞬間導致的，是不那麼費事的，都是在不經意的時候遇到了一個關鍵的人，或者發生了一件關鍵的事情。那麼你們說，是哪個百分比決定了我們的成功？是99％的汗水作用大，還是1％的機遇或者說靈感決定了一切？」

大家陷入沉思中，小腦筋再次旋轉成衛星雲圖的颶風狀……

道長：「我們很多時候錯覺的以爲，好像某件事情的成功是由我們的努力最終造成，事實上這種感覺是虛幻的。一件事情的成也好，不成也罷，實際上都是無量因緣的推動。透過一個人的因果相循形成自己的思維定式，再由這個思維定式的習慣性形成的命格使我們流浪生死，同時也使我們了解一個人的命格成爲可能，並可以透過命盤來推導。我們抽籤看的是運，但是我們推算的都是命。命之後才是運。我們的關鍵問題是：怎麼去找這個決定了你成功的20％呢？」

小男笑：「這個……對我們太難了！道長，請你直接指點吧……」

道長笑：「並不難，就是你們必須要知命，要了解自己的程度。」

無話不說：「這多難啊！這就像要小學生去造一架飛機……」

生的偉大笑：「你太客氣了，哪裡是小學生！連自己的名字都不知道怎麼寫呢……」

人馬座迫切：「怎麼知命呢？」

道長：「透過對於一些知識的了解、掌握、借助，比如說相學也好，易學也好，堪輿（看風水）也好，還有一些簡單的術，諸如測八字、相面、符咒等等，這些都是爲了知命。至於是不是夠專業，則是另外一個問題了。你不能把飛機交給不懂機械製造、沒有航太知識的人去建造，雖然這人也說『具備科學知識』，這是同一個道理。」

胖子：「其實自己也能夠感悟到的。不貪，老老實實的，就不會『過度』。在我的感受裡面，命如行船，誰都看不到水下有什麼，但是好的船夫和『急於求成』的船夫，結局完全不一樣。守本分很關鍵……這個是不是知命？」

道長點頭：「在中國的文化裡，『知命』非常重要。『不知命無以爲君子』，你們聽到過這句古話沒有？平時大家最關心的就是要怎樣發展才能夠最成功。大部分人只想成功，卻很少人會想，成功的極限是什麼？知道了自己的極限以後，就是『知命』，就可以迴避暗礁，就知道控制。因爲任何事情都是物極必反。在到達『滿』之前，我們如果知命，就應該停下來，這是最好的。簡單說，這就是知命。」

無話不說好久沒有說話了，看他正眼珠子嘀裡咕嚕轉，不知道他又在琢磨什麼……

* * *

無話不說：「到底是命好，命該如此，相信命，還是運氣好……我說不太清楚，反正古往今來，飽讀經書、聰明才智的人很多都是潦倒悲慘一生，白讀書、白做好人、白懂道理……簡直百無一用。這是因爲什麼？」

道長：「實際上這是我們大多數人最想不通的。這個社會上很多人付出的比我們少，懂的知識也比我們少，而且一天好像什麼也不做，就是運氣好；而我們好像每天都付出的比他多，認眞得多，但還是不行，是不是？」

無話不說有一種癢處終於被人搔著了的暢快：「對，就是這個意思，這個你剛才還沒有說透澈……」

道長：「我們遇到的實際人生，是『小富靠智，大富靠命』，『小富由儉，大富由天』。這個命和天是什麼？是什麼在操縱著我們？爲什麼人與人的命運會如此不同？成功到底是什麼？智慧、努力、積極的心態，這一切一切就能夠促成成功嗎？我們到底是怎麼一回事？我們從哪裡來，到哪裡去？我到底該做什麼？我的發展極限是什麼？這一切都決定了你剛才的疑問。有些我們已經反覆討論過了，而有些我們正在涉及。

「我們說過，在世俗之中，一個人出生的年、月、日、時，決定了一個人人生的侷限。你的成功有多大，你的財富有多少，都有一個上限和下限，這個就是你的命。你不可能超過這個上限，超過了就會出事，這是你的命不能夠擔當的；你也不會低於這個下限，因爲你的命不會讓你如此不堪。你們見過沒有，有的人看著不行了，破了財甚至更糟糕，但是突然之間又成了？並不是這個人的智慧或者努力的結果，而是他的命和運。這是大部分人很難突破的規則……」

胖子：「等等，道長，你說的這個『大富靠命』，『大富由天』的命和天是什麼？是什麼在操縱著我們？成功到底是什麼？」

道長：「這也是足以讓我們探討好幾個月、甚至幾年，而需要修行、實證我們一生的話題。但是簡單地說——我們只能夠簡單地說，『命』和『天』，就是道在我們生命過程中的具體反映，是天命。由此，我們道家不同於其他文化的特質即是，道家強調的是『知命』，是『性命雙修』，由此衍生出來的是『預測生命過程』的技術，以掌握認識生命、認識自己的命運，從而達到轉變自己的命運，達到隨心所欲，進而心想事成。」

小男：「對不起，我要打個岔，無論知命還是不知命——現實生活中畢竟不知命的人多，因爲眞正掌握這門技術的人太少了——如果因爲其他的運氣或者一個偶然或者特別上進奮發，不由自主地超過了這個什麼……命的限定了呢？」

道長：「如果不是在你命的框架之中，是你沒有而強求來的，即便來了也會出事。我們剛剛說過『知命』，世俗中的人是很難超過自己命定的極限的。有的人升了官就出事了，爲什麼？比他更惡劣的人都有，但是卻沒事，問題的根本、差別便在這裡——每個人的命定、因果、因緣不一樣。如果這個人不升這個官，他就不會出事，他的一生絕對會有自己的幸福和平安。運就在命的這個兩條線之間波動。」

人馬座點頭：「是的，一旦得了命中不該有的錢財，或者不顧一切拼到了命中並沒有的官運，那馬上就出事了，譬如鋃鐺入獄，漂泊海外，背井離鄉，隱姓埋名，或者更加糟糕一命嗚呼。我們身邊這樣的人、這樣的例子很多。」

胖子：「什麼又是成功呢？」

無話不說：「什麼是成功，大家基本上有判斷。我更關心的是，假使一個人成功了，卻爲此得了重病，這是命不該成功，還是命中有病？」

大家笑：「你太繞了……這還不明白，就是欲望和收益超越了命格……」

人馬座：「這種事情我們身邊也有不少……」

道長笑：「你把『成功』等同於事業的成功了，很多人是這麼看待人生的……」

無話不說：「確實是，即便是一個人病了，我們也不能說他不成功啊，成功是成功，生病是生病，兩回事……」

道長：「所以我們應該怎麼看待、怎麼界定成功？按照你的理解，事業的成功就是成功的標誌吧？是這樣嗎？」

沒有人回答。但是大部分人的心裡一定都認爲，事業成功，起碼應該算是人生的一種成功吧，起碼應該算是成功的一種標誌吧——還應該是主要的標誌，起碼大家是以這個「標誌」來看待滾滾紅塵之中的芸芸眾生，也是如此激勵和反觀自身的吧……

道長微笑：「你們似乎認同，但是完全不是這樣。『成功』並不應該被狹隘地理解，而是一種廣泛的狀態。如果有成功，應該是一種人生的成功，是生命整體的成功。人們根本就忘記了這一點。」

小男笑：「不是忘記，而是根本沒有意識到這點，都是在爲某件事努力、拼命……但是你說的『人生的成功』，難道不包括事業的成功嗎？」

道長：「人生由很多細節鋪成。我說的成功，或者說我們生命最大的成功，要達到的是圓滿的幸福，而不是只做成了一件什麼事情。『做成某件事情』應該是被包容在整個生命之中的。這首先需要我們對自己的生命有一個整體的認識和整體的把握，而不是浮在表層。有很多人『成功』了，但是在『成功』的同時，身體崩潰了，或者眾叛親離，得罪了很多人，親人變成仇人，朋友反目。也有更糟糕的，『成功』的同時，有的人連命都沒有了。世俗一點說，企業天天在賺錢，但是他們自己根本就見不到錢；很多人好不容易賺了些錢，但是他也同樣是沒有錢，剛有了一點錢，不是家裡這個人病了，就是出了那件事了，最後總是有很多的事情發生，把他得到的錢再同樣花出去。是不是有很多這樣的例子？你們仔細回想一下都能夠見證。是什麼東西在耗他？簡單地說就是此人的命中有財無庫。複雜地講，又是各種因緣的牽連，不同的命、運……我們好像又離題了，這些話題實在是太大了，無論怎麼講，都會不斷地牽扯出其他的東西……」

小男擔憂地笑：「沒事，反正都是我們想知道的。你說的有財無庫也好，知命也好，可怕的是每個人不是自己能夠知道的。比如說我，會不會也是有財無庫呢？」

道長笑，並認眞看他一眼：「你不會是。雖然我沒有問過你的時辰八字，但是人的面相都帶有特徵。你的鼻子長得很好，長這樣好鼻子的人很少，這正是很聚財的特徵，所以你不用擔心。」

「那我呢？」「我呢？」……

一時大家紛紛離題，都不由自主往前湊臉，摸著自己的鼻子，看架勢有恨不得把鼻子拽下來舉到道長眼前讓道長仔細看看、評判一番聚不聚財的願景……

無話不說：「別浪費時間了，道長是不會給你們看相的！看相，不如『知命』。還是說說我們怎麼知道自己的命和運吧。」

道長笑：「確實要多研究中國的道家文化，這絕對不是一句空話。最簡單的，如果你能夠懂得運算八字，透過出生的年、月、日、時四柱，就能夠測出命運中的最高線是什麼，最低線又是什麼。但是你們必須清楚，預測或者『算命』，並不是究竟法門，不是最重要的，但卻是引導眾生入道的重要方便法門。孔子說了，『不知命無以爲君子』，同時又說人三十而立，四十而不惑，五十才知天命。在知天命的過程中，我們一直在追尋自己人生的腳步，這也是命運的一個圖示。運和相是有關聯的，一個人運好不好，很多時候是能夠看出來的。平常我們總是說『這個人印堂發亮』，這時能夠看出他體內的氣很強。其實……」

道長停頓，看我們。

道長：「我們一般的人總是求外財，這屬於陽性的東西；其實還有一個陰性的，就是內財。而我們現在的社會價值外在體現一般都是外財。當然如果能夠在求外財的過程中不斷地去自我挖掘，不斷地去自我發現，是最理想的。要記住一定要向內採，厚積而薄發，在外在動的過程中，保持一種內心的靜，尋找對自我的認識、對自我的了解，透過不斷地超越和戰勝自我而自強不息。自身厚重的人，才有可能駕馭得住外部複雜的局面。」

小男：「怎樣才能知道自身的厚重與否呢？」

道長：「如果說沒有自我價值的實現，我們的內在就會很薄弱、很空虛。如果我們往內去尋找，一直走到自己的存在中心，就到家了，幾乎成道了。但一般人做不到，能夠借著外在的東西不斷地往內挖掘就已經很不錯了，這樣我們就始終在陰陽平衡中。我們在外面看到的，是我們的陽性原則，就是說社會價值的狀態，但是我們千萬不要忘記了，這個越向外走，我們自身對內在的挖掘越要跟得上。」

小潔：「運眞的是可以改變的嗎？」

道長：「而且還是比較容易改變的。天人本是一體，透過修身心靈的方式來改變它，透過身心靈的昇華來通靈改運。修身能改病，修心能改運，修靈能改命，這就是『管理我們的智慧』。現在你們還是在修身的階段。」

無話不說嘆息：「我們的層次太低，還在改病呢！不過，這萬里長征也算是開始了！」

道長：「運的改變可以透過我們比如做法事，直接能量的加持、輸入，也可以自己修行，自己發自內心地做好事、積德、惜福。」

小男：「爲什麼命不能夠改？」

道長：「命也能夠改，但不是那麼容易改。從世俗的角度看，這個命相當於我們的大限，它就不是你這一世因果的問題輕易能夠改變得了的。古史以來，經過了千千萬萬世這麼久、這麼多的加減積累，你們說想在這一世努力來改變，這怎麼能夠做到呢？非得做非常大的善事。大善能夠改命，而大惡也能夠改命。改命不一定是往好的改，也有往不好的改。從道家修行的角度看，就是另外一種情況了。只要你找到『眞我』，眞的歸根復命了，眞的回到自己存在的中心，就達到老子所說的『無遺身殃』、『沒身不殆』了，無論出現什麼情況，都能徹底地自由自在了。」

小男：「一個人做善事和做惡事，是他命中注定的嗎？命中注定要出現這些事情，但是怎麼處理是自己的事情？」笑，「我和無話不說一樣語無倫次了，這個問題要『問清楚』，太難了……」

道長：「命中注定的事情，是生生世世因果的一個延續，不管你怎麼去修，那些該出現的事情還是會出現；但是因爲你修行了，醒悟了，受到事發的影響便不一樣了。另一方面，只要我們是落在三界、六道之中，就必然會在自己的因果鏈中扭轉、輪迴，因爲一個人的未來，完全是由一個人的過去造就的，而一再地重複某個人的過去——由思維的定式、習慣所決定，他是在無意識中行使著他的思維模式，從而決定了此人的處事方式，從而造就命運。也就是說，人只要逃脫不了自身的思維方式，就難以逃脫自身的命運。」

大家不是很明白：「這怎麼說……」

道長：「就好比同樣一件事情，不同的人面對，處理的方式絕對不一樣，導致的結果完全不同。同樣的低谷，可以造就一個偉人，也可以徹底毀了完全不同的另一些人；同樣是成功，能夠鋪就一些人更大的成功，也可以因爲這個成功而毀掉不同人。差別就是不同人的面對，因爲是不同的思維方式，也可以是你們常說的性格因素。由你們的命和這一世的性格，以及你對自身的認識等等因素決定，導致事情的結果完全因人而不一樣。」

亞女：「性格是天生的嗎？它屬不屬於命運呢？」

道長：「性格是可以透過自己改變的，如果你發了心的話。人是天地中最珍貴的，是因爲人與萬事萬物都不一樣。宇宙萬物中、一切生命中，只有人是可以修行的。其他生命很難依靠自己的力量去主動改變自身。」

生的偉大：「狐狸也修行。」

笑……

小潔：「什麼樣的性格就有什麼樣的命運嗎？那什麼樣的性格算是最好的？」

道長：「以道觀之的話，就沒有什麼東西是最好的，什麼東西是最差的。比如我問你，是下雨好，還是天晴好？是白天好，還是晚上好？春夏秋冬哪個季節是最好的？事實上，任何你喜歡的一個特別，都屬於畸形。你們想像過沒有，如果依照你們的喜好，只有白天沒有晚上，或者只有晚上沒有白天，任何一種『你們更喜歡』，這個世界會是什麼樣子呢？這個世界本身就沒有任何一個東西是絕對的好或者是絕對的差，它都是應該出現的，但是我們總是在選擇。有了選擇，就有了好與壞。你一定會選擇對自己有利的、喜歡的，那些沒有被你選擇的，相對就是不那麼有利、不那麼好的。爲了你的選擇，你會有很多方式改變它……又說開了，呵呵。」

小男：「什麼叫修呢？修道嗎？」

道長：「如果從修道的角度講，它的核心思想是道修。修是修改、修正的意思，把一個東西修改過來。我們平時是以『我們的習慣』、『我們的思想方式』去看待萬事萬物，這個習慣的看待在很多時候是非常錯誤的、零散的、不連貫的、單薄的、不是多層面的。一個明瞭道的人看待萬事萬物都是『以道觀之』，從根本上修正自己一貫地『以物觀之』、『以俗觀之』，和以『我』的好惡觀之的錯誤觀點，修正自己思想中一貫的、以爲的東西來重新看待世界。把我們過去一直向外的努力轉而向內，把一直征服外部世界的能量轉而用於戰勝自己。

「人爲什麼要吵架？人與人之間爲什麼要有隔閡？因爲我們人做不到公平和氣，沒有那些修了道的、那些佛的作爲和高度。我們人是霧裡看花，我們看不透，我們以爲認知了很多東西，實際上並沒有任何認識。而正是這些沒有認識的認識，造成了人與人之間的隔閡。這個隔閡，再加上浮躁，成爲二十一世紀最大的病，人與人之間越來越缺少理解。

「這個世紀人們最需要獲得的第一個能力，就是溝通的能力。夫妻、家庭、父子、社會、國家、民族，都需要溝通的能力。需要有溝通就是因爲有隔閡，隔閡就是因爲我們個人的看法有諸多不同，我們看到的東西，我們的理解和認爲，是有個體差異性的。從溝通的這個角度來說，一個人能夠把事業做得多大，就意味著這個人的溝通能力有多強！因爲你得跟各種各樣的人溝通。溝通的目的就是需要我們把隔閡融化。如果一個人內功做得不好，那他外部的世界也會出現問題。起碼他會覺得處處是障礙，沒有人會理解他，他也就不可能有你們所認爲的『成功』。」

無話不說：「難道修道的目的就是爲了消除隔閡、加強溝通的能力？這樣太現實了吧？」

道長：「修道的目的並不是我們要用一定的方法，一定要練功，不是的。只要我們在生活中生活得很好，很成功，很融洽，某種意義上也是在練功。修行的目的，簡單地說，是在達到與人、與事和諧的過程中，我們修了我們的靈，修了我們的心，也是修了我們的思維方式，從而導致改變了我們的『命運』。

「又要繞回剛才的話題，剛才說『一個人只要逃脫不了自己的思維方式，就難以逃脫自己的命運』，所以，修行必須要修改我們固有的思維方式。正是因爲我們的思維方式，重複了我們命運的反覆，我們是被這種無意識所掌控了。而改變思維方式的修行、修煉，是我們能夠達到一、超越自我，超越舊有的思維模式；二、修命改運；三、斷滅煩惱。修行，修道，使我們能夠享受到人生的極樂，當下真正的幸福。

「回到剛才說了一半的，專門的修煉是修，而我們從自己的生活中，從我們的社會中去體會、去尋找、去經歷，也是修。在這個修的過程中，最高的層面莫過於我們能夠自覺到自己的觀點片面和錯誤。因爲我們自己的觀點有很多是片面性的、主觀性的，它基本上是由我們自己的人生經歷所決定的。我們已有的人生經歷使我們豐富，也使我們狹隘。你可能打贏了一百場勝仗，但是並不意味著你能夠打贏第一百零一場。人最大的問題是缺乏自知，要知命顯然就更難了。一個人可能做了很多很成功的事情，這個人理所當然就會很輕信自己成功的經驗，所以很多人到了晚年就會很保守、很頑固、很排斥，不相信新的東西，他就跟不上時代了。那還沒有『成功』的人生呢？有時候人們可笑地會把不成功也當作人生經驗的主要參考，越參考越不『成功』，距離我說的成功就更加遙遠了，因爲那都是負面的參照，都是『又是怎樣……一定怎樣』的負面性句型。這個不多說了……

「一定要知道、要懂得『過河棄船』。無論『成功』或『失敗』，河都已經過了，要把幫你過河的船放棄掉，要不然後面的路該怎麼走呢？難道你還要揹著船走嗎？已經到了新的階段，還要用原來老的辦法、老的處事方式嗎？用老方法是因爲習慣。很多人都不知道新路的重要，不懂得在新的階段裡面，自己新的發展，需要用全新的心態和觀念。我們自己經常面臨的問題是，總有很多新的東西需要去突破，這種突破就是『以道觀之』。當我們能夠做到以道觀之的時候，我們的心靈、生命就會很達觀，就會始終充滿激情，始終努力，始終去進取，並且始終很快樂。享受做事的過程，也是享受人生的過程。能以道觀之者非道而誰！」

人馬座：「你指的快樂是什麼意思呢？」

道長：「是絕對的快樂。不是與痛苦相對的快樂，相對的快樂是與痛苦交替進行的，而絕對的快樂不會與痛苦相伴，那是極樂。這個快樂充滿於每天都努力地做事情之中，充滿在日常的每時每刻。我們活在當下，而不是活在過去——無論是追憶榮譽還是後悔莫及，也不是爲將來而活。學道的人不是一個無所事事、庸庸碌碌的人，學道的人是不消極的，而是很快樂地去做事情。不是爲了做事情而做事情，而是在做事情中找到『眞我』，在做事情中『歸根復命』。雖然在做事情的過程中同樣會有很多問題出現，即使是解決問題，一個修道的人也是以快樂的心情，以積極、陽光的心情去解決。如果我們都能夠站在道的角度上來看，世界、事情都是沒有對立、沒有對和錯的，就像我們很多時候知道自己必然會成功一樣，同時也必然會出現很多問題。只有眞正知道一切問題都是來成就我的，才能快樂地面對問題，才能眞正生起感恩之心。」

6
無量天尊

道長：「『無量天尊』與『無量壽福』一樣，都是道教的問候語，這個問候道破了千古以來道教的核心祕密，你是無量的，你是生生不息的。無量天尊的另外一個涵義就是眾生皆是天尊，是無邊無際無量的，這個和佛教說的『人人都是佛』是同一個意思。」

辟穀第七天。

早晨醒來感覺精力充沛，神清氣爽，一切都很好。小便的顏色漸漸回到了正常。昨天午夜結束講座，量體重已經降到了五十公斤，衣身、褲腰更加寬鬆，即使站立不動，也有相當「飄飄欲仙」的風致，哈哈！胖子九十五公斤的身體，降到了八十七公斤，他更加喜形於色。胖子開始有反應，身上曾經有過傷的地方，尤其是發生過車禍的腿傷，開始疼痛。與此同時，他練功的時候開始覺得噁心。因爲還沒有過練功噁心的先例，我們都不知道這算是什麼反應！

如道長所說，夜晚沉睡的時間越來越短。睡不著的時候就滿腦子地擺宴席，完全不受自己意志的控制，一桌一桌的菜，只要腦筋一「空白」，它們自己就上來了。眞沒有想到這些吃的記憶這麼執著，我完全體會到了爲什麼說「民以食爲天」！不由得聯想到好政府的首要是不能讓人民挨餓，好妻子的首要是不能讓丈夫吃得不好，否則通通要出亂子……

至於我們自覺走在「成仙」的道路上，呵呵，心生感激，也感受多多，也有……「壯志凌雲」之下的無可奈何！

那些不經召喚、自己款款而來的美味，在這一夜全部盛裝成爲「回民美食」，在此記錄一下：有鴻賓樓的鹽爆散丹、紅燒牛尾，有新疆的烤肉筋、羊肉拉麵、手把羊肉，有陝西的羊肉泡饃、水盆羊肉、肉夾饃，還有西安那條著名回民街上我連名字都叫不全的種種、碗碗，眞是夜深人靜，美食造反啊！這個好容易不去想了，那個自己娓娓而在了；那個被強迫忽略，又有更耀眼的與我正「舉案齊眉」……完全排山倒海般的來勢！睡眠不知道躲去了哪裡……然而就是睡眠偶爾「記得」回來了一下，也不能夠終止這些發了瘋的記憶：它們一閃就鑽進了夢裡，繼續讓我歡喜讓我憂！

這天一大早，在與種種的牛、羊肉糾纏完之後，竟然是在廣東臘肉煲仔飯的夢境中醒來的。內心驚詫（我從來不愛吃煲仔飯！）之後，依次冷水浴，自己的早飯功，呼呼吸，九點練功房站樁……心情清爽、完整、舒暢，有點像小時候過年的大年初一，或者是安安穩穩微風祥和的暑假早晨，打開房門的瞬間，有暗自的期待與喜悅，湧動心間。

十點，在院子裡的草地上見到了清爽、完整、舒暢的道長。道長呵呵笑：「看起來你心情很好！」

我老老實實很淺薄地回答說，是挺快樂，想了一夜吃的，就已經這麼快樂了……平時就是親自吃了，也不見得有這麼美滋滋的，呵呵，眞奇妙……

道長笑嘻嘻看著我，抱住雙手道：「無量壽福！」

我還禮：「無量壽福！」

一旁的無話不說同樣抱手：「無量天尊！」

大家有點反應不過來，都望著他。

無話不說慢慢悠悠，以掩飾、表達他的相當得意：「怎麼樣，看出差距了吧？同樣是修行，同樣是學習！」

道長回禮：「無量天尊！」

小男：「道長，你跟我們講過無量的壽和無量的福，我能不能請教一下，『無量天尊』是什麼意思呢？」

道長：「道家的天尊，指的是至高無上的道的外化，是我們對道的一個別稱。修行到最高境界，我們就叫天尊。『無量天尊』與『無量壽福』一樣，都是道教的問候語，這個問候道破了千古以來道教的核心祕密，你是無量的，你是生生不息的。無量天尊的另外一個涵義就是眾生皆是天尊，是無邊無際無量的，這個和佛教說的『人人都是佛』是同一個意思。本是天尊，這裡面是一種自性的覺悟。你知不知道你是天尊？認識到自己的同時，已經解決了一半的問題，剩下的問題是我們怎麼去對待因緣、因果。」

無話不說：「聽明白道長說的了嗎？別管你們怎麼認為，也別管道長怎麼看我，我，『無量天尊』，我自己的一半已經覺悟了！餘下那一半再覺悟了，辟穀也不用求你們了……」

生的偉大：「你用半生的時間覺悟了一半，再用後半生的時間覺悟另一半，你是先進文化的代表，你的畢生都在覺悟之中……」

笑……

小男：「道長，我一夜都在琢磨你昨天說的話題，命和運不是一回事，緣和分也不是一回事，那魂和魄也不該是一回事吧？」

道長：「不是一回事。《黃帝內經．靈樞經》的〈本神篇〉，就講精神與魂魄的關係：『故生之來者謂之精，兩精相搏謂之神，隨神往來者謂之魂，並精出入者謂之魄。』魂是魂，魄是魄。」

「要下雨了。」敏感的亞女抬頭看天，「我們還是去二樓茶座吧。」

＊　＊　＊

待在二樓茶座紛紛坐定，窗外的天空已經「雨紛華，舞梨花」，南方的雨細潤柔和，眞是飄飄柔柔而下，不剛、不硬，宛若飛花。

大家弄茶。人馬座：「道長，我們才來這兩天，了解到道家的文化和技術都非同凡響，而且道教又是本土教，又有這麼多今生的需要，爲什麼道教反而沒有像外來的佛教在民間這麼深入廣泛呢？」

道長：「這個問題並不是你一個人的疑惑。確實從我們現在看來，道家的道觀普遍比佛教的廟宇少，道士也比佛教的出家人少，道教的書籍也比佛教書籍少。」

胖子：「還不僅僅是這樣，現在的人們大多了解佛教，但可以說幾乎不了解道教，甚至了解的，也是一些非常負面的東西。」

道長：「其實這個感覺是有片面性的，如果我們站在中華文化五千年的歷史長河中去看待這個問題，會發現在整個中國歷史的演變過程中，中國道文化的發展幾千年以來長期處於主導的狀態，所以魯迅先生才會說，『中國根底全在道教，此說近頗廣行，以此讀史，許多問題可迎刃而解』，表明『中國根底全在道教』的說法，在他的那個時代有著廣泛的認同。中國道教在歷史上眞正弱於佛教，只有三次，其中一次與清朝入關有關係。」

小男：「怎麼和清朝入關有關係呢？」

道長：「清朝入關以後，從順治皇帝開始，順治、康熙、雍正、乾隆、嘉慶，乃至於後來的一系列皇帝，包括道光、咸豐、光緒、同治，到最後的宣統，清朝的這十位皇帝，無一不信奉佛教。從雍正的對答錄裡可以看到，當時清朝一入關以後，中華民族那種反清復明的願望就沒有消滅過，反清復明的情緒一直貫穿了整個清王朝。清朝的統治者認爲，要讓漢人接受外來民族的統治，首先要接受外來民族的文化，而接受外來民族文化的特點，就是接受外來民族的宗教。中國以前的王朝乃至整個民族，一直是崇尚黃老哲學，崇尚道文化的。清朝的王室推崇外來的佛教文化，這既是個人信仰，也是政治需求。那時的佛教就已經不是一個單一的文化表現形式，也不是一個文化的符號了，它有了對當時更爲重要的涵義。清朝的王室完全可能這樣認爲，一個從印度傳來的外來民族的宗教，如果漢人能夠接受，那麼同時也能夠接受外來民族的統治。所以當時一度強迫許多道觀改成佛院，道士剃髮爲僧，或者強迫道士還俗。雖然後來清朝皇帝意識到應該透過道教穩定漢民族，而開始採取對道教的懷柔政策，但道教已經元氣大傷。經過兩百多年的清朝統治，中國道教的人才爲之一空，十室九廢，出現了前所未有的衰敗。

「但是佛教本身沒有問題，它所傳播的是向善的、醒悟的，尤其在被大力傳播的過程中，也融合了相當道家的文化。我們今天看到的佛、道格局，是從清代延續而來的。我認爲這是過渡階段，在目前依然感覺到道教發展似乎不如佛教，雖然在明朝的時候，道教的發展在整體上還是超過佛教的發展。」

人馬座：「這個會有記錄嗎？」

道長：「根據明朝正德年間的統計，當時的道教，像我這樣一個住持，可以享受五品官的俸祿，相當於我們現在的地級待遇。那個時期道觀的總數量占全國的60%以上，佛教的廟宇只占了大約30%。那個時候道教和皇朝的關係特別密切，而且中國最有影響力的一部道教藏書——我們這幾天說的那部浩瀚的《道藏》，就是在明朝修成的。唐朝修的《道藏》一直到明朝大明正統年間才完成，在當時皇帝的主持下花了兩百多年的時間，歷經了四代皇帝、兩代天師。你們說當時對道文化重視的程度有多深？最後形成的《道藏》有五千九百八十多卷，用了十二萬多塊金板，黃金用了無數。」

無話不說：「從唐朝到明朝不止兩百多年。」

道長：「我沒有說清楚，是僅僅明代就花了兩百年修《道藏》，而這個《道藏》是從唐代開始修，屢修屢毀，唐朝修了，在宋朝就被毀了，最後是在明代修成。可想而知，道教在明代依然受到重視的程度。」

小男：「明代之後呢？」

道長：「整個清朝結束之後，原來占了60%以上的道觀，變成了只占20%左右，佛教的廟宇變成80%左右，這是一個巨大的改變。道教脫離皇室的重視進入民間之後，在社會中變形了，它已經不是道教了，從形而上變成了形而下，成爲一個『器物』了。

「到了民國的時候，道教又蓬勃發展，特別是道教的改良派。但是道教的改良派和國民黨政府走得很近，隨著解放戰爭塵埃落定，國民黨退出了政治舞台，大陸解放，在清除這個改良派的同時，沒有把傳統道教和新興的改良派道教進行區分——這是很容易混淆的，因爲用的經典一樣，服裝也一樣，因此整個道教受到很大的影響，這是第二次。」

小男：「第三次就應該是『文化大革命』了吧？」

道長：「對。『文革』中五大宗教都受到衝擊，但是其中只有道教是受到連續第三次衝擊了，兩百多年以來道教的人才一空。所以現在道教的人才啊，書籍啊，各方面都顯得很少，人才更是斷層。這麼一個民族璀璨的文化，中間出現如此的斷代，是中國文化巨大的損失。但是融入歷史長河之中來看，這個衰敗應該只是一個小小的過渡，而不是結局。」

人馬座：「這些衝擊造成的文化損失，緩得回來嗎？」

道長：「我相信可以。因爲道教是中國唯一的本土文化宗教，畢竟有著幾千年中國傳統文化的底蘊，在歷史的長河裡，在中華文明的五千年裡，這兩三百年的衰敗只是彈指一揮間，一個瞬間而已！中國文化的騰飛必將走向世界，我們爲之努力的方向就是這個，我相信在今天新世紀世界文化的建構中，道文化必將發揮出巨大的作用。」

無話不說：「我們很多人對道教的印象不好，覺得它迷信，可能是和義和團、小刀會，什麼刀槍不入啊相關。我說話很直接啊……這些難道不是道教的一部分嗎？」

霎時靜場，只聽見水被煮沸了的沙沙聲……

＊　＊　＊

道長：「你說的這些現象成因很複雜。一個是我剛才說的，道教進入民間之後，形而下爲之器了。以清代爲例，正常的道教不能發展，那麼不太正常的就會自己發展。像田地，如果不好好用來種莊稼，雜草一定會叢生；另一方面也可以說道教的內容駁雜多端；此外，也可以認爲道教所具有偉大的包容性……我們需要來討論這個嗎？任何一件事物都有很多的附著面，關鍵是我們要把握什麼。」

人馬座：「人人都說『佛道同源』，但是我們聽著又好像不是一回事，那麼還有儒教呢？中國的儒、釋、道三教，差別很大嗎？」

道長：「儒、釋、道三教的精神、思想境界完全一致，之所以形成三教，是它們的起源不一樣，造成三教的國度、歷史背景、語言、表述方法、社會的狀態、敘事的方法，還有當時面對社會矛盾要去解決的問題都不一樣，於是就出現了三教教制的差異，但是三教的本質境界是一致的。就像我們看到的山頂，就這一個山頂，到了山頂上看到的風景都是一樣的，但是上山的道路可以有不同，路過的風景也不一樣。由於不同宗教教制的形成——形而上爲之道，形而下爲之器，這個『器』，就成了爲人所用，爲時所用。所以導致歷代出現過佛、道之爭，出現過大的歷史背景下的宗教間交替的強盛和衰弱。但從最高境界看，歷史上祖師們的修行之中，往往是三教同修、三教互參、出入三教的，而且這也是最好的悟道途徑。三教融合，在中國經過了一個漫長的時代。到了中國的宋朝，提出了三教合一和三教論。」

小男：「道教算是宗教嗎？」

道長：「中國的儒、釋、道三教，確切地講，都不是宗教，起碼不是西方人認爲的那種宗教。我的理解是，西方的宗教傳入中國之後，我們才在眞正意義上有了宗教的概念。我們的道教、佛教、儒教這三教的『教』，是宗教的教還是教育的教，値得探討。從非常久遠的傳統來看，『教』似乎更應該是一種教育。追述中國的文化，三教最早就是教育，最早出現道教的『上古之人，以道教人，謂之道教』，就說用『道』這個文化體系去教人，叫做道教。這就是講道的文化，道的教化。那麼以堯舜文武之道教育天下，也是如此。還有像儒教，我們怎麼理解它會是宗教呢？至少與純粹西方的宗教區別太大了。」

無話不說：「那佛教呢？現在大部分人都認爲佛教是宗教……」

道長：「現在的佛教也許可以被世人認爲是宗教了，但是原先的還是很難說。佛教是人對生命的悟性，是人人可以成佛的一種學習與參悟，而不是神教。早先佛教的廟，是讀書人學習的地方，像文昌廟、孔廟……」

小男：「對了，原先的廟，好像與我們現在專門用來敬貢、拜佛的廟不太一樣？」

道長點頭：「我們現在對廟的理解與它的原意確實是有偏差的。原先的『廟』絕對不是指專爲佛教所用，『廟』是一個房子、一個場所的意思。我們以前的皇帝，他的國號就叫做『廟號』，治國平天下的朝廷就叫廟堂。我剛剛說的『文昌廟』、『孔廟』，是儒家培養人的學校。我們以前的讀書人都是在文昌廟裡學習的，廟是我們的祠堂，廟也是我們的學校，廟就是一個聚集的場所，廟也是一個朝廷的標示。連一個國家的社稷，在中國古代也叫『宗廟社稷』。」

人馬座：「中國宗教的標誌在我們現代人看來，除了廟，還有祭拜，這不也是宗教的行爲嗎？」

道長：「『拜』在中國古代是很常見的禮儀，雷同於西方的握手擁抱。『拜』的形式在中國延續了相當長的一段時間，對長者要拜，對尊者要拜，親戚朋友見面要拜，夫妻要對拜，兄弟要結拜，這是日常生活中最常見的一種禮節。」

小男思索了半天：「西方的宗教也可以說是一種教育啊，他們神學院、修道院，也是集中在一個固定的場合學習和修煉的……」

道長：「我們要看之間的關係。我們和『道』是什麼關係？佛教的人與『佛』是什麼關係？都是一種師生的關係。我們透過學道、修道、悟道，最後會得道，我們就是道。所以才有那句話，叫『無量天尊』。你們都可以成爲天尊，人人都是天尊。中國文化裡幾千年前就有『人人皆可爲堯舜』。而西方的宗教無一例外都是主與僕的關係，救贖與被救贖的關係，父親和兒子的關係，神與人的關係，這些關係是不可以超越的。而中國的道教，是可以學道，可以修道，道教核心的核心是一個教育的體系，它有老師，還有文化的全部內容，在老師的指導下經過學道，還可以得道，最後可以成道，人人皆是天尊。在佛教就是人人皆是佛，人人都可以成佛，無非是未來的佛，還是已成佛。這就是老師和學生的關係。最後是皈依，皈依是大加持。」

無話不說：「對不起，道長，我不得不打斷。這些問題距離我們是有相當距離的，還是應該讓道學院、佛學院，還有國家宗教局他們去研究和討論吧。我們還是來點兒實際的。日月如梭，再不來點兒實際的，我又回紅塵了……」

大家大笑……

道長：「來點兒什麼實際的？」

無話不說：「我就這麼幾個問題……」

生的偉大快速截斷無話不說的慢條斯理：「給我辟穀，給我看術，辟穀不可能了，那麼請道長來個術震撼你一下吧……」

無話不說執拗地半歪腦袋聽完：「對！我還是堅持必須要親眼所見一些日常不可能的法術，像我這樣對宗教只具備初級了解的普通百姓，才有作用和意義。」

道長笑：「什麼法術？」

無話不說不假思索：「比方說突然的出現或者消失，這些是眞的有呢，還是只是這麼說說的？我已經夜不成寐了，專門思考這些問題。」

道長笑：「你是指道教的隱身術或者穿牆術吧？」

無話不說：「對，用你們的專業術語也可以這麼說。」

生的偉大笑：「如果道長瞬間在你眼前消失了，你會不會驚嚇得失去理智？」

生的偉大：「但是這個，魔術師也能夠辦到。全世界人民都知道的大衛·考柏菲就能夠辦到。所以道長如果瞬間消失了，你又會說『這沒什麼，魔～術』！哈哈……」

無話不說：「你就說吧，道長，這種術存不存在？可不可能？我們的證道，應該進入具體的細節了！」

道長笑：「你不是相信科學嗎？現代科學某些領域的探索正在試圖告訴我們，當我們處在三維時空，以我們的實物離子狀態組成了一個生命架構的時候，我們會確信我們的生命體在我們的這個狀態中是正常的，或者說在有限的狀態中我們侷限住了自己。」

無話不說：「這道理你都說了無數遍了，問題是我們還沒有練到這種程度，所以體會不了。到了你這個程度，會是什麼樣？你有沒有見過生命形態轉變成爲其他的？」

道長笑：「你就是在把這個當作魔術看。你還是不相信你整個人可以全部變化成爲能量，氣。」

生的偉大：「道長，就是你能不能超前地給我們一個實證，說你見過張三就可以隱身或穿牆，有沒有這樣的人啊？」

道長：「那就是你驗證生命有多種存在形態的時候。高人很多，但是如果被我們這樣來議論、來傳述，那就是『八卦』了。你可以自己去尋訪、去了解。我可以負責任地告訴你，我們修煉到了一定程度，可以和更多的生命體溝通。你修煉到一定程度，都不用練到胎息，就可以和外面的很多訊息溝通了。你知道他們的存在，他們也知道你的存在，這不是一個很複雜的問題。在某種情況下，在入定的時候，你們會明顯感覺到，時間對你們根本就沒有任何的約束。我入定了十天，和我十天前是一樣的，這過去了的十天對我來說沒有任何的概念。我可以成爲時間的逃脫者，時間這個架構對我來說沒有意義。我這樣說，你們能夠明白嗎？」

無話不說：「到底是有還是沒有呢？」

道長：「如果你要專門證明這個，你就專門修煉這個穿牆術，當然有。你願意下決心來修煉嗎？」

無話不說愣住：「要花多長時間？」

生的偉大：「起碼要先修煉到『練氣化神』，然後出神入化，你化掉了，不就可以穿牆了嗎？你入地都可以了，呵呵……你畢生的時間……」

道長嚴肅：「所有的術，在道家都是可以修煉而成的。但是你不可能全部修煉而成，你只能夠專門修煉一樣或幾樣。而眞正修行的人，沒有專門撿這樣的『術』來修煉的。」

小男：「道長，你常常提到的『最高層次的生命訊息』是什麼呢？」

道長：「我們人類進化到了今天，雖然已經獲得不少成績，但是從發展的眼光來看，我們依然還是低級的。生命有各種層次的表現形式。接受訊息是一種手段，是我們人隨著自我的發展不斷地認識到生命，窺視到了生命的更高層面上去。」

亞女：「道長，『生命的更高層面』是什麼呢？訊息嗎？還是生命？還是我們人類自己？」

小潔：「就是說那些生命訊息是我們想像之中的那些仙啊、靈啊，還是超出了我們的想像？」

道長：「我不知道你們的想像是什麼。」

小潔：「或者說是不是一些故去的靈魂，或者是未來的一些精靈。」

道長沉吟：「很多現象如果你沒有親身驗證，很難理解。我們身邊有一種人能夠聽到一些聲音，告訴你一些什麼事，該做哪些，不該做哪些。你們認爲這個『聲音』是什麼？而大部分人都不會相信，因爲他自己沒有體驗。一些簡單的術，能夠證明這些訊息的存在。比如我們說過的扶乩，透過一種程序，借助一些器具，你們自己就可以體驗溝通。在這個世界上任何東西都是不滅的，就像物質不滅一樣，訊息更是不滅的。」

生的偉大拍拍無話不說，笑：「你可以學學扶乩，這個用不著畢生，我們還能夠受惠……」

小潔：「還有轉世投胎這種說法嗎？」

道長：「這也可以理解爲是訊息不滅的一種。道教對人界、鬼界、天界有充分的實證認識和大量的闡述，對五種生命形態的表現，比如說鬼仙、人仙、天仙、地仙、神仙，也有深刻的研究。我們已知的物質不滅，是人類透過大量的研究去獲得的；如果再往前走，就是訊息不滅，到了訊息不滅的時候，你才能眞正理解一直被我們簡單歸類爲『迷信』的東西究竟是什麼。剛才說的那些現象，其實都是借助各種專門的術深入到生命的不同層面。」

無話不說：「道長，你自己接受過一些遙遠的訊息嗎？」

道長：「當然有啊。但是我說有，你們相信嗎？這是問題關鍵。你們無法區別事實和神話。」

無話不說：「你們溝通過嗎？」

道長：「修行過程中的溝通是你不能夠排除掉的，它會自動發生。如果你們發願修行，同樣會體驗到怎麼和他們溝通。當我們經過練習、放棄了有的狀態而達到特殊狀態，我們回到了生命本身的原點，到了這個境界，就具備和宇宙的各種訊息溝通的基礎了。」

無話不說：「有的時候人神經錯亂了也會有這種感覺，我們常常看到瘋子也是這麼說的……」

道長：「也許神經錯亂的人也會說如何如何，但是還是能夠找到這之間的區別。神經錯亂和沒有錯亂的人的區別，就像天才和瘋子之間的區別一樣，一種是完全能夠被控制，一種是你無法控制。比方說你們做夢，和我練功的狀態差不多，都是深入了潛意識，但是你睡著了能夠控制夢嗎？你不能。而我透過練功，能夠控制自己。」

亞女：「道長，你還沒有告訴我們高層次的生命究竟是什麼呢？」

道長：「高層次的生命狀態也可以理解爲我們人。剛才我說了，我們人從遠古時代進化到現在這個狀態，就單細胞而言來看我們的發展，是高級得不得了，但是從更漫長的歲月之後來看，我們現在依舊很低級。在漫長的生命進化過程中，生命層次的演進，偶爾不是順時進行，而是躍遷地進化。也就是說，我們人是透過幾個特殊的階段到達現在這個狀態的。而透過道教的修行，可以對未來人類文明的新的躍遷，是可能『提前』辦到的。」

無話不說充滿疑慮地看著道長：「怎麼提前啊？進化是相當漫長的事，我們基本上並不知道我們的尾巴是什麼時候掉的……」

道長：「你們怎麼理解達爾文的進化論？我們的習慣思維是，認爲人從動物進化到今天就似乎停止進化了。有誰認爲自己還是在進化狀態中的？但是客觀地來看待這個問題，我相信當時猿人可以用火了的時候，他們也是這麼認爲，人類不可能再發展了。他們絕不會認爲『我們還有待於進化，因爲我們太落後了，我們要掌握文字和語言，還要把全身的毛退掉』……」

笑……

道長：「如果他們有這樣的意識，那比我們現在的人類還要進步。現在我們反過去看待歷史和人類的進化、進步，我們知道並不是那樣的。從另一個方面來講，達爾文的進化論遇到了大的挑戰：人眞的是猴子變的嗎？那麼今天的猴子，幾千年以來的猴子，怎麼就沒有再變成人呢？」

小男：「你的意思是猿人也不知道自己未來的方向，他們根本就不是逐步進化到人的？」

道長：「從猴子變成人的過程還有一個很巨大的缺環，這個缺環就是，誰幫助了猴子們在一瞬間飛速地提升、成了不是猴子的人？今天的人類，下一步的發展是什麼？誰、怎麼來幫我們人類提升，從而突破作爲現有生命層次的人的一個飛躍？」

小男：「你是說我們現在的人類遇到了一個類似於當年猴子進化爲人類的一個契機？」

道長：「對。這也將是中、西方文明，陰性文明和陽性文明合璧的一個時期。人體有著非常高級的組成，但是我們對自己完全不了解。如果以數位相機的像素來描繪，人的眼睛有上億的像素。我們大腦的大部分區域，儲存著我們自己都不知道的資訊。我們如何開發自己的潛能？是等著必然的進化，還是自己提前找到出路？我們這個時代特殊的意義在於，我們具有生命科學產生飛躍性進化的可能。在這個時代，我們的生命將可能得到高度的開發。

「這是一個龐大的研究，艱辛的修煉。如果將我們的生命高度開發了，這個提升的飛躍要達到壽命能夠延長，智力能夠高度飛躍性地進化，生命的潛能高度充分地顯現，腦容量的使用率大面積提高。由這些變化帶來的生命現象，還叫人類嗎？是仙類還是超人類？當這個現象出現的時候，我們會怎麼面對這個世界？我們現在有了全球一體化趨勢，但是這仍是經濟的一體化，還沒有形成文化的相互認同。『九一一』的出現說明文化衝突的嚴峻。而生命的提升需要有文化的相托，否則便是巨大的混亂，甚至是災難。能夠形成文化相互認同的、相容的，也許只有東方文明的中國文化。」

屏聲靜氣，再無人輕易打斷……

道長：「這兩種文化的合璧將產生一個新的人類文明的躍遷，這次躍遷將是以東、西方兩方實證科學的完美結合，將是東方的文化和西方的文化結合產生一個世界性的人類文明的一次重構。這次文明的重構和人類的躍遷，要解決的不是生產力的關係，也不是我們單一的從精神上解放我們的問題。這次重構的意義太大了，是整個生命層次上的。因此，道文化在今世的張揚必然要成爲此次文明的主導，這也就是我們存在的意義。」

7
生命科學的世紀

道長：「二十一世紀是一個生命文化的世紀，也是一個生命科學的世紀。在這個世紀裡，我們人類的很多東西要被揭示、被超越。第一就是人的壽命。人的壽命到底應該有多少？現在說人的壽命應該活到兩百歲的，已經不是我們這些修行人在說了。」

胖子：「道長，你能不能夠完整地說一說，你究竟是怎麼看待我們這個新世紀呢？」

小男：「是，就全球人類而言，遠的不說，近一千年來，我們經歷了文藝復興、農業革命、工業革命、文化革命……呵呵，我們這樣羅列好像不對了……」

胖子：「這些過程確實在思想解放和解決生產力的範圍之內。之後呢？我想我們都極想知道你的看法。因為這可能也是很多人的迷茫：人生就是這樣了？物質看似越來越豐富，卻導致越來越大、越來越激烈的衝突，心靈越來越麻木……」

大家贊同。

道長思索著，喝口茶：「二十一世紀是一個生命文化的世紀，也是一個生命科學的世紀。在這個世紀裡，我們人類的很多東西要被揭示、被超越。第一就是人的壽命。人的壽命到底應該有多少？現在說人的壽命應該活到兩百歲的，已經不是我們這些修行人在說了。我們一般都認為人腦不如電腦，因為電腦的記憶功能和計算功能太強大了，但是如果把我們的大腦充分開發起來（小小私話：練習站樁與靜坐，都具有開發大腦、開發潛能的功能），我們不比那個價值多少億的電腦系統更慢，我們的記憶和計算系統會更好。我們生命中的很多潛能，包括辟穀功能和水下生存的功能都會充分地表現出來。如果人的潛能能夠在這個世紀得到充分的認識，並且這些功能被高度開發了，你們說等於是什麼？」

靜。細雨沙沙。

道長：「我們在這個時代有著偉大的使命，我們要見證人類一個新的文明狀態。

「通俗地說，我們現在所處的時代，是釋迦牟尼和老子他們都企及不了的。打個簡單比喻，在他們那個冷兵器時代，像中東這樣的戰事，如果是荷馬那樣去傳唱的話，要一千年後大家才會知道，而我們現在是同步在看，他們在那裡打仗，電視在我們眼前直播，網路還可以參與意見。這個時代是他們那時無法企及的，因爲他們沒有通訊和傳播的工具，因此那時任何傳道的範圍只能在那麼一點點裡面。

「人類的文明到今天出現了一個巨大的契機，中國文化核心的『和文化』不是偶然。在上個世紀，我們已經確定了量子力學的模型，已經知道用能量來描繪宇宙，已經有了相對論、量子論、系統論、控制論，並且在上個世紀我們已經體驗到了全球一體化趨勢——當然還是一個初期的全球一體化，還有電腦和網路的應用，地球村概念的形成等等，在這樣一個豐富的、複雜的世界裡，只有一個新的體系才能夠把世界統合起來。這個新體系，就是我們中國傳統文化的『和文化的體系』。這就是我說的，『中國道文化在今世的張揚必然要成爲此次文明的主導』。」

人馬座：「但是無論怎麼說，在當今這個年代，知道佛教的人多，知道道教的人確實非常少。這樣，道文化怎麼可能成爲與西方文化合璧的東方主流文化代表呢？」

道長：「二十一世紀人類文明奠基的，必將是我們東方的、中國的和文化。道文化就是中國文化的代表，不容置疑，因爲道文化在我們的生活中、生命中，早已經深深進入，造就了我們的思維模式，但是卻不爲我們大多數人所知。每一個中國人都是道文化存在的證明和傳播，而不論你承不承認，因爲你本身就是按照中國人的思維方式在生活、在思維、在融和、在貫通，道的教育已經變成我們生活行爲的一個『不自覺』核心。大部分人都是在生命的過程中因爲文化的襲承而不自覺地在弘道，而對我們修行的人來說，是需要有意識地用我們的生命來弘道。

「但是有一點你說對了，就是中國文化需要走出去，一定要走出去，否則我們就沒有辦法在融通的過程中超脫自己的文化。這個時代需要的是用生命來對話，因爲這個時代絕對要透過一個東西的出現，比如說人類向更高形式生命狀態的提升，來體現這個時代與以往不同的進步。」

無話不說：「這個東方文化和西方文化有必要合璧嗎？」

道長：「當然有必要。東方文化和西方文化雖然都同屬地球文化，但是它們之間的區別太大了。東方人是整體思維習慣，西方人的觀念是無限細分的思維方式，體現在科學、醫學、哲學觀念各個方面。我們這個文化的偉大，是在幾千年之前就有的高起點，我說過了，一步到達那樣一個對世界、對生命的認識；而西方的文化、科學，只有發展到了今天，終於有了很多成型的理論，比方說控制論、系統論、量子力學，還有混沌論、泛系理論、資訊理論等等，他們得到自己實證科學的認可，才有可能在今天接受我們的東方文化。」

小男：「東方文化與西方文化的合璧，是很漫長的事，還是在經歷了漫長之後，到現在已經是一瞬間的事了？」

道長：「這不是一瞬間的事情，但是應該在我們這個時代出現。因爲我們的生命科學——基因科學雖然已經成型，但缺少一個核心的東西。量子力學也還沒有介入到現代的醫學體系裡，能量醫學的理論體系也沒有完善，這些都必須要經過中國獨特生命科學體系的認知去和他們配合。」

胖子：「道在這個時代有大的顯現嗎？」

道長：「一直都有。但是我們在這個時代對於生命的提升，將是道在這個時代很重要的一個驗證。跟隨這個理念，我們在這個時代對道的證悟將比在任何一個時代都重要。」

無話不說：「話雖這麼說，我也相當贊同，但我還是有我的疑問。既然是這樣，你們已經方向這麼明確了，應該自己修煉都來不及，還要爲我們這些俗人這麼費勁幹嘛？因爲我在心裡也是不相信活雷鋒什麼的，他最後不也是『翠花上酸菜』嗎？」

大家哄然而笑！完全沒有想到無話不說的思路能夠在這麼嚴肅的話題上，依舊放肆、跑得這般遙遠……

道長笑畢：「老子在《道德經》中講到『不愛其資，雖智大迷』，只知道閉門苦修而不問身邊與天下的人，只能是小乘的獨善其身的自了漢。我們修行是內功和外行並進的，就是說一定是『功和德』並進。不做任何有益於大眾的事情就自己修煉成功，這是不可能的。有功還要有德，不能獨善其身。」

人馬座：「道長，這個能夠再說細緻一些嗎？」

道長：「比方說我們這一生有很多因果形成的孽障，是不是回到大道裡面，你原來欠的那些孽障就不產生因果相報了呢？這個世界是由因果關係延續的，這點我們討論過無數次了，那我們曾經的孽障不報了怎麼辦？還是要報的，報的方法就是要干擾你，讓你修不成。這裡就有一個因緣總爆發的問題。比方說我現在立定要發願修成得道，那麼不管我修成也好，得道也好，只要實現就一定是超越或斷絕我原來所有的因果，但是所有的因果又是要體現、要報的，怎麼辦？就必須要有一個很大的善事來抵消它，使它的因果平衡。你們可以思考一下在這個時代最大的善事是什麼。」

小潔：「幫助我們修道？」

道長：「道在每個時代、在證道的過程中，都有不同的形態表現。每個時代的道，都以它無限的多樣性和無限的生機展現在我們面前。在今世，道要顯現一個什麼形態的道象出來？唐朝時候的人，他們的問題、他們的現狀，和它之後、之前的時代，都是完全不一樣的。道的腳步到了今世，遇到了一個全球性的問題。」

小潔：「是什麼？」

道長：「人們從來沒有像現在這樣關注生命，關心我們自己，關心我們的健康。那麼這個時代，道所顯現出來的會是一個什麼樣的象呢？這對我們每一個修道的人是至關重要的，因為我們憑什麼說我能夠修成大道呢？現在我們人的劫難很多，我們遠不如唐朝人、漢朝人那樣單純，我們的孽障更深重一些。我們怎樣能夠擺脫孽障與道相合呢？所以從來沒有我們只管自己修，而不去管外面的社會的，如果是這樣的話，釋迦牟尼就不會去傳道，老子也不會去寫《道德經》了，基督耶穌也不會廣泛地去佈教。一定有一個與道相合、與這個時代的道融合一體的機會。」

小男：「確實，好像從來沒有過，全球的人都在練瑜伽，都講究美容、運動、科學研究基因，思考怎麼延長壽命。我也想過，是不是因為網路的關係，使得全球的人都相互影響著趕時髦呢？以前是資訊不通，所以各自為政……」

道長：「這就是我剛才說的地球村的概念。舉一個很通俗的例子，你們觀察過沒有，這個時代什麼是最賺錢的？美國有一個作家叫保羅．皮爾澤（Paul Zane Pilzer），他是布希、柯林頓兩任美國總統的經濟顧問。他寫了一本書，說二十一世紀是一個健康的世紀，是世界財富的第五波。世界財富的第四波是ＩＴ行業。你們回憶一下他講得對不對，想想比爾．蓋茲。上個世紀年輕人弄一個網站就可以一瞬間賣到多少個億，那麼快的財富增長速度是歷史經驗中你做什麼都比不上的，做房地產都不能相比。世界財富第三波是汽車行業。

「人類到現在已經擺脫了饑餓、貧困，這個時代的大多數人已經不需要爲吃飽穿暖去花費很多時間和心思，需要花心思的是我們人怎麼能夠活得更好。但是生老病死使我們根本沒有辦法去享福。非正常的死亡越來越年輕化，因此人們也越來越關心自身健康，從街景都能夠看出來。二十年前，甚至五、六年前，都沒有像現在這樣，在中國任何一個城鎮，幾乎任何一條大街上都有按摩、推拿、洗腳。人類現在需要的是一個關於健康的革命性概念。作爲一個經濟顧問，一個商人，他們有意無意地都尋到了『道』在這個時代的呈現。在這個時代，我們要知道『道』是什麼表現形態，就可以順道而行，在這個過程中，我們也借助了道緣，完善了我們自己。」

小男：「你說過一維空間、二維空間、三維空間生命的侷限，我們人是在面臨突破維度空間嗎？」

道長：「其實這些問題不應該討論……」

大家：「說說嘛，道長，我們又不是學術會議，在這裡討論最合適了，只是聊天……」

道長：「這個大家知道，一些先進國家的研究者設想下一步要發明的宇航器，就是要研究三維到多維的航太加速器，到十萬億年之後的銀河系周邊去，也就可以一瞬間就到了。而從我們道家的角度認爲，很多東西的存在，如果從訊息上去理解，是很容易的。過去和未來，遙遠與現在，就在我們的方寸之間……」

大家再次怔住。從來沒有想到過，這個廣大到不可想像的「宇宙」究竟是什麼？怎麼那麼多萬億光年的廣博銀河系、宇宙，以及小小地球上始終被我們認爲「一去不返」、「遙遙未知」、難以深究的人類過去與未來，只在我們內心的方寸之間？

啊啊……

無話不說用手拂動著胸口，以一種徘徊在極其深奧的信與不信之間的難言之情，沉默著。

小男：「是嗎？我們透過練功能夠達到這些嗎？」

道長：「練功是一個名詞。但是透過練功可以告訴我們的是，我不要侷限於我，而要與宇宙相包容。我就是宇宙的一個小縮影。」

＊　＊　＊

生的偉大雙手自從道長說了「方寸之間」開始，一直在胸前做著「拉氣」的動作：「這個，我們科學也知道了『縮影』問題，就好比我們身上的任何一點皮屑，甚至頭皮屑，也有幾千個細胞和基因，同樣可以證明、表達、代表我。問題是，這個『方寸』怎麼『放大』？呵呵……」

道長：「科學是近些年來才知道，以細胞放大成爲『原先』，能夠做到，大家都知道了，克隆。而我們古人早就知道『內心方寸之間』也是和宇宙同體的。」

靜默。

道長：「在這個世界上，一切實際都在我們今天這個地球上發生，一切也可以在很遙遠的宇宙中發生，這一切中，我們是無限宇宙的一個組成部分，但是同時我們的地球又是這個巨大宇宙的縮影，而我們又是這個地球的縮影。他們都在和我們發生關聯，他們也都和我們發生過關聯，正是因爲這些關係，可以把我們和這個世界上的任何一個看似毫不相干的人聯繫在一起。」

人馬座：「看從哪個方面了……」

道長：「我現在和你們面對面坐得很近，我可以說你們的皮膚很不錯，因爲皮膚上的毛細孔很緊密，所以你們顯得很年輕。但是換一個角度，我就可能不是這麼看待了。如果我是從物質、由分子和原子來看待，在很小的一個原子裡面，原子核和電子之間的『距離』都大得不得了，我甚至可以認爲相當於銀河系和地球這麼遠。實際上對於我們身體的一個細胞、細胞裡面的原子和原子核、原子核裡的電子來講，我就是一個宇宙體系。把我們身體上的一個細胞無限展開，就是一個宇宙一樣……」

小男遲疑：「這樣想的話……好像沒有依據吧……」

胖子笑：「什麼是依據？我們可以認爲想像是沒有依據，但是不去想，就是依據嗎？就是眞實嗎？對於什麼是大，什麼是小，我們從來沒有了解眞相……」

人馬座笑：「很可能我們就是頭皮屑上面的頭皮屑……」

生的偉大笑：「那還太大！應該是好幾十個頭皮屑上的頭皮屑的頭皮屑的頭皮屑的……」

無話不說：「你們太不正經了，現在是在探討問題，盡瞎打岔！我正在思考我們是從何而來，你們這麼胡說一通，就把我引到我們是從某個頭皮而來的了……」

大笑！

小男：「誰說我們在胡說了，很可能你眞的就是從某個頭皮而來……」

無話不說相當嚴肅：「別『眞的』，人生要是這樣的話，太無聊了，還弄什麼太空船啊，一推子，全完……」

小潔笑：「好，我們認眞一點。道長，你說我們究竟從何而來？」

道長：「我們從生命的原點而來，我們從因緣而來，我們因因緣而生。」

無話不說：「道長，這不是跟沒說一樣嗎？什麼是生命的原點呢？因緣的起初是什麼呢？我還是什麼也不知道啊……」

道長：「會知道的。透過種種不同的方式都會讓你最終了解到。剛才我們不是說到一點扶乩嗎？在民間的扶乩詢問，用現代科學的話語來說，就是『透過扶乩這種形式，邀請任何一種時空的生命狀態進行交流』。我們最多的是和故去的親人交流，我們所有的疑問都能夠得到回答。因爲訊息不滅，答案始終都在那。這也是你了解的一種方式。」

無話不說：「說實話，我甚至連扶乩都不大相信。他怎麼可能什麼都知道呢？一定有人事先告訴他什麼了……」

小潔對無話不說：「我知道扶乩，一定是請一個不認識你的人，而且這樣的人多半是沒有文化的，他絕不可能先去調查你，或者有什麼人事先通報。他連你的祖先是誰都說得明明白白……」

人馬座：「台灣在八十年代初的時候有幾個藝人很執著地請過碟仙，眞的請成了，並且很準確地回答了每一個人的問題，預測出誰會先成功，誰將怎樣。這幾個藝人中就有成爲大明星的，與當初『碟仙』的預測完全一樣。這是他們其中一人親口告訴我的經歷。」

道長：「是的，要做到並不難，但是他們這樣做有點冒險，請神容易送神難啊！請碟仙是透過自己的參與來完成整個解答過程。扶乩的做法是在進行的過程中，操作者能夠叫出你的名字，說出你的過去，你詢問的家人、私事的情況都能夠一一回答，而你們之間根本不可能認識。」

另一人：「是的，我見過，如果你請的這個『靈』是你故去的親人，你會馬上聽到他在世時的聲音，他就是用這個聲音來和你溝通。這個怎麼解釋呢，道長？」

道長：「是可以在一種特殊狀態中與存在的靈進行訊息連通的。這個實際上就是陰、陽這兩種能量之間的關係，當你經過修行，能夠穿越陰陽兩極的時候，這些疑問都不成爲問題了。扶乩的方式也不僅僅是在中國大陸，在整個東南亞的很多地方都有這種一直以來被大家稱爲迷信的東西——『靈』的溝通。」

亞女笑：「我們說這些眞迷信啊……」

道長笑：「是迷信啊。不過你們明白『迷信』是什麼意思嗎？巫婆本身以及去問巫婆的人，雙方都不知道這是怎麼一回事，爲什麼能夠知道這些；巫婆在和你說了這些話以後，會認爲自己很了不起，問她的人也會認爲她很了不起，但是爲什麼會達到這樣一個狀態？誰也說不清楚，所以迷嘛，迷迷糊糊的，但卻是相信，這就是迷信，迷迷糊糊的相信。」

小男：「道長，你能夠跟我們解釋一下他們爲什麼能夠達到這樣通靈的狀態嗎？」

道長：「生命的狀態本身就可以出現各種層次的訊息溝通，這個靈的訊息在宇宙中是廣泛存在的，只要你去接收它。你就像是電視機，靈的波又存在，只需要把頻道對準確就可以了。這在民間還有一種現象，叫做附體。」

清悠悠的《清靜經》在雨聲中響起，午飯時間到了……

無話不說像沒有聽見一般：「這個附體不需要修煉了吧？」

道長笑：「不需要。這個世界訊息不滅，所有存在的訊息都是可以被我們感應到的，你們練功到一定的時候，就能夠收集到許多的訊號，包括太空的。只是絕大部分的人還不知道，因此也不相信。附體是什麼呢？就是有訊息占據了我們的身體，這就是附體。」

無話不說琢磨著：「那有沒有可能那些偉人的訊息來附體了呢？或者我願意讓他來附體，他會來嗎？比方說曾經改變了這個世界格局的偉大政治家？」

笑……

道長笑：「當然有可能了，但是訊息是不帶有政治色彩的，是平等的。我們說的靈啊，附體啊，扶乩啊，都不是一個僵持的東西，它如果和你的身體附著在一起了，它就貫通了你的訊息。」

小潔：「如果我附體了，我自己知道嗎？我自己有意識嗎？」

道長：「一旦被靈附體，你就已經不是你了，你會做一些與你本人平時狀態不相干的事，說很多與你本人無關的話，只有等過了這個狀態的時候才知道，別人也會告訴你剛才發生了什麼事，而你自己是沒有記憶的。」

無話不說：「這不需要修煉的通靈，我就可以試試，看看會不會遇到偉大的靈……」

道長：「但是通靈的狀態對我們的身體不好。被通靈的人往往容易出問題，尤其是他們沒有修行的定力的話。通靈的生命體如果經常被其他的靈所占領，一般的通靈者會出現種種不好的事情，比如殘廢、消瘦。我們不講這些吧？應該吃午飯了……」

小潔：「再問一個問題，道長，通靈、附體什麼的，都屬於巫術類吧？巫術是不是不好的東西？」

道長：「通靈、附體這些，都是傳統巫術的遺存。我們對於一些問題有不少的偏見，像巫術並不是壞的，也不是假的東西，只是很多人不了解。」

道長舉起手邊的茶盅：「全世界一切、一切、一切的事情、事物，都在這個杯子裡面，你們能夠相信嗎？按照道教和佛教的說法，『一粟米一世界』，一個『小小』裡面都藏著世界。如果我們修行的人讓你們感受，你們可能會往『巫術』上靠；如果用科學來試圖證明，你們就不會想到『巫術』這個詞。有的時候只是一個辭彙，看它表達的內容我們是不是能夠理解。

「所有的生命都有另外一種表達形式——波，而我們人體能夠成爲載波的載體，我們只需要去感受一下。這也可以勉強叫緣起。」

這天的將近中午，大家七嘴八舌聊得很雜，在去吃飯的路上還在嘻嘻哈哈感慨：從小讀書的時候，如果老師能夠這麼開放、廣闊地和我們聊天、傳送知識就好了，既由著我們的興趣，又引導我們的觀念……不知道道長急了會不會打手心……

我尾隨去了餐廳。菜眞豐富啊，記錄一下：

有三黃雞，辣子炒雞——天哪，這兩樣就是前幾天糾纏了我一夜的！有綠油油的油麥菜、酸蘿蔔燉鴨塊、瓦塊魚、西芹百合、泡椒墨魚仔……太豐盛了！

無話不說端著盤子，有點忿忿然地站在一邊，一言不發。我知道，他一定在生氣：桌子有多大，盤子有多大……呵呵！

之後我回房練我的辟穀午飯功……

8

生命的眞諦

道長：「我們一定要明白生命的真諦，生命就是相聚、生病、痛苦、幸福等等累積的一個過程，都是自己的因緣。修煉能夠提高人的生命品質，避免生命的痛苦，消除對死亡的恐懼，也理解死亡。」

這天中午，細雨低回，大地芳香，微風清爽，我潛心地練功——呵呵，也包含了將近半個小時的睡功，一直練習到下午三點，接受常月的身體調理。

兩耳不聞紅塵事，雙眼只見天與地，我是幸福的人！眞的，幸福得心直踉蹌，不斷懺悔種種紅塵往事之中的執著與沉迷。天地開闊，平靜坦蕩，從來不索不取，而我們小小、小小的人，眞是好大的膽，什麼都想要，什麼都不放棄，什麼都念念不忘，爭奪、掠搶一切的功名、利欲，一切的自然、資源……

靜坐的時候，我彷彿穿透了細細的雨幕，往來與過往的所有一切之中，爲所經、所歷、所視、所思而觸目驚心，深深觸動。

我一再翻閱一直帶著的《聖經》，細細讀老子的《道德經》，尋找爲人的本性與本分。我希望能夠醒悟到生命的眞正意義。

＊＊＊

再次與大家會面，依然在抄經室。這種一墨一紙，手握毛筆一筆一畫認眞書寫的古老場面，把所有人的心瞬間拉回到它正當的位置。心無旁騖……

抄寫完畢，大家尋覓到也忙完自己事（練完自己功？）的道長，繼續這連綿數天，沒有一絲條理可言的「想到哪說到哪」，彷彿這也是一門大家不可或缺的功課了。

小男：「道長，我一直在想著你中午說到的緣起，你說所有的生命都有另外的一種表達形式——波，我們只需要去感受一下，這個感受也可以勉強叫緣起。是這個意思吧？但是我想問的是，我們的生命，這個肉身的緣起，是怎麼一回事？」

道長：「道教的經典中講，男是藏精於腎，女是藏血於腎，父精母血的交融，經三百日而胎圓……我們的生命就開始了。簡單說是這樣，這就是我們肉身的緣起。至於『異靈入體』──我們的身體是家園，靈是家的主人──那是另一個領域的緣起，有更爲廣闊而複雜的因果與因緣。」

小潔：「我見到過有的小孩，神神叨叨的，是不是小孩能夠看到或者感受到什麼？」

道長：「有幾種可能，其中一種情況──不過這種情況還是很少見的，假如說某個小孩的魂魄不全，那麼其他的靈體就會進入他的身體，就是我們說的突然之間這個人會變成一個特殊的狀態。這種現象成人也有，像有些人的精神錯亂。人的精神在錯亂的時候，會進入一種特殊的封閉狀態，實際上有可能在這個人的『思想』裡面，靈與靈之間正在進行一場很激烈的奪舍。這個舍就是我們的身體，我們靈魂的家舍。」

人馬座：「靈魂的轉世，人的出世，是不是也是對人體家園的奪或者舍？」

道長：「倒不是奪和舍。但是假如一個人正好剛剛去世，他的魂魄一出來正好剛剛接得上一個人的新生，如果他們有因緣的必然，又有特殊的方式可以接通的話，在當時就可以從這邊轉到那邊去。道經言：『父母已成胎，性命隱然可備，存則可爲神居之舍，勿令他人得而居，而我爭先奪而居之』，便是這個意思。」

小男：「這是眞的嗎？眞的有這樣轉世的啊？」

道長：「這只是很不常見的一種轉世，並不普遍。但是很多人有這樣的體驗，自己明明是個女的，卻總是覺得自己是男的；也有是男的，老覺得自己是女的，對不對？科學的解釋還是非常表面的，並沒有觸及本質，或者說核心。還有到一個從來沒有去過的地方，卻覺得那麼的熟悉，覺得來過，又是明明沒有來過。你們有沒有這樣的經歷？」

紛紛說有。

我也有過……

道長：「更有甚者，不但覺得從來沒有去過的地方熟悉，而且還回憶起很多的人。這就是這個人生前的魂離開還並不久，還能夠朦朧記得一些事情，還能夠再現。一般來說，人在八歲以前都能夠對自己的前生有所記憶。也就是說，八歲以前的兒童如果進行特殊的訓練和誘導，也許還能夠幫助恢復記憶。」

此話題並沒有完，另一話題又「緣起」了……

一人：「道長，他們幾位仙人在這辟穀，我們這幫俗人天天跟著吃吃喝喝，也算是修行嗎？管用嗎？」

道長笑：「我們不是說過嗎？道在一切之中，一切之間。更何況你們也是天天在練功，天天抄經，心的觸動並不是每時每刻都會被自己感受到的，慢慢的你會發現看待問題的方式、程度、角度都發生了微妙的變化。還有我們時常在一起聊天說話，你說的『管用』又是指什麼呢？」

提問的人略有扭捏，可能在斟酌尋找字句的表達與心裡那個意思的距離，無話不說「迎問而上」，冷峻而嚴肅地：

「就是說我們常常為各種煩惱而困擾，這幾天的『藥』，下山了以後還管不管用？藥效怎麼樣？是長期有效的，還是屬於臨時止痛的？」

笑……無話不說一開口，有的仙友已經開始笑了，像「笑聲伴奏」，之後引來笑的「合奏」！

道長：「他們幾位透過辟穀，你們透過伴隨始終的修煉，你們的生活無論在山上、山下，都會更加快樂，更加積極。現在如果你們下山，你們會很清楚地看到那麼多人的臉上都寫著那麼直接、無法掩飾的痛苦、欲望，或者無奈，或者空虛，或者自以爲是，什麼都有，和你們來山上的時候，放在臉上的表情是一模一樣的。但是那時你們可能還不會看到這些，而現在你們會很容易辨認出來。」

道長看著無話不說笑：「我不知道這個算不算是你說的『藥效』？

「你們的塵世生活已經被很多的東西、很多的欲望控制了。修煉即使達不到我們終極的目標，對你們、對所有人也是需要的，修煉起碼有一個『糾正』的作用。在山上，在這個與你們日常生存環境完全不同的地方，沒有利欲追隨你們了，看看古人寫的文章，抄抄經文，在陽光、風聲、雨聲中，我們天天、時時、刻刻地在這裡談天說地講道，那些控制了你們的東西會逐漸消退，我們將會慢慢融於無限大道之中。實際上就是將我們的生命交給了大道，將我們的種種束縛回還給自然。就像莊子所說的，『獨與天地精神相往來……』，這個時候，我們就是和宇宙在一起。」

小男：「這種意境，眞是簡單、自然就可以達到嗎？」

人馬座：「我覺得這是一個覺悟的過程。如果我們用心修煉，需要多久的時間呢？它是循序漸進的嗎？」

道長：「也是循序漸進，也是突飛猛進，關鍵是看你修煉的是什麼，體驗的是什麼。」

道長突然沉默，彷彿提醒了大家什麼：

「道長，你的修煉是怎麼樣的？你是從小循序漸進的嗎？」

道長略一沉吟：「我練習過磕頭。大家都知道的，磕頭是很簡單的動作，跪下去，頭觸地，站起來算一個。我小的時候個性強，不聽話，師父就叫我磕頭，一共要完成三千個。」

道長奇妙地微笑。

道長：「當我磕頭到八十個的時候，頭痛得不得了，頭痛欲裂，肩膀、特別是腰酸痛得像要斷裂開來。繼續磕，磕頭到一百多將近兩百個的時候，兩隻耳朵像有巨大的風箱在嗡嗡地響。磕頭到將近五百個的時候，出現了一個現象，眼淚止不住嘩嘩地流，這是沒有辦法控制住的。磕頭還不到一千個，我已經是聽憑它自己在做了，耳朵裡面嗡嗡的聲音沉靜下來，那個時候無論你看到神像也好，磕頭的動作也好，一切的一切對你來說都不重要的了，在那一瞬間，你在重複這個動作的過程中，你慢慢、慢慢就覺得自己在開始消融，很多東西都開始模糊，甚至消失，原來既有的那些觀念、那些執著，原來既有的那些成見，原來對很多東西既有的那些看法，那些頑固的自我意識，自我的那些物質體系，都慢慢地冰消釋融。就在這一個一個單調重複的磕頭過程中，我感受到與無限的東西逐漸融合在一起了，那時產生的一點感動是發自內心的東西。那一瞬間可以說我感覺到了天人合一……」

沉默。

亞女：「磕三千個頭大約需要多少個小時？多長時間？」

道長抬頭看大家，微笑：「你們有人有勇氣這麼做嗎？」

不該開口的時候，無話不說絕對不說話……

小男：「一般人受不了這個吧？」

道長：「非常艱難，也非常難講。但是經過了這樣的修行，對我們的一生來講，所獲得的……什麼事情只要推到極限上去，你就會發現有很多的變化是完全出乎意料的。其實一個人眞正的成熟，往往源於痛苦。絕對是痛苦讓我們發生了躍遷，痛苦是我們一切的老師。」

胖子：「我們的辟穀也算是其中一種吧？」

道長：「是。爲什麼我一再地講辟穀絕對不只是對我們的身體好呢？辟穀對我們是一種最深刻的提升，是身、心、靈的提升，在這個過程中，我們——你們，由不得自己了。了解這個嗎？平時你們——我們，老是在控制自己，指導自己，強迫自己，甚至想控制、指導更多更多的東西，但是透過辟穀，你們知道，有比你們對於自己的了解和把握更大、更深刻、更樸實的東西。也可以說是道理。」

胖子：「就像三千個磕頭一樣，把人逼到一個極限裡去了。」

道長：「這種極限往往就與痛苦有關。但是不能夠太極端。」

無話不說開口了：「我現在就很痛苦。照這個理，就是正在提升。我慢慢體會。但是『太極端』是什麼？像我，還能夠怎麼極端呢？血糖再上升一倍？嚇死我嗎？」

只有無話不說自己沒有笑……

道長：「我說的極端，比如說像自殺，這是不可以的，這樣的行爲將受到極大的懲罰，報應會很大。」

小潔：「自殺的人報應會在哪裡呢？在他的來世嗎？」

道長：「對。所有的宗教都反對自殺，因爲你太不尊敬也太不了解生命了！天地、父母給你的這個生命、身體，是我們任何一個人都沒有資格自己放棄的。自殺是所有因果中最大的惡報。」

我：「自殺是一個曾經的因報在了現在，還是『自殺』是現在的因，要報到未來？」

道長：「它既是曾經的一個果，也是要報在未來的一個因，這是一個因果鎖鏈。一個人自殺，會得到很大的惡報，你把自己滅絕了，你連放下屠刀的機會都沒有了。

「在這個世界上，你永遠不可以去消滅一個生命，不管你是誰。人們會因一念之差，以爲自己可以放棄自己的生命，以爲透過自殺放棄人生從而解決難以解決的問題，透過死來一了百了，錯了！這是因爲這個人不了解死，不知道死是怎麼一回事，沒有意識到死的未來鏈接會是什麼。」

無話不說：「如果因爲生病很痛苦而選擇了安樂死呢？」

道長：「所以我們一定要明白生命的眞諦，生命就是相聚、生病、痛苦、幸福等等累積的一個過程，都是自己的因緣。修煉能夠提高人的生命品質，避免生命的痛苦，消除對死亡的恐懼，也理解死亡。而我們任何一個人都不可以主動去選擇死亡，絕對不能夠有自殺這麼極端的行爲。」

人馬座：「說到這裡，我想到一個問題，道長，當我們面臨親人、長輩的自然離世，我們應該怎麼辦？」

道長：「首先我們要明白，眞正的生命是不死的，但是會結束一個階段的狀態。但是在這個事件自然發生的時候，我們應該怎麼做，某位長輩去世了，家人該怎麼處理，這個時候我們怎麼去面對是非常重要的。」

＊　＊　＊

小潔：「我們應該怎麼做呢，道長？」

道長：「很多人終其一生到去世都不相信人有靈魂，這是一個很大的遺憾。

「一個正常、平和死去的人，他的魂魄在離體的一瞬間，會有一聲出氣，靈魂就是在這一瞬間出體。生命離開身體的最後一個離體感覺，是解脫感。靈在最後一瞬間掙脫身體的時候會有一種舒暢，等同於我們人的幸福感，會感到光明。但是剛剛離體的靈還是很弱的，因爲它依戀了一個身體這麼久，就像我們辟穀期間雖然有很好的感受，但是我們對於食物有一種長期的依戀，有一種糾葛不清的感情。於是會有兩種力量：一種是走向光明的力量，好像在被吸走，那個方向是光明的，很舒坦，凡世的種種就漸漸被忘記，一直走下去了，他的離去是有一個方向的；還有一種是因爲對於身體的眷戀，有一種塵世的力量要拉住他，因此這個時候，周邊人的狀態非常重要。如果他身邊至親至愛的人在呼喚他要把他留住，還號啕大哭，他只要一轉念，一動心，就幾乎到不了他的目的地，就會容易成爲孤魂，他就被拉住，走不了了。

「人離世的最後一念很重要。任何一個有宗教信仰的人，都能夠容易得到解脫的歸宿，不管他信仰的是基督教、天主教、佛教、道教等等，不同信仰的人以不同的方式鼓勵他，爲他祈禱或者念經。借助宇宙和大家共同的力量來送他，而他自己要堅信他要去的那個境界。旁邊的人不斷地念誦鼓勵，借助大家共同的力量以加持一些咒語或經文的方式來送他，讓他到他應該去的地方。

「如果是無主的、沒有任何信仰的人，既不相信離世後的歸宿，也不需要接度，他就沒有辦法明確一個去向。這個時候再加上家人的哭喊，他就容易迷失了。極個別的因緣關係會形成奪宮、孤魂、附身動物的狀態……」

亞女：「附身動物？」

人馬座：「這也是靈的轉世嗎？可以是轉到人，也有可能轉到動物身上？」

道長：「這個剛剛離體、還很虛弱的魂，在親人的慟哭之下對塵世產生留戀，以及一些其他因緣的關係，假如偏巧這個時候有人生產或者有動物要生產，可能就會產生奪宮、附體的現象。」

小男：「那就是說，親人離世的時候最好不要哭喊？」

道長：「你們知道我們中國人的傳統說法裡有『紅白喜事』，什麼叫紅白喜事？結婚和離世都是喜事，結婚是紅喜事，老人去世是白喜事。如果在一個白喜事上有誰在哭，那是對中國傳統文化的不理解，是一種無形的背離，這些人就是不知道生命的歸宿。大部分中國人是明白這個道理的，把去世叫做回老家。有一句話叫做『視死如歸』，把死看做回家。一定要高高興興地送走，在一定時間內千萬不能哭，哭就不叫喜事了。要明白一個更大的理。」

一人：「我看過一本書，說人去世之後很長時間內，他其實什麼都知道的……」

人馬座：「西方有些科學的研究報告，有不少事例是已經去世的人依然存在於之後家人的照片裡面。比如有一個已經去世的老太太，家人使用她的汽車，在車上拍出的照片中，看見老太太一直坐在後座……」

小潔：「哇……這有點嚇人！」

道長：「我們不說這個。你們不是想知道家裡老人離世，我們應該怎麼面對嗎？這些是應該知道、了解的常識。」

大家安靜下來，等道長接著說。

道長：「一個人的離世應該是有接、有去、有送。剛才說最後一個念頭很重要，就是他一定要知道他的明確去向，一定要有相應的方式來接應他。我們這個世界所有的哲學觀念都在討論人的來處與去處。『死』與生一樣，是一個很大、很重要的話題，但是被人們很長久地忽略了。」

一人：「但是道長，無論怎麼明白道理，家人的離去總是會忍不住悲痛的，自己就是控制不住地哭，怎麼辦呢？」

道長：「中國古代有一段時期曾經盛行的做法是，一個正好有人要離世的家庭，這個家主事的人會把容易哭哭啼啼的人擋到門外，絕對不能哭喊，特別是在離世的一小時之內。要哭的家人都是在外面的，而離世的人旁邊大多是送他的作法事的人士。這個時候需要絕對的安靜、安詳，在他臨終之前，幫他把該穿的衣服都換好，然後在人去世之後，最好就不要去動他。」

無話不說：「那西醫對人生命最後階段的搶救呢？」

道長笑：「這個也要說到西醫了……西醫和我們對生命的認知是完全不一樣的。其實一個人在正常情況下，生命的最後階段，搶救對他是沒有意義的。我們相信『命限』，一個人的陽壽到限數了，是肯定救不回來的，只會把人弄得更痛苦。所以我們中國人的做法是，盡量不要動他最好。臨終前人有彌留之際，彌留之際至少有幾十分鐘，這時意識會逐漸衰退，呼吸逐漸減弱，血壓會越來越低，然後心臟跳動的曲線變成為直線，這個狀態還會延長幾十分鐘，這就是我們說的彌留之際。當出現這個狀況的時候，稍有一點經驗的人就知道應該換衣服，準備要上路了……」

我想起剛才一人說的「人去世之後很長時間內他其實什麼都知道」，問道長：「靈魂離體之後還會有意識嗎？」

道長：「剛開始是有的。他對身體太依賴了。爲什麼說在這個人沒有生命跡象之後就不要動他了？動他對他不好，那是種拉扯。不要哭喊，不要拉扯，讓他安詳、平靜地離開，不帶牽掛地離開。」

人馬座：「做道場是一件有意義的事情吧，道長？」

道長：「去世的人一定要做道場，這是我們送他。送的時候，一般的發喪在三天以上。這三天或者五天是停靈，要在他的床下或者床頭，床的周邊都可以，點上一盞燈，不要超過一丈以外。這盞燈要不滅地保持三天或者五天。記住，這同樣很重要。要有香、花、水果、燭。燭就是燭光，是送靈的，道教叫『燭照幽明』，始終照亮他通向歸宿的路，所以燭光或燈光是不能熄滅的，他會憑藉最後的一絲亮光很好地走。

「這三天一般都要做道場。我們現在中國的農村還依舊是這樣的，守靈，做道場，然後是選擇什麼時候發喪，什麼時候安葬。前面這三天非常重要，在這三天裡面燈燭是不斷的。」

一人：「但是在農村可以，現在人去世時都在醫院，哪裡可以停放？」

道長：「你說得對，以前的人都是停在自己的家裡，但是現在都有殯儀館，可以停在殯儀館。還有醫院的太平間也有靈堂，也可以守靈。有過這種經歷的人都知道。」

小男：「然後呢？守靈過後呢？」

道長：「選擇時間發喪和安葬。這兩件事有時可以一起做，有時又是需要相隔幾天甚至一段時間來做，也是依據不同人的不同時辰。這裡同樣有很大的因緣——不同人的因緣。通俗地說就是有很大『道理』的。然後是頭七。人去世後的第一個第七天。一共有七個七，七七四十九天，這對亡人是最重要的。在頭七的時候靈會回來，再回家一趟。家人通常要準備簡單的供品、飯菜，點香。還有回三，回三就是安葬之後的第三天，一定要再回一次他的墓前。這一次就可以哭了，以前是不可以哭的，因爲這個時候他已經很堅定了，不像剛剛離體的時候靈還很薄弱，悠悠蕩蕩的，很容易被他的親人拉住。回三的時候魂魄就很堅定了，他不會回轉了。到七七四十九天的時候可以到廟裡做法事，可以在江河裡面放生，在晚上放河燈。」

小潔大喘一口氣：「有這麼多道理啊！原來像我們常常看到那樣大哭大叫的是這麼不好的……」

道長：「我們中國人是很講究的，生死是大事，我們的傳統是敬重生命的來，更尊重生命的歸去。」

人馬座：「剛才我們還說到，有些小孩能夠看到我們看不到的東西，是特異功能，還是怎麼回事？」

小潔：「那個我們看不到的東西，是沒有依附在任何的物體或者人體身上的獨立存在嗎？」

（我很迷信地想起，我的一個朋友說她小時候看見去世的爺爺回家了，心裡直納悶，還問她媽媽：「爺爺怎麼回來了？」她媽媽罵她不要胡說，她還指出爺爺站在什麼地方，正在幹什麼……唉唉！）

道長：「小孩子在八歲之前，就是有可能看見我們成人一般看不見的事物。而這個『被我們看到的』，並不一定就實際占有在這個空間，它也許還是充滿在這個空間，有兩種方式可以存在，你如果要去觸摸的話，它都是不存在的。它不會是一個肉身實體，它們不占有這個空間，而是充滿在這個空間。但是在它們能量很強的情況下，或者說在我們感覺能力很強的情況下，都能夠知道，也就是你說的看到它們的存在。」

人馬座：「怎麼叫『它不會是一個肉身實體』？不是說有附體嗎？」

道長：「這是兩回事。在它們沒有依附到一個實體之前，都是以能量群，以波和波群的方式存在的。靈是在不斷地轉的。爲什麼說我們要超度呢？超度就是給它一個管道。如果辟穀選擇在八月份，能夠參與農曆七月十五的放燈節，那更好，因爲那個時候辟穀人的狀態會與平常不一樣。參與放燈，對你們肯定好。」

小男：「道長，我有點不明白。生命的陰、陽輪迴和轉變，按照你的話說，就是由物質的粒子世界轉變爲波的存在？」

道長：「我這是很勉強地用現代科學的成果、用語來解釋，或者說做比喻。用現代科學的語言來描述的話，陽性和陰性的區別有三：一個是以實物粒子的方式存在，是我們的肉身、我們的物質世界；一個是以波和波群的方式存在，就是靈的世界，物質的世界占有固定的空間，就是我們的眼睛能夠看到的世界；而另一個是充滿空間，是我們一般來說很難察覺，只有透過特殊方式才能夠接收到；一個是在光速以內，一個的起步就是超光速……」

話題像波濤，被大家此起彼伏的思維「吹拂」得蕩蕩漾漾……此一波未平，後一波又不知不覺緣起。

人馬座：「道長，你是怎麼會思考、了解這麼多的？」

一人：「道長，你是什麼學校畢業的？」

道長笑：「我沒有進過正規的學校。我很小的時候就開始跟著我的師父學習了，他讓我從閱讀經文開始。我閱讀了各教很多的經文。我的師父教我的方式很獨特，我雖然很小就開始了道家功法的承德修行，但他讓我看的第一部經是《聖經》，然後是《可蘭經》，然後是通讀佛經，最後才是我們道教的經典。讀到道家的經典時，我都已經十四歲了。但是我一直練的是道家的功。我十幾歲的時候就閱讀了大量的學校醫學教材，包括中醫、西醫的教材課程。我很幸運，我的師父從小就幫我建立一種比較學的觀點，多了解，去比較，去研究，結論是最後由自己去形成。」

小男：「作爲一個道長，要掌握多大的本事呢？就是說必須要通曉多少奇妙的知識才能夠成爲道長？」

生的偉大：「這個哪裡有規定的，就像同樣是大學畢業，但是知識的掌握程度是不一樣的，智商的程度也不一樣，但也都是大學畢業了……」

道長笑：「簡單地說，首先要當道士，然後才是道長。什麼叫士呢？我們中國人常說『士階層』、『士大夫』，『士』在中國是一個文化的傳承者，中國文化傳承最大的媒介就是士階層。『士』必須要通曉和了解這個文化的精髓，我們有觀音大士，那是很大的一個『士』。如果這個『士』的前面恰巧是一個道的話，那麼天道、地道、人道宇宙萬物基本的道理，這個『士』是必須要明白、要通曉的，這樣他才能夠被稱做道士。同時，一個道士還應該旁涉很多的術……」

無話不說：「所以，道長，你無論如何也要給我們看個術。這在你們是屬於本行，對我們則有巨大開啓、旁證的作用……」

9
請你吃一個玻璃杯

道長：「請你吃一個玻璃杯子，我來幫助你消化掉玻璃碎片。」

生的偉大激動地站了起來：「道長，這個好，他親自吃，就更加以道證道了！玻璃杯子是吞服，還是細嚼慢嚥？哈哈？」

道長笑：「你們總是糾纏這個。這個東西看到了，雖然是我們修煉的功夫，但是從根本上，無非是個術，那不是我們修行的目的……」

無話不說：「它可以是我們修行的信心，也許我根本修不了仙……」

生的偉大笑：「這是一定的！」

無話不說：「但是我起碼還可以長個本事！」

道長笑：「那你們希望看到什麼？我在你們面前突然消失了？」

大家笑：「那你得回來，要不然出大事了……」

無話不說：「最好你是帶著我，我也可以知道你上哪兒去了，怎麼去的……」

道長呵呵笑：「我不但要變我，還要把你也變了……常X師兄，麻煩你去把我的電腦拿來。」

道長喊住正路過的一位小師兄，交代他。

無話不說：「道長，你不會把電腦當作通道隱遁、消失了吧？這個連美國電影都沒有想到……」

人馬座笑：「快了，你都想到了，快了……」

無話不說：「趁這個空檔，你還在，我想知道現在的小孩，是剖腹產好，還是自然產好？」

大家笑！

一人：「這是什麼和什麼啊？我看你就可以時空穿梭……」

無話不說：「你們不是了解生命嗎？道長已經說了，『三百日後元神入體』……」

「經三百日而胎圓，然後異靈入體。」道長及時糾正。

無話不說：「對！然後怎麼樣呢？出生的方式有沒有什麼講究？這個問題不接著說，你們沒事，我就接不下去了……」

大笑……

道長笑：「好，接一下。這個話題也是値得講一講的。很多人不知道，不少女性中年以後的病變，是與剖腹產有關係的。很多女性不願意自己生孩子的原因之一，是因爲怕痛。痛確實是一種痛苦，但是我們說過了，痛苦帶給我們的從來都是一種昇華，不管是心靈方面，還是身體行爲方面，我們不應該去迴避痛苦。母親在經歷痛苦的生產過程後，對自我身體系統有著重要的影響，諸如催乳、乳汁品質提高、未來婦科疾病的減少等等。同時我們也應該知道的是，孩子長大後的體質和心理承受力的強弱，與在出生時是否經過了在母體的產道裡反覆的痛苦擠壓有著直接的關聯。這就是爲什麼現在每個家庭只生一個孩子，各種條件都優越、豐富了，而我們的孩子無論在體質，還是在心理承受力，都越來越弱的原因之一。」

人馬座：「現在孩子如果剖腹產，自己預測、選擇日期時辰，這個就更加不對了吧？」

道長：「我們現在講的易學、周易，本來並不是用來預測的，後來長期地流入社會，就失去了約束。像現在人做什麼事情都想預測一下，生孩子剖腹產也預測一下日子，按理說都是不應該的。另一方面，有過這種經歷的人知道，即使你選擇了特別的時辰，也很難如願達到，總有各種各樣的事情會發生，有各種各樣的理由來改變你的這個『人爲選擇』。」

我：「道長，愛因斯坦說過，人們對這個世界的看法和認知一般形成於他八歲之前的成見。八歲之前孩子的成長特別重要嗎？」

道長：「是啊。生活在無形之中對我們的影響，以及生命體自己記憶生命的方式，都爲我們點點滴滴固定了我們的習慣和認知。先不說知識和認知，先從健康的角度來說，我們接觸到的細菌，生命體認知細菌的方式，以及抵抗病菌的能力，都是在我們人生最初的八個月內奠定的。八個月前的小孩在地上滿地爬，經常把東西亂塞到嘴裡，但是他們並不會因此生病。生命體的自我免疫系統識別細菌和培植抵抗細菌的能力，就在人生最初的八個月之內建立起來了。在這段時間內，人體接觸到的細菌，我們生命體就有了這個記號，像得過A型肝炎的人終生都免疫一樣。」

小男：「小孩過分地乾淨，尤其是八個月以前的孩子，並不是一件好事？」

道長：「對。爲什麼都市的孩子比農村的孩子生活條件好得多，吃得也好得多，但是整體的身體狀況還是不如農村的孩子？就是這個原因。農村的小孩滿地爬，看起來好像髒兮兮的，但是普遍都比較健康。」

白衣白褲的小道士取來了道長的電腦。

道長輕嘆了一口氣，打開電腦：「我存有一些十年前我們爲了傳道所做的一些術的表演。術有的時候確實有說服的作用，否則說了半天別人也不知道你是眞的是假的。但是術如果不是眞正的用於通大道的話，是很沒有意思的。你們這麼熱切地期望，你們很快就看到了，但是即便看到了，也是不會滿意的。那和精神上的溝通、交流、感悟，是無法相提並論的。對於外行來說也就是看個熱鬧，因爲已經脫離了『一術通大道』的根本意義。」

無話不說：「道長，是這個意思：我們小時候很窮，都想穿皮爾卡登的衣服，等我們眞的有錢可以買皮爾卡登了，便覺得也不過如此，不穿他的衣服也可以，穿什麼都無所謂了。我的意思是說，道長，你現在什麼都有，什麼都知道，你已經到了那個境界，不在乎皮爾卡登了，所以你回過頭來再看這些術啊什麼的，已經不算是什麼東西了，完全有資格不屑一顧。可是我們呢，我們還什麼都沒有，你不能不管我們啊，我們哪怕知道一樣也行，比如我們就是想要一個皮爾卡登，你給我們看一看，暫時也行吧！」

大家笑！

道長笑著，逐一點開電腦內的存檔給我們看。

這是十年前的一些錄影資料，資料有很多內容，有道長在上海電視台公開演示的「水下生存」。他在大庭廣眾之下，在電視節目主持人和法律公證人的目視、公證之下，在一個封閉的大魚缸裡閉目打坐，用胎息的呼吸方式，與滿缸的魚兒一起待了兩小時二十二分鐘；有一些年輕小道士的功夫表演展示，有非常年輕、秀麗的吳心道長踩著蠟燭的火苗行走的輕功；有道長手握電線，讓電流烤熟了他手上的羊肉串；還有……

我們細細看了大約快一個小時。

道長：「滿意了嗎？這樣你們就多相信一些什麼了？眞的是這樣？」

大家嘿嘿地笑，回答不上來。

確實，和道長說的一樣，我們看到的東西「不能與我們每天聊的話題相提並論」。「理、法、術」，而非「術、法、理」，看來這個順序不是隨意排列的。

無話不說與我的感覺完全不同，他總結：「不錯。眞有敢在火上走的，也沒有燙到……」

人馬座：「重點是人在蠟燭上走，既沒有踩滅火苗，也沒有壓斷蠟燭，這是輕功……」

無話不說：「是，我是這個意思。換成我，燭，火，我，全完，燭斷，火滅，我燙了腳。但是僅僅這樣是不夠的，我的追求也是很務實的，我希望的是能夠看到眼前的，這個問題也希望能夠實事求是得到解決……」

大家又笑，心裡也是暗暗在希望……

小男：「無話不說講的也對，看錄影總隔了一層，我們的視聽經驗會不由自主把我們看電視的習慣與『表演』的概念，和這個眞實的展現雷同起來。」

道長笑：「這是有功夫的人能夠做到的，也有不需要什麼功夫就可以做的，你也可以，你願意嗎？」

無話不說：「只要不是大變活人，那個我不敢，因爲你這畢竟不是魔術，是不是？」

道長：「你可以爲我們吃一個玻璃杯或者燈泡什麼的，反正是正常不能夠入口的。」

無話不說一言不發看著道長。

道長：「因爲玻璃非常鋒利，而我們的嘴、舌頭、食道、腸胃消化系統又是非常柔軟、沒有防禦尖銳能力的。當玻璃碎片被我們呑食，穿過我們的食道往下走、進入我們的胃裡面，會對我們的胃造成很大的傷害，使胃出現殘破、流血、穿孔，還有可能把我們的腸部刮破。很小的一個玻璃碴都具有很大的破壞性……」

道長：「如果沒有一種特殊的方式將玻璃碎片消化或者消失掉，那任何的殘留都是危險。所以，請你吃一個玻璃杯子，我來幫助你消化掉玻璃碎片。」

生的偉大激動地站了起來：「道長，這個好，他親自吃，就更加以道證道了！玻璃杯子是呑服，還是細嚼慢嚥？哈哈？」

氣氛瞬間變得興奮、迷離而緊張，像在樸實的日光中突然閃爍出來霓虹燈的五顏六色……

道長笑：「你們看，這還是修煉的心態嗎？術就是這樣，如果沒有被你們理解、認同爲『一術通大道』，足以迷亂人心……我只是對你們沒有辦法了，讓你們了解一些我說的道理，在術上面的證明。但是，請你們以平常心態……」

人馬座：「道長，你說的『幫助他消化掉玻璃碎片』，這是什麼意思？」

道長：「簡單地說，就是我用『咒語』這種特殊的方式，在水裡面注入特殊的能量來化解這些玻璃碴。所以你可以來試一下，絕不會有生命的危險，也不會有吞噬玻璃滿口是血的冒險。這在我們並不是一個特別高深的功夫，只是一個特殊的咒語和特殊的氣的問題就能夠解決。怎麼樣？」

道長接過生的偉大遞過來的一只玻璃杯。

大家笑，看著無話不說。

無話不說：「玻璃碴越小越尖銳，但是如果我不吃，這個就……我們就看不到了，是不是？你的這個咒語叫什麼呢？我總可以先問一下吧？」

道長：「九龍水。」

無話不說伸長脖子，歪著腦袋，出神地看著道長，決策著他的這個幾分鐘之後的「未來」，究竟應該怎麼指向。

無話不說這尊「入定」般的可愛認眞形態，深深定格爲二〇〇五年九月二十三日的記憶，長存我腦海之中的某一束小小小小小小……波段中。

無話不說「入定」在那兒……

＊　＊　＊

生的偉大推推他：「怎麼樣？這樣你就毫不懷疑了……我和你不一樣，我就是吃掉了玻璃杯也是懷疑的：這只杯子眞的是我吃掉的嗎？哈哈……」

無話不說非常認眞：「我不是不敢吃，我是懷疑，這個咒語怎麼就只針對那些玻璃碎片了？萬一化解的範圍過大……」

笑……

生的偉大笑：「所有的咒語都是有針對性的，絕對不會範圍過大，咒語不具備超越性，這個我可以保證，因爲你只要吹『噓』，只會影響小孩子的腎臟功能，讓他尿尿，絕不會大便……」

大笑……

道長：「咒語有很多種，都是有專門針對的。你們看這張照片——」道長在電腦上面點開照片，選出其中的一張：

「這是去年我們在德國配合我的講道給他們做的功夫演示。這張是鋼針透體挑水……」

照片中是一個非常面熟的、這幾天見過的年輕女孩子，將道袍的衣袖高高挽起，一根粗大的鋼針穿透了她細細胳膊上面的皮膚，在鋼針的兩端，挑起的是盛滿了水的大水桶！

道長指著照片：「這位是我們的常瓊道長。常瓊胳膊上的針，穿針的過程，是由德國醫院的外科醫生親自做的，不存在疑慮。在完成這樣大力的動作之後，德國的醫生再將針拔出來，常瓊道長的皮膚上沒有流一點點的血。」

所有的人目瞪口呆。這麼粗大的鋼針，穿透了常瓊道長看起來如此細弱的胳膊皮膚，還要挑動水桶，承擔的力量……不可想像了！再想想都要昏過去了……

道長：「關鍵是傷口在一秒鐘之內消失，不見血。這一般也是不可能的，你可以忍住疼痛——假如你們認爲有疼痛的話，但是你不可能忍住流血，就像你們不可能控制夢。有了傷口是非流血不可的，這是常識。所以你們怎麼看待常識呢？這些也是咒語導致的。」

有人開玩笑：「無話不說，你也可以試試這個……」

無話不說一言不發。

道長：「這個鋼針透體挑水和口嚼玻璃，都是我們道家非常渺小的功夫，僅僅是一個展示，就已經讓德國人百思不得其解。在非常發達的西醫外科、內科看來，都是不可思議的，一小粒的玻璃碴，就可以劃破腸胃造成內出血，而我們當眾把一堆玻璃碎片都吃下去了。他們不知道這在我們是一件很簡單的事情。更讓他們驚訝的是，我們當眾給幾個西醫無法醫治的病人做了治療，幾天後這幾個病人好了。他們很困惑，不知道這是怎麼一回事，因爲我們的做法『完全不符合科學的規律』。這是他們當面的原話，西方人說話非常直接，很不顧及面子。」

小男點頭笑：「是啊，雖然我們就活在道中，其實我們也覺得不可思議，我們好像也更認同『符合科學規律』這個意思。」

胖子：「但是現在我也懷疑了：什麼又是科學規律呢？」

道長：「你們說的『科學』，前面應該加上『現代』兩個字，『現代科學』。你們看到我做的，只是不符合現代科學的規律，因為現代科學還只是一個嬰兒。我和他們說中國有個叫慈禧的皇太后，她距離我們現在並不遙遠，至今才一百多年，在她當時根本無法想像我們今天科學的進步。慈禧皇太后那個時代有多少人能夠想像今天我們可以坐著飛機飛過來飛過去？能夠想像我們手裡的手機電話？還有我們的太空船？還有被越來越多人使用的衛星定位？科學的這些進步都絕對不是她那個時代可以想像和理解的事情。所以我們只從科學自身的這個角度來理解，僅僅一百年以來，現代科學就發生了這麼大的變化，那麼一百年以後，兩百年以後，三百年、五百年以後呢？以那個時候的科學狀況來看今天的科學程度，無疑是很幼稚的；而如果到一千年之後來看待今天的科學發展，那可能認為今天的科學還處於蒙昧狀態；那以四千多年之前，我們的古老、智慧的道文化來看待今天這個年幼的科學呢？也許比嬰兒還不如了。但是就在這麼一個階段性的現代科學程度面前，人類還要以為是掌握著絕對真理的話，是不是太武斷、太不明智呢？現在科學怎麼能夠理解僅僅是依靠中國人古老的咒語，就可以化掉胃裡的玻璃碴、止住皮膚的出血呢？當他不能夠理解的時候，只能夠以『迷信』統一論之了。」

沉默。大家彼此內心都在掰扯著「科學」與「迷信」一直以來幾乎根深柢固的界限，動搖著我們早已經固定了的對於世界、世態的認知和理解……

道長：「明明知道在一千年之後用人類發展了的科學成果來看，今天的科學還是嬰兒般的蒙昧，但我們還是擺脫不了對它的依賴。我說，『我們現代的科學成果，只是人類絕對真理長河中的相對真理，距離絕對真理還相差很遠，千萬不要把它絕對化。』我認為今天科學真正的精神，應該是不斷地去認識未知，理解未知，了解未知，甚至超越未知，而不是去否定未知。咒語，就是當代科學應該去解答的一個未知現象之一。」

有人大力的鼓掌，更多的人依然沉默……

我：「你在德國治好的三個病人是什麼樣的病人？」

道長：「第一例是多發性硬化症。這種病在中國還不多見，但是不知道什麼原因在西方已經是很流行的疑難病，美國就大概有十萬例，在德國也有幾萬例。這種病從人的皮膚、肌肉、骨骼開始硬化，一旦硬化到內臟的時候，人就活不了了。」

我：「這個病人被你治好了？」

道長：「這個病人還沒有我自己動手，只是我的學生來治，花了一些時間，大約七天吧，到了治療的第七天，他身體的機能恢復了。這個病在西方被他們認爲是比癌症還可怕的病。還有一個是小兒的腦性麻痺。腦性麻痺的症狀你們都比較熟悉，流口水，說話有障礙。經過治療後——因爲我們的時間很短，所以這些症狀在當場都有明顯的改善。這都是在德國醫院他們自己的病例，我們在現場當場給他們治療的。德國的西德意志電視台和《德國華商報》都做了報導。還有一個是自閉症，效果也非常好。」

小男：「怎麼治療？是發功嗎？」

道長：「對，應該說是發功治療。他們親眼所見，也聽了我的演講，由此對中國的道家醫學非常敬佩。特別是現代的醫學領域正好可以把中國傳統醫學的理論輸送過去。他們對能量醫學非常感興趣，因爲他們剛剛興起一股能量醫學的風潮。只是在中國，這個西方新興的能量醫學已經有幾千年的歷史了，而且非常成型，這讓他們驚訝又欣喜！僅僅過了七天，九個德國人，一個是德籍華人，他們之中還包括德國的國家醫藥課題組前任組長，其中有三位醫學博士，都正式皈依到中國的道教。」

道長逐一點擊電腦圖片，我們看到了那些高高大大、高鼻子的德國人，皈依中國道教的儀式場面，和道長莊重的合影……

道長：「好，說很多了，現在我們怎麼樣？」

無話不說猛一拍腿——

生的偉大：「他豁出去了！」

無話不說：「我再想想！」

道長笑：「不要再想了。」

道長將杯子交給為道長取來電腦後一直在一邊聽的小道士：「我們今天就一不做二不休了。麻煩你去給我接一杯水，再把常瓊道長請來。」

無話不說：「不管之後的前程，現在我還得問：你們去德國是德國政府邀請你去堪輿，堪輿就是看風水，是一個術吧？當然你透過這個術和他們進行了理的傳道和法的交流，但是你為什麼又要表演像鋼針透體挑水這樣的術呢？」

道長：「我們展現鋼針透體挑水這樣的術是因為一個因緣，當時有他們醫院最好的一個外科醫生在場，我們在交流的過程中，他一直在用物質結構的方式解析生命的狀態。而我試圖告訴他們，生命並不是從結構上去理解的，也不止是從物質層面去描述它，生命的狀態應該是身、心、靈的一個複合體，生命不是一個簡單的物質狀態。當然德國的外科專家有他的理論支撐，這其實是整個西醫的科學理論支撐，因爲從解剖學發展出來的西醫，以及從顯微鏡裡讓我們認識到的細胞、細菌這些程度，科學的化學分子式，都有理由讓他們理直氣壯：因爲這些是看得到、說得清楚的，是使我們在更大的程度上理解了生命的微觀世界。

「但是，雖然西方的量子力學早就在上個世紀已經成型地用能量來描述生命的狀況，而我們不認爲能量和物質就是我們生命的狀況。我們認爲的生命，至少還應該包括訊息，系統的存在。我們的想法是系統大於結構的綜合。我們認爲生命並不就是一個身體，我們也不能只是在物質層面上去認知我們的生命。我們希望西醫終會在更大程度上建立一個人體醫學模式，從而超越現在的分子醫學模式和生物醫學模式，把西醫從自己的桎梏中解脫出來。這就需要有對物質的常規狀態的認知，有必要讓他們重新從另外一個角度、純東方的角度去認識我們生命體的達爾文成因。這是當時我們交流的中心點，爲了證實我所闡述的理，我就配合了術。」

無話不說：「鋼針透體挑水、吃玻璃，就能夠讓他們改變對生命的看法嗎？」

道長：「事實上就是起到了很好的作用。因爲常規醫學對於我們的這些表現確實是無法解釋的，當時在場的所有德國外科專家也都無法用他們的知識做解釋。包括像你們辟穀，起碼十五天或者二十一天不吃飯，你們都還是好好的，如果常規醫學要描述這麼多天不吃任何東西的行爲，必然要說到人體會腎衰竭，會低血糖。你們的表現都是常規生命體狀態中的特異現象。這個特異現象告訴我們，生命體並不是我們所認識到的只是從物質性質上去解釋的，它還屬於一個更大的能量世界，這個能量世界可以輕而易舉地改變生命體的狀況。我們是透過對於生命基本物質的把握，從精、氣、神這三種精微物質的把握，從內在改變的狀況，是他們無法想像的。而這兩個術讓他們看到了。尤其是德國的聲納接收儀也證實了我們說的經絡的存在。這些都讓他們開始正式面對，開始思考這些問題。」

常瓊道長笑吟吟進來了。正是我們上山第一天見到的年輕女子，彎彎的眼睛，長髮垂肩，傳統的鵝蛋臉盛滿笑意。

道長用四川話簡單說要做什麼，常瓊道長一直笑吟吟聽著，然後出門，幾分鐘之後回來，手裡拿了一顆燈泡和一塊布。

我們有點緊張又有些興奮地看著即將發生的這一切。

道長：「剛才在電腦上面看到的術，都是非常簡單的東西。像我們能夠控制電流，給你們診斷、看病，也是術的一種，這個不需要證實給大家看了，你們到這裡來都經過我的檢查，用的都是二二〇伏特的電。我們方便一點，也不準備水啊、火啊之類的，還是讓常瓊道長把我剛才說的、你們從照片上看到的吃玻璃的過程展示一下。她一會兒就將手裡拿的這顆燈泡吃下去。」

常瓊道長已經將燈泡包在那塊布裡面，然後放在地板上，輕輕用腳踩碎了。也許是心理因素，燈泡被踩裂、玻璃破碎的聲音，在這黃昏傍晚的時候聽來，竟然分外地刺耳、響亮。

常瓊道長依舊笑吟吟的打開布包，大片若郵票、細小若錢幣的玻璃片紛紛呈現，在燈光下有點嚇人地閃亮。

沒有等大家做出任何的反應，常瓊道長已經將大大小小的玻璃碎片一一放入嘴裡，像吃著什麼美味的食物一樣細細地咀嚼。

她就像在吃脆糖，「啰啦、啰啦」的響聲充滿了整個房間。

我們目瞪口呆地看著她，心裡都有點後悔我們這麼執意的要求。

道長接過小道士拿來的那杯水，以一種特殊的手勢，微微閉上眼睛，嘴裡輕聲地念著我們聽不到的「咒」。大約有一分鐘，將水杯遞給常瓊道長。

常瓊道長一飲而盡。

只剩下包過燈泡的那一塊小布和燈泡的螺口、細細的電阻絲。

道長用四川話說了幾句什麼，常瓊道長笑著張開了嘴。嘴裡什麼都沒有，也沒有玻璃劃破的跡象。

道長：「她已經將這個燈泡的碎玻璃全部吃掉了。大家不用擔心，不會有任何的問題。還有在德國展示的鋼針穿透人體，要不要也演示一下？」

大家紛紛表示「不要了」。覺得太過分了，光天化日之下，爲了滿足對於「術」的好奇，竟然讓嬌小的常瓊道長硬生生嚼掉了一顆電燈泡……

無話不說沉沉地點頭：「看到了，眼見爲實了，無話可說了。起碼我不敢這麼做，但人家做到了。弘道！」

＊　＊　＊

「但是，」無話不說轉換成爲一種研究學問的口氣，再次疑問道長：「德國的西醫在全世界都領先，你們在醫學問題上的交流，對西醫的看法，他們能夠瞬間就接受嗎？」

道長：「事實向來是最有說服力的。他們親眼見到了，就可以理解我們中國人對於生命的看法。

我從來沒有排斥西醫，我認爲西醫非常輝煌，它幾乎窮盡了在物質層面上認識生命的極限，這是人類非常大的努力和成績。但是這個醫學體系在我們道教的醫學體系裡，大致上只屬於『精』這個層次（什麼是『精、氣、神』？借此話題簡單解答：我們的傳統文化對於生命的理解，認爲人的生命是一個高級複合體，由精、氣、神三個層面複合而成。精，意爲『形之精華』，是生命體的物質層面，構成形體物質的精緻物質；氣，是生命體的能量系統，由生物磁場、生物電、生物波等組成；神，是生命體的意識部分，不僅僅是『意識』，還有潛意識與本源意識、無意識等），是『形』的研究成果。所以，西方的醫學總體上來說是一個結構醫學，是依靠解剖學建立起來的外科，試圖從屍體解剖開始了解我們的生命。這對於我們中國人來說是非常表面的，我們對於生命的理解，怎麼可能僅僅建立在屍體解剖上面？它只能夠代表一個方面，因爲屍體已經不是生命，屍體解剖只能讓西醫了解身體的結構，而身體並不等同於生命。西醫在某種程度上卻是把生命等同於一個屍體來看待，那麼在爲病人治療的過程中，完全排斥、不讓病人參與思想與感情，在爲病人動手術的時候也是根本不需要和病人有什麼情感溝通的，反正打了麻藥，參考著機器儀錶就把手術做了。最要命的是西醫治療癌症的方式，在放射療法，在做化療的時候，也根本不會考慮病人所想的問題，身體難受到什麼程度，無論細胞的好與壞都一同剷除、殺滅。你們仔細去想過這種方式沒有？

「所以我把現代醫學叫做生物醫學，因爲我們認爲現代醫學無法將屍體和人體做準確的劃分。什麼是人體？什麼是屍體？在解剖和治療的過程中，他們的界限是很含糊的。人和屍體最大的差別是什麼呢？人是有感覺、有感受、有思想、有語言、會表達的。而一個屍體除了還是人形的身體之外，什麼都沒有了。所以我們當場演示的『術』是有說服力的，是西醫的生物醫學目前還不能夠理解的『人體醫學模式』，我們展現的是『人』作爲一個身、心、靈，精、氣、神三方複合體的表現與能力，而他們還在生物醫學模式上。說來你們難以相信，當今世界最受人們信任與依賴的西方醫學，其實他們還完全沒有『人體』的概念。」

小潔：「什麼是生物醫學模式？」

道長：「依照西醫的做法去理解，我們也無非是一隻白老鼠，怎麼給白老鼠用藥，就怎麼給人體用藥。想要搞清楚人體的問題，就先解剖屍體，或者是解剖白老鼠，把解剖屍體或者白老鼠之後的經驗直接用到人的身上，這就是我說的生物醫學。

「但是雖然我們非常不贊同西醫對人體、對生命的認識與做法，卻並不表示我對西醫的不尊重。兩個概念，我剛才說的，我尊重西醫幾乎窮盡了在物質層面上認識生命的極限，這是人類非常大的努力和成績。我說了剛才這麼長的一番話，無非是想讓大家明白，西醫有其侷限性。由於我們對於西醫太過信任和崇拜，太迷信那些外在的東西，而完全忽略了我們自身的把握，我們會造成遺憾，我們需要警覺的是這個。人最可貴的是『我有意識』，『我有精神』，『我有感覺』，這是最可貴的，因爲我是人。」

無話不說：「這種說法聽來其實非常有道理，也並不玄妙複雜，西方那些聰明的頭腦怎麼從來沒有想到過呢？」

道長：「有時候我們會對物質產生一些錯覺，以爲所看到的物質就是物質的全部。剛才我們說過，早就在上個世紀，在量子力學出來的時候，人們已經可以開始用能量來描述生命體的狀況，但是很可惜醫學界到現在爲止，主流醫學還在用牛頓力學的方式解決生命體的問題，人的思想、感情、感受，至今沒有被納入到治療的思考裡。實際上，物質狀態下產生的疾病是很好解決的，但是心靈因素為身體帶來的疾病卻很難解決，這就是為什麼世界上目前我們的腫瘤、心血管、腦血管、高血壓、糖尿病，位居死亡排行榜榜首的基本原因。這些病症的根本原因，都與我們的『心靈因素』有關聯。而在以前，名列前茅的死亡病症都是傳染病。所謂傳染病，就是外在物質對身體的影響，這個很好解決。而現在對我們生命造成危害的病症，讓西醫忽略了我們的思想對生命體的影響，那是無時無刻都存在的影響。這就是心因性疾病如此全球肆虐的原因。」

我：「思想也是意念嗎？」

道長：「有的時候是。」

生的偉大：「道長，你運用胎息在水下兩個多小時，也是意念的作用嗎？」

道長：「意念當然是有作用的，意念本身就能夠產生能量，可以改善身體的狀況。意念是那麼美妙、那麼神奇的力量，可以輕而易舉地改變生命體的狀況。你們去看任何一本精神研究的書籍，或者是心理學研究的書籍，都會看到一些實驗，與人的意念和思維相關。我們隨時隨地都受到意念的影響。成語有『心想事成』，但是很多人從來沒有去想過。我之前講過白毛女一夜白了頭，講過伍子胥過韶關也是一夜白頭。頭髮是物質的，我們的思想、精神是意識，一時居然可以把頭髮變白。很多女性遭遇情變的時候，可以一夜之間就憔悴了。還有如果一個人被誤診是絕症，他幾天就可以不成人形，體重減輕一、二十公斤，走路搖晃。肉是物質的東西，為什麼消失了？這些都是意念的作用、意念的力量，我們一瞬間的思想狀態，可以影響到物質發生巨大的變化。」

小男：「你剛才說的道家的人體醫學模式，就是注重人的意念？」

道長：「我們道家的醫學體系，建立了一個包括我們的意識形態在裡面的人的醫學體系，我們重視物質的狀態，更重視人的精神狀態，即我們的意識、我們的感覺。所以我在德國講學道家醫學，不但沒有引發分歧、爭論，還引起了轟動，短短七天的時間，我剛才和你們說了，十位德國人正式皈依了中國的道教，其中九位都是醫學博士和經濟學博士，包括他們國家醫藥課題組的前任組長，這對於一貫治學嚴謹、有自己定式思維的德國人是很不容易的。德國是很理性的民族，如果沒有足夠的事實讓他們折服，他們怎麼可能爲此改變宗教信仰？他們覺得中國道家的醫學非常偉大，非常了不起。」

＊　＊　＊

距離晚飯還有二十幾分鐘，常月在抄經室的人堆裡面找到我：「還有點時間，再給你補一補氣，你弱。」

我心存感激，又戀戀不捨地跟隨常月回到調理室。

躺在調理床上，等待常月拿取電線什麼的準備工作之時，道長停留在我腦海裡面的聲音剛一減弱，我還在想著中國傳統醫學對人體與生命的認知之感性與偉大，不知道躲藏在哪個角落裡的薄紗小餛飩、牛肉粉絲什麼的，以迅雷不及掩耳之神速，毫無商量地衝撞到了「眼前」，我目瞪口呆，措手不及！哇哇！那鍋牛肉粉絲，香噴噴、油潤潤地翻滾在一口巨大的鐵鍋裡面，鐵鍋架在柏油桶做的爐子上，柏油桶裡扔了大塊的粗柴，爐火熊熊；旁邊坐放了一隻小弟弟般的泥做爐子，上面是一只臉盆般粗細的鋼精鍋，裡面小火熬著的大塊牛肉、牛骨頭，每一碗牛肉粉絲都會用大勺舀兩勺小鍋裡面的濃肉湯。這鍋用柏油桶架著的牛肉粉絲，「站立」在童年時代的某個巷角，原來它一直還在；而那碗清香飄散、只只透明的薄紗小餛飩，擺在南方小巷底端、綠油油小菜場的邊上……

常月終於出現，其過程也就無非幾十秒，餛飩與牛肉粉絲收場。電流再次麻酥酥地通過她的手指傳送到我的腹部，皮膚瞬間熱燙起來，發出「嗡、嗡」電流聲，捏著電線的手指同時感覺到針刺般的發麻、發痛。力量在點點加大，直到我說「強了」，瞬間電流減弱，有如思維一般快。

「常月，你是怎麼控制電流的？」

常月：「怎麼想就怎麼控制，讓它大就大，讓它小就小。」

每次我這麼問她，都是一樣的回答。

剛開始我以爲是開玩笑，但是仔細觀察這麼多次之後，才知道她說的好像是眞的。思維能夠控制電流？道長說過，意識是一種巨大的力量……

窗外一直淋淋下著雨，空氣寒冷冷的，濕潤清香。我想到剛才道長說治療過很多疑難病症，便很小人地問常月，「眞有這種情況嗎？」

常月笑笑：「這很正常，我們都醫治過，當然都是疑難雜症。如果醫院能夠治好，就不會跑到這裡來了……」

我問常月，她有沒有遇到過嚴重的病人？還是僅僅幫助我們這樣的人調理、補氣之類的？

常月娓娓列舉，道來……

* * *

二十分鐘後，我再一次精神氣爽地出現在餐廳。餐廳晚飯正要展開，濛濛細雨中的燈光分外溫暖明亮。對於我們辟穀的人來說，一天的晚飯相當於「舞台」的第四幕高潮戲，第五幕是八點的講座。

抄經、聊天的人們紛紛放下手中的毛筆、嘴裡的話題，洗手圍坐到桌前。我一一識辨他們。經過一個多星期的靜心、修煉、聽道，世俗的雜念已經不知不覺悄然隱退，每個人都乾乾淨淨，清清爽爽，眼神清明得像孩童。純淨是最美麗的，雨後的青山便是。

菜陸續上桌了，一定要記錄一下：辣子排骨，烏雞湯，香菇雞肉，麻辣豆角，炒青菜，臘肉炒大蒜，還有臘肉和土豆做成的「大肥白肉」……

我天天都捨不下人間的飯菜，看著他們吃，聽著盤碟的無意相碰細碎的叮噹聲，塵世的美好就深藏在其中。

之後我們辟穀的回房間練功吃飯。我們吃的不是人間煙火，是天地蘊藏的日月精華。

今天練吃飯功有不同於往日的感受。深吸一口氣的時候，居然手指的皮膚有張開呼吸的感覺。也許是因爲晚餐之前常月又給我補充了，我的精神越來越好，精力充沛。並不餓，練吃飯功是爲了補充能量。七天不吃東西了，依然精力旺盛。

然而今天胖子不是很好。他說他做吃飯功到十口的時候又有了想嘔吐的感覺，胃裡滿滿地脹，然後他眞的嘔吐了，開始有頭昏無力的現象。

10
食其時，百骸理

道長：「『食其時，百骸理。』僅僅六個字，大道至簡。食這個地方、在這個時令、本身具有的東西，絕對是最好的。一切遙遠的山珍海味，都沒有這個本地的『它』好，這是最顛撲不破的真理。」

晚餐後，進入了第七天之中的第五幕：講座。

不到八點，練功房就坐滿了人。道長樸素隨意，天天都是圓頭黑布鞋和中國人傳統的中式衣褲。唯一不同的是，無論衣褲，還是布鞋，都替換著黑、白兩色。中式衣褲的隨體、飄灑、舒服，讓不少人動了「回去搞一套」的心思。

道長在蒲團上坐定，開講。

道長：「中國道家文化又稱『黃老之學』，是以軒轅黃帝和老子爲道家思想的代表人物。我們這個養生中心所處的縉雲山，是因爲軒轅黃帝在此煉丹而得名。軒轅黃帝是中華文明的始祖，關於軒轅黃帝的經典很多，如中國醫學的祖經《黃帝內經》、道家堪輿風水經典《黃帝宅經》和今天晚上我們要提到的《黃帝陰符經》。

「《陰符經》是非常重要的一部經，主要講了治國、修身和醫理。從《陰符經》裡面隨便拿出幾個字，都能夠解釋我們現在大至國家、泛至社會的很多現象。」

道長在他身旁寫字板上寫下「陰符經」三個字。

道長：「你們理解這三個字是什麼意思嗎？其中符又是什麼意思？」

小男：「『符』是符咒的意思嗎？」

道長微笑：「『符』在中國古代是信的意思，就是『訊息物』。比如說皇帝把兵符交給了你，你就是拿了皇帝的信物，你可以代天子而號令軍隊。我們道教的『符』也是這個意思。今天我們不旁及其他，就講《陰符經》裡面相關養生的知識。大家記得在餐廳的牆上懸掛有《陰符經》的幾行字，你們注意到沒有？」

大家的思緒，迅速溜躥到將將離開不久的餐廳，在腦海裡尋尋覓覓。

是的，在一樓餐廳牆上懸掛有一溜細長的木條，每一塊木條上面都刻寫著幾個字組成的句子，我上山的第一天就注意到了，任何一個人都不可能忽略這些懸掛在牆上的細長木牌。但是可能任何一個人都不會像我，只關注木牌，而忘了木牌上面的字句。眞是本末倒置……

道長：「牆上懸掛的就是《陰符經》之中的經文，其中有幾句是『食其時，百骸理，動其機，萬化安』，你們想起來沒有？」

大家紛紛點頭回應。

道長：「就這幾句話，智慧非常。我們古人寫的字，是一字不多的，三個字，就寫出了我們現在需要用很多的字、很多的話去解釋的東西。這幾個看似不動聲色的字，甚至對我們現在癌症的看法都包含在裡面。事實上，我們每天晚上、白天都在滔滔不絕的話語，也都包含在這幾個字的意思裡面了。

「我們中國人向來是講究養生的。遠古的時候就不說了，哪怕是在經歷文革之後，在破除了種種被稱爲封、資、修的傳統文化之後，我們的天性裡面還是講究養生的。大家還記得打雞血的事情嗎？把動物的血打到我們的身上來。那不僅僅是個人的行爲，是醫院給病人打。那時候太熱鬧了，很多醫院都養了公雞，醫院住院部的床下都放著盆子，護士還要每天去餵雞，然後把公雞身上的血抽出來，打到人的身上去。那個時候全國的許多城鄉醫院都這樣做過。」

大家笑，有的驚詫，有的補述，有的解釋。

道長笑：「可能年紀小一些的都不知道。那段時間的公雞都遭殃了！那叫雞血療法。」

大家安靜。

道長：「後來又流行養生的甩手療法，全國都在甩手。後來又進步了一些，發明出來一個又似動物又似植物的東西，泡到水裡，放上糖，大家都守著它，每天弄來喝，是家裡的健康醫師，叫紅茶菌。你們都吃過嗎？」

大部分人吃過。那是在上個世紀七十年代末，在我的印象裡是比汽水更好喝的飲料，又酸又甜。我對紅茶菌有很深的印象。

道長：「回顧一下，關於養生，關於如何對待我們的身體，從來就是眾說紛紜，我們從來就沒有離開過這個話題。無論社會怎樣動盪，中國人都是講究養生的，無非有不同的理解，不同的認知，不同的方式。從醫學觀點支持的角度，以前我們說人體的膽固醇多了不好，但是又有學者說人體的膽固醇多了可能有抗癌的作用；有說糖尿病不能吃太多水果，尤其是香蕉，但是一個月前我們在電視中看到說糖尿病人要多吃水果，尤其是香蕉。這怎麼辦才對呢？前一個消息沒有騙人，因爲確實是吃了香蕉對人體的血糖不好；但是後一個也沒有騙人，它說是最新的科學依據，確實是吃了香蕉可以幫助降低血糖。怎麼說都有怎麼說的道理，這不就亂了嗎？」

生的偉大嘿嘿笑起來：「是啊，像無話不說這樣尊重科學也尊重知識的糖尿病人，聽誰的呢？那根香蕉到底是吃，還是不吃？到底是活著，還是『史去』？」

道長：「如果我們願意花時間查看近十年來的醫學雜誌，往往會哭笑不得，那裡自相矛盾的醫學觀點、南轅北轍的科學依據比比皆是，讓人無所適從。我們可以說是因爲科學在不斷進步，當然會有不斷的新觀點，但是我們對現在流行的保健觀念的正確性又有多大的把握呢？」

無話不說：「也難怪生的偉大排擠我。確實我可以舉個香蕉走十公里都拿不定主意，吃還是不吃，眞的是個問題。」

笑……

道長：「所以又回到我們這些天的老話了：科學遠遠沒有到達盡頭，人類認識生命的能力還很淺顯。最近聯合國衛生組織宣布，基因科學的進步將在一百年內有可能揭示生命的奧祕。你們看，到現在為止，大家都這麼相信科學了，科學的言論者還是謙虛地說，『我們有可能在未來一百年內揭示生命的奧祕』，科學還沒有搞懂生命到底需要什麼東西。你說你相信科學，你也最關心你的糖尿病，但是糖尿病的病因科學無法解答，至今仍不明白。大多數人都是憑猜測，醫學界自己都有很多種說法，有六個流派，說糖尿病有可能是因為這樣引起的，也有可能是因為那樣引起的，究竟是什麼引起的呢？也是眾說紛紜。大家如果對科學有足夠的熱情和關注，回去可以收集一下三十年來的醫學簡報，關於醫學健康知識的報導，看過之後你們就會一片的茫然。

「這三十年的醫學健康指導，一會兒讓大家多吃這個，一會兒又說多吃了這個會出問題，會引發什麼樣的病。你們的記憶中也有很多這樣的『健康提示』。我們身邊的醫學知識就像爆炸了一樣。前一陣說要吃健康食品，後一陣又說健康食品出問題了；先說要吃深海魚油，再後來又說深海魚油也出問題了。我們到底該吃什麼東西？什麼東西眞正是我們需要的、也是養生的？這個問題隨著人類不斷地認識生命，還在不斷地變過去變過來。」

生的偉大壞笑：「我一直以為『變過去變過來』是人類很大的一個財富依據，人類不少財富是必須靠這樣變過來變過去地集聚的，老是不變，經濟怎麼成長？要考慮到這一小群人與那一小群人的不同需求。如果沒有病人，醫生怎麼活呢？如果沒有醫生，病人不就……相互依存，呵呵……」

人馬座笑聲中拍打他：「別打岔，聽道長說！要不然你就自己下山開班去……」

道長：「那麼，遠離生活的另外一群人是怎麼生活的呢？我們舉一個簡單的例子，那些上山打柴的樵夫、農民，不小心被毒蛇咬傷了，怎麼辦？有經驗的山民都知道，就在被蛇咬傷的幾步之內，在毒蛇出沒的地方，必有解藥，都不需要再下山去醫院，而且去醫院也來不及了。這帶給我們一個什麼概念呢？就是《陰符經》裡的另外一句話：『天生天殺，道之理也。』宇宙的萬事萬物是一個相生相剋的鏈，這個鏈配合得是最和諧、最完美的。宇宙也好，『道』也好，都不會讓任何一個物種缺少生長的要素，也不會讓任何一個物種沒有節制地氾濫成災。」

生的偉大笑推無話不說：「說明你的這個尿糖是必須的！但是，『天生天殺』，尿糖終究不會毫無節制地氾濫成災……」

無話不說面無表情：「你完全可以自己開班了……」

道長：「從古至今的養生之理，其實都是大道至簡。一個生命創生出來，這個生命一定會是多姿多彩的。它表現出豐富的、旺盛的、盎然的生命活力的全部要素，在這個生命發生的地方，天地都已經爲他具備了！比方說重慶，重慶是一個山城，也是霧都，重慶的麻辣火鍋和麻辣燙全國聞名。爲什麼麻辣火鍋和麻辣燙是從重慶這個地方出來的呢？而不是從北京或者海南島傳過來？也沒有從西藏傳過來？因爲重慶是山城、是霧都，非常潮濕，要支撐這裡的生命昌盛的成長，必須要有克制潮濕的東西，所以重慶的花椒、辣椒都很有名。一個地方生長的東西，是爲了使這個地方的生靈能夠正常地、不被限制地生活，這個地方的種種，都做了很多天人合一的配合。

「再比如很多人到海外去生活，剛開始總是不適應，總覺得不舒服，容易得病，那麼最好的辦法就是迅速地融入當地的生活，吃當地的東西。一定要按照當地的時間生活和休息，把生命體融入一個地方，從生活的飲食習慣上、從作息時間上徹底地融入進去，這就是徹底地解決『不舒服』、解決疾病的方法。我們一定要把我們生活在本地的東西拿來吃，這就是《陰符經》裡的另一句話：『食其時，百骸理。』僅僅六個字，大道至簡。食這個地方、在這個時令、本身具有的東西，絕對是最好的。一切遙遠的山珍海味，都沒有這個本地的『它』好，這是最顛撲不破的眞理。現在時間已經過去好幾千年了，我們這麼多人經歷了這麼多，科學不管有多麼多的發現，我們又是如何地變過來變過去，最後還是得回到這句話的本質上來。」

小潔：「前幾年的基因改造食物，還有冬天吃西瓜什麼的，肯定就不好了吧？」

道長：「這就是科學的努力，它做了很多，但是方向錯了。吃高產量基改的東西，在冬天吃應該夏天才有的西瓜——我們回憶一下，我們吃到的那個形狀和顏色都像西瓜的東西，味道還是西瓜嗎？最好的就是吃當地的、時令的東西，對我們的生命是最好、最有用的，最有利於生命。科學努力製造像基改這些食物，只爲滿足我們的欲望，改變了四季、自然、時令，這些天地爲我們早就設置好的、爲生命排除隱患的食物，是我們對於天地、自然、四季節律的不理解、不明白。人類爲了滿足私欲，盲目地發展，是有很大問題的。我們並不了解我們的生命，我們的來與去。」

無話不說：「還得說香蕉。並不是我這個尿糖的人該不該吃的問題，而是對於北京人來說該不該吃？香蕉就不是長在北京這個地方的，那就是可吃可不吃嗎？還是吃就有問題？還有火龍果、荔枝什麼的？是不是咱們北京人最好就是只吃北京的大白梨？想吃香蕉的去廣州吃，想吃火龍果的去……我不知道火龍果是長在哪兒的，爲了什麼長成了那樣……」

笑……

＊　＊　＊

小潔：「那我們吃螃蟹就應該去陽澄湖吃，是這樣嗎？」

小男呵呵笑：「哎呀，別在這個時候、這個季節提這個我最愛吃的……你們不能理解！不過雖然不是北京的東西，在北京吃也可以，起碼可以解饞。人體也不是什麼都能夠吸收，有相當一部分是爲了解饞而吃的，對不對，道長？」

道長笑：「我說的是要你們知道吃東西的道理，並不是說在北京連香蕉、螃蟹都不能夠吃。什麼叫『食其時』？趁著時令，吃這個季節、這個地方的東西，就可以順勢吞服天地給予的自然之氣，能夠『百骸』自然消除。這是天地自然爲我們準備好的，食物並不僅僅是爲了塡飽肚子。而如果我們打破這個自然的規律，天天吃著不是本地生長的食物，也不是這個季節的東西，那一定會出問題。並不是『在北京不能夠吃香蕉』這個意思，我說明白沒有？」

人馬座點頭：「就是要依靠一方水土養一方人。」

道長：「一個地方的人種，與這個地方的風沙、這個地方的氣候、這個地方的地理環境、生長的植物蔬菜瓜果，特別是我們經常講的風水中的磁場，都有關係。在這樣的空間狀態下生長的生命，是被庇護得很好的。但是我們人有自己的喜好，我們的味覺、口感，還有我們的種種選擇都來干擾，來對地域生長的食物進行再造，這樣一來反而有許多東西是對我們不需要、不適應的。『食其時』就是一定要吃這個地方、這個時令的東西，你才能『百骸理』，什麼病都不會有。」

胖子若有所思：「是啊，我們去內蒙，跟著內蒙人吃羊肉，喝奶茶，那裡也沒有什麼蔬菜、水果，那裡的人也沒見貧血，沒有缺乏維生素啊！但是這種吃法如果回到北京、上海或者大陸任何一個地方，非得出事不可。」

道長：「因為在那個地方的生命體，在那個地方的生活，接受那個地方的地磁場，水土、風沙、氣候、環境，這些已經對生命體構成了全方位的影響。為了使得這個地方的生命旺盛地生長，天地、宇宙也會生出各種各樣的東西來支撐它。我們如果意識不到大自然的這一番苦心，帶著我們自己的認知去強行選擇、去做，我們的身體很快就會崩潰。你們到四川來，如果就是不吃我們的花椒、辣椒，那麼你們的胃、身體都會出現問題。到什麼地方就吃當地的東西，現在大家理解這句話沒有？這個是幾千年來道家流傳至今很重要的一句話，記住它：食其時，百骸理。四時百骸自行調理，一定健康。」

無話不說：「我來三個月、半年，肯定要吃這個地方的東西；我就來三天或者幾個小時，我可以按照自己的喜好和習慣來選擇吧？」

道長：「我覺得是這樣的，首先我們要知道這個道理，再做選擇。如果你要在一個新的地方待一天以上，你就應該或多或少吃這個地方的東西，包括水果。如果你一點都不接觸這個地方的食物，從某種意義來講，你體內的代謝循環功能、血的循環功能都會出現一些麻煩，像上火啊、熱重啊、大小便的排泄啊，一連串的問題就開始出現了。我們身體的功能，有時候就像一個水果一樣，如果我們一定要把一顆山東蘋果拿到四川來長，那它的水分、甜度都不會是原來的了，更多的時候還很難長好。就是這麼簡單的一個道理，生命體就和水果一樣。為什麼相同品種的東西在不同的地域就長成了不同口味的東西？就是因為不同的地磁場，它的空氣、水分、陽光、氣候都不一樣。這些生存的條件無時無刻都在影響著我們。我們的生命也罷，植物也罷，如果不迅速地做出應急性的調整和改變，生命就會在這種生存的條件和磁場的影響下出現變異。水果、農作物是這樣，人也是這樣。你說我就待半天、幾個小時，是不是就沒關係？沒有關係不是說沒有變化，變化有大有小，如果變化是一些小到你這個生命體可以忽略的，不要說幾個小時，幾天、半個月可能都發不出來。但是內在的內循環功能一定已經發生變化了，只不過還沒有顯現到明確的狀態上，等到我們人體感覺到不舒服的時候，就已經是不小的變化了。比方說你的臉上長出了一個包，那只是小小的一個包，也可以被你們忽略，但它是我們的身體經過了一個複雜、劇烈運動的結果。沒有這個複雜激烈的運動，它是不會上升為一個小包的，你們能夠理解嗎？這已經不是一個小的問題了。這就是和環境相關的，對我們的影響很大。現在我們人的移動已經不像以前，以前我們人這樣大範圍地移動屬於偶爾，現在是經常。很多人喜歡從自己的當地、自己的家裡帶著自己喜歡吃的東西出去，去看、去玩，這其實也是帶著自己舊有的觀念和生活的樣式，而這些被我們一直帶著的東西，其實是不那麼好、不那麼有用的。」

大家表示「聽明白了」……

小男：「道長，你剛才說『關於生命的奧祕』，現在科學自己說了在一百年內才有可能揭示，而我們古人在很早很早以前就知道了很多生命的奧祕，為什麼那樣的先見之明卻是很少有人知道呢？不能影響所有的人呢？」

道長：「會影響全世界的。」

小男：「為什麼這些知識沒有成為當今世界主流的知識呢？」

道長：「它也許一直都是，只不過也許它過早生活化了，或者它為了生存，變異了，化裝了，我們認不出來了……」

亞女驚訝地笑：「知識也可以化裝啊？」

道長：「中國文化其實幾千年一直不懈地在影響著全世界。哪怕在今天，我們審視傳入中國的外來文化時，只要仔細地辨認一下，我們會驚訝地發現好多東西實際上是中國文化傳播世界後，經過其他國家的包裝、轉變、闡釋，又傳回中國。就像我們聞名於世的四大發明，傳播給了全世界，但是後來打開我們國門的是西方人對火藥、指南針加以研究之後，用在了堅船利炮的準西方文化。

「十多年前，我第一次在重慶的一所老年學校講道家文化。由於那些聽課的老朋友非常熟悉辯證唯物主義，所以我就從他們熟悉的理論講起。我從『看待事物一分爲二的態度』，講到黑格爾的辯證法。他們覺得奇怪，說怎麼還要你給我們講這些？我就問，你們知道辯證唯物論是從哪兒來的嗎？他們回答了，當然都是從西方來的。」

人馬座：「難道不是嗎？」

道長笑：「當然不是。這些理論並不是從西方人那裡來的，而是從中國來的，是中國的思想直接催生了西方的哲學理論。你們看過康德的書嗎？黑格爾是康德的學生，康德自己說了，是從中國的文化中學到了辯證法。我們來看這個——」

道長起身，在身旁的寫字板上瞬間畫了一幅太極圖。

道長：「每一個中國人都認識，這是我們的太極圖，黑的部分表示了陰，白的部分表示了陽。大家都知道的辯證法，從西方引進來的辯證唯物主義，它們認識我們的世界有三大定律，也就是馬克思主義哲學的三大定律。有誰能夠複述出來？」

馬克思主義教育下成長起來的老少一屋子人，居然一時語塞。

道長笑：「有誰能夠複述嗎？你們這些堅信科學，接受馬克思主義，接受辯證唯物主義卻不了解中國太極圖的人？」

大家的表情有些尷尬。

道長：「十多年前我也同樣提問了這個問題，但是能夠明明白白回答出來的人幾乎沒有。我可以幫助你們重溫一下辯證唯物主義，也就是馬克思主義哲學的三大定律：對立與統一律，即：對立的雙方統一在一個整體裡面；質量互變律，就是量變引起質變；還有一個否定之否定定律。有時也說是馬克思主義哲學的三個基本觀點：既普遍聯繫的觀點，對立統一的觀點，和運動變化的觀點。這三個觀點用道家的語言來闡述，就是我們常常說的三大意識：整體意識、良性意識和顫抖意識。」

有人輕輕笑……

道長：「不要笑，要看事實，我們在說被當今世界一直應用的、化了裝的中國文化，一切皆由此出發。」道長指點寫字板上的太極圖。

道長：「馬克思主義哲學的『普遍聯繫』接近整體意識，『對立統一』接近良性意識，『運動變化』接近顫抖意識。在辯證唯物主義中，我們一般人最熟悉的還是那個『一分為二』的觀點。朋友們！什麼叫一分為二？」

大家看著寫字板笑起來……

道長：「你們都明白了吧？看這個太極圖，這個黑和白表明的陰和陽，就是一分為二，而它們都被統一在這個圓裡面。這就是用一分為二的眼光來看待這個世界，同時也是對立的兩方統一在這個圓裡面。這就是辯證唯物主義的第一大定律。

「第二大定律是質量互變律，這是馬克思哲學的核心部分。你們看，這個黑邊很小，然後變得越來越大，是不是？大到最大的時候，這個白邊開始了。這不就是從量變到質變了嗎？它們的質量在互動。太極圖裡的黑和白也叫陰陽魚，大的這邊是不是就像魚的腦袋？這個點就是魚的眼睛。一個是陰魚，一個是陽魚，陰魚到最大的時候就是陽魚的尾巴開始了，陽魚的尾巴到最大的時候也是陰魚的尾巴開始了。這就是太極，也是辯證唯物主義的第二定律：質量互變。

「還有一個是否定之否定定律，這在中國的道家文化裡，就是塞翁失馬。大家都知道『塞翁失馬，焉知禍福？』這就是否定之否定。還有一句我們都知道的話，『物極必反』，『否極泰來』，事物走到它的極限，必然走到它的反面，陰陽魚的表示也是一樣。這些理論，老子在《道德經》中已經把宇宙的基本規律描述出來了，比康德和黑格爾的『辯證法』要早兩千多年。」道長笑，「服不服？」

「太服了！可以說激動！眞了不起！」

無話不說眞心實意，非常嚴肅地讚歎。

小潔：「還有嗎？還有什麼化過裝的中國文化？」

道長：「太多了！這個辯證法是你們最熟悉的，最被世界普遍接受、使用的理論。還有我們道家最早對礦物質藥材的認識，是中國古老的煉丹士在煉丹過程中對草本植物和礦植物做了詳細的、權威的考證。我們的知識早就傳播出去了，在很早的時候就已經很輝煌了，只不過是傳到西方之後被西方人吸收，變成了他們的東西又傳回中國……」

生的偉大：「就是換了一個馬甲，大家就不認識了！」

道長笑：「是的，這就是爲什麼我說我們的知識是化了裝的。我們認爲來自西方國家很了不起的東西，其實很簡單，那些知識、哲理的根本是我們中國人的發現和歸納。中國的文明一直到清朝都是這個世界上最優越的，但是在清朝的時候我們的人民被堅船利炮打怕了，而這堅船、利炮兩大發明還都是我們中國人的發明。利炮是中國火藥的發明，中國的煉丹術士在煉丹過程中直接催生了四大發明中的火藥，還成爲原始醫學和原始化學的肇始，成爲世界化學的開先河者，同時也奠定了中國的藥學。船呢？船能夠開到中國來，依靠的是什麼？那是我們的指南針發明、導致的。我們第一次把船開到大西洋裡（鄭和下西洋），在他們看來就像是天兵天將來了一樣，太神奇了：這麼遠，船是怎麼航行過來的？因爲我們有指南針，有羅盤，我們在大海裡航行幾百天都不會迷失方向。沒有這個航海技術，西方人怎麼進得來中國？就是在我們的國力最弱時，他們將堅船利炮開到中國來，依靠的還是我們中國發明的技術。而我們，那麼多人還在盲目地崇拜西方的『科學』，卻不認識自己的東西，呵呵，有沒有一點點悲哀呢？」

大家心裡五味雜翻，眞的沒有語言能夠表達，瞬間只剩道長清晰平緩的聲音在夜色中流淌……

道長：「說出宗教哲學思想的是愛因斯坦。他說，『沒有科學的宗教是跛子，沒有宗教的科學是瞎子。』牛頓說得就更加直接了。一直困擾牛頓的是，他發現了萬有引力，但是他找不到第一推動力，他不知道在萬有引力之前，宇宙是怎麼形成的？或者說是怎麼運轉的？是誰讓宇宙運轉到今天這樣的？誰踢了第一腳？就是誰是宇宙的第一推動力？牛頓找不到，所以有宗教信仰的他直接地說了『上帝是第一推動力』，這是他晚年最偉大的一個認識，他說是上帝給這個世界推動了第一下。還有一個是哈伯，他透過他發明的射線望遠鏡，看到了一個很奇怪的世界，我們整個宇宙的星系都在飛速地離我們遠去，所有的星球都在離我們遠去，於是他百思不得其解，這時就出現了一個理論：宇宙膨脹論。他發現宇宙在不斷地膨脹，根據這個膨脹的速度，如果往回計算，就得出了現在霍金提出的理論：大爆炸的宇宙模型。我們這個宇宙是經歷了一次大爆炸產生出來的。宇宙最早產生的是一個能量團，這個能量團一下子爆發了，然後不斷地膨脹，就變成了萬有的世界，這是宇宙的大爆炸論，於是就有了宇宙創生於無這個觀念。

「那麼我們再反過來看道家的經典，宇宙是從無中來的，道家有一句話叫做『無中生有』，道家追求的就是從有到無、從無到有。《道德經》中講的『天下萬物生於有，有生於無』，『無名天地之始，有名萬物之母』。我們道家認爲，宇宙之初，是『狀若雞卵，熾熱玄黃』，這個和現代科學的描述是完全一樣的，就是說：是一個很熱的能量團產生了整個世界。這是中國人幾千年之前對宇宙的認識。

「英國有一位物理學家叫李．約瑟，他列舉出了二十多項中國早於西方的技術。你們不是很想知道我們化了裝的中國文化嗎？比方說中國是最早創造出麻藥的地方——華佗施行的麻醉手術比一八四六年美國的威廉．莫頓使用全麻進行手術早了一千六百多年；也有眾所周知的火藥。李．約瑟說中國的科學技術是世界科學技術發明的搖籃，而中國科學技術的根本，來自中國的道家。道家的很多思想和理論對世界的影響很大，包括我們這幾天反覆在說的中國醫學，有太多了……

「我爲什麼說『化裝』呢？中國傳統的智慧和理論經過了一個漫長的過程，很多都演變成了似乎是外來的、別人的東西。但是如果我們去看一下中國的古書，去找，甚至連我們現在很多教育的理論思想，都能夠在道家的文化裡找到。

「你們聽到過中國的矛盾論沒有？聽到過『不是東風壓倒西風，就是西風壓倒東風』這句話沒有？依照太極圖的顯示，它是白中有一個黑點，黑中有一個白點，是不是這樣？太極圖主張的是在相鬥之間，還要包容，黑中可以包容白的，白中也可以包容黑的。

「道家的道經包含了很豐富的中國文化，它也往往就幾個字、幾句話，但是卻可以影響一個民族幾千年。中國最早的第一部藥典是《神農本草經》，《神農本草經》不僅是中國最早的藥典，也是全世界最早的一部醫書，這是道文化在藥學界產生的巨大影響。」

小男嘆氣：「爲什麼人們能夠接受化裝過了的眞理，卻不能夠直接接受眞理的本身呢？」

道長：「就是說，中國的文化既然這麼好，爲什麼沒有直接對世界產生影響？」

大家點頭。

道長：「有些事情必須迂迴才能夠達到。但是中國的文化確實是發了光。《道德經》中的理論，有一部分化裝成了辯證唯物主義的理論，又傳回到中國來了；道家文化認爲的宇宙生成論，與現在科學認識到的宇宙大爆炸是一個意思。我們幾千年前對宇宙的認識和認知，到了當今才被現在的科學所認識；還有像我們的飲水咒，我們對水中生命的認識，就要等待科學的發展、顯微鏡的發現。從知識的角度來說，我們自己的東西爲什麼自己不相信，非得等到西方人化裝了之後，我們才能夠接受呢？實質是我們沒有足夠的自信相信自己。我說這個話並不是譴責，只是分析。我們有多少人是眞正了解中國文化，眞正爲我們是中國人而驕傲、爲中國的歷史而驕傲的？在世界歷史的長河中，中國的歷史太輝煌了，而這樣漫長的輝煌，必然會有一些片段的暗淡，有起有落嘛，這是規律。近幾百年來的中國歷史就有些暗淡，有點像陽光下的影子，這是很正常的。美國很牛是不是？它才有多長的歷史？兩百多年，它的牛氣也無非是近一百年的事情，正好是我們了不起的中國因爲規律而轉入到陰影之中的時候。而這兩年，美國的陰影也開始出現了。你們知道中國的歷史有多少年？中國的輝煌有多少年？中國人在對中國文化的認識上，一直有絕對的自信。在明朝以前的所有年代，中國都是這個星球上最了不起的國家，無論是文化、商業、領土、軍事、學術等任何一個方面。我們唐朝的學士穿著絲綢的儒家長袍，搖著扇子，在五十多公尺寬的大街上瀟灑漫步的時候，吟詩喝酒欣賞自然花草月色的時候，歐洲還是怎樣？那個時候如果有一個人能夠懂得中國的語言，如果能夠懂得一點中國的文化，那不是現在翻譯的概念，那太牛氣了！那太了不起了！

「西方是在最近幾百年內迅速發展的。中國在清朝以前完全不是這個狀況，在清朝以前，中國沒有說話是不算數的，我們中國人怎麼說，就怎樣了，那個時候是西方來貢、來朝。而清朝以後，尤其是這一百多年，中國人沒有自信了，中國人自己的東西、自己老祖宗說的東西，第一，我們變得越來越不知道了；第二，就算知道了也是懷疑。現在還有多少中國人知道我們的文化究竟有哪些東西？我們的『老箱底』壓了多少寶貝？無論是市民還是學者專家，能夠一知半解的就很了不起了。更不用說怎麼能夠博大精深，怎麼能夠豐富我們的文化寶庫。我們都不知道我們有哪些東西。我們如果可以試試，拿一份有關中國文化的問卷讓十三億的中國人去解答，同樣這份問卷也讓一個明朝的人去解答，那對中國傳統文化的了解是根本不能夠相比的。明朝以前的中國人對自己文化的自信，就像現在美國人對自己國家的自信，不但自信而且自豪。現在面臨更糟糕的狀況是，還不知道就說這不好、那很壞，還不了解就繼續一概扼殺——扼殺的東西不只是迷信，還有知識和我們應該都有的驕傲，這是最無知、最不實事求是的，也是最沒有自信的。不承認自己不懂、不知道，就大聲喊『你們都是封建迷信不科學』。什麼叫科學？科學是嬰兒啊，認識我們中國道家文化裡面所提示的任何一個眞理，科學就需要成長幾百年、甚至幾千年！

「越來越沒有自信就是中國幾百年來的大眾心理。所幸，今天我們的政府提倡傳統文化的復歸了，這是時代的昌盛。那麼即便科學發展——我說過，科學的發展也是大道，現在你們知道我爲什麼這麼說了吧？所以即便科學發展，也是道的傳播與弘揚。如果我們的道能夠影響西方，轉而影響中國，使世界上所有的人受益，也很好，都去化裝一遍。

「比如現在，我們和德國的國家醫療課題小組合作，聯合攻堅全世界都在關心、我們也一直在研究的若干課題。我希望我們的研究能夠透過世界都承認的德國醫學向全球推廣，造福人類。還有像你們在親歷的辟穀，我常常開玩笑，它的理論和實踐，我很有可能會從德國大面積開始推廣，因爲他們接受事實。人們現在對知識的認知、資訊的接受，已經成爲這樣一種狀況了，也行，我們就不得不來化裝了。所以你怎麼說中國的文化、中國道家的認知眞理，沒有被世界認識接受、沒有得到傳播呢？」

靜默……

道長：「今天說得很多了。最後我講一個故事來結束今天討論。聯合國做了一個問卷調查，向全世界的一些代表性國家和地區的兒童發問，問題是這樣的，『針對目前有些國家出現的糧食緊缺問題，請問你有什麼看法？』

「非洲兒童的回答是：什麼是糧食？北韓的兒童說：什麼叫你的看法？古巴的兒童說：什麼叫請問？台灣地區的兒童說：什麼叫國家？歐美地區的兒童說：什麼叫糧食緊缺？」

大家大笑……

道長在笑聲中：「一定要放下我們自己，了解我們所不知道的。無量壽福！」

11
辟穀第八天

今天是我與胖子辟穀的第八天，小男辟穀的第四天。我的體重已經降到四十八公斤，皮膚質感明顯變好。胖子體重八十五點五公斤，血壓依舊高，110/140，腰疼，腿疼。

道長在距離子夜十一點尚有十五分鐘的時候，結束了講課。因爲十一點是香港的陳先生結束辟穀、封頂的時刻，他的階段修行圓滿結束了。

受道長講課的影響，感覺一天與一天的交界也有點像兩隻陰陽魚。一天將要結束的時候，正是另一天的悄悄出現和開始。晝與夜是如此，其他呢，喜與怒是如此，盛與衰亦是如此。一切都是交替，循環，相互接替、包含著的。我們古老的太極圖可以包容、理解這個世界的任何事物與現象。

我們從教室散向走廊。這天很愉悅。每天都很愉悅。我頭腦的思緒也像陰陽魚，在講課聲音淡去的時候，關於吃的念頭又轉正過來。由陳先生的辟穀結束延想我的辟穀結束：結束之時，我應該先吃些什麼呢？

正在我納悶怎麼「吃念」如此之頑強，聽見身後胖子與小男的對話——

胖子：「我們辟穀結束以後，那些東西都要好好地重新吃一遍！以前算是白吃了……」

小男：「哎呀！我正在琢磨呢，我們得好好排列一下次序！新疆菜太好吃了！還有燕莎後面、女人街那兒也有好吃的……」

胖子：「我怎麼這麼想吃蘑菇火鍋、蘑菇宴呢，這幾天總是在想。」

小男笑：「其實現在這時候，想什麼都好吃！老北京的炸醬麵，多香！」

我實在忍不住：「亞運村有一家很小的江西土鍋，也好吃！四川菜也好吃！我們杭州菜，更好吃……」

胖子：「東北菜也不錯，嗨！想什麼都好！」

於是我們小聚在二樓茶座的淡淡燈影下，大大談論了一番各種菜。最終，被我們描述得最豐富的頭牌，居然是北京的涮羊肉。我們都愛吃亞運村的「八先生」，在熱烈激情的回味中，我們匯總了「八先生」在北京所有的涮羊肉店，反覆說它的羊肉、它的小料、它的脆豆腐……將近「八先生」尾聲的時候，小男像喊口號一樣激動地喊出：麥子店還有一家分店！

「還有口福居。」胖子眼睛裡放射著光芒補充說。

還有十多年前的「能人居」，我在心裡充滿感情地補充。一座城市的美食地圖，完全可以描繪一座城市的歷史變遷，人情世故……

窗外的蟋蟀響亮地鳴叫著，告訴我季節也正在從一尾「陽魚」漸漸轉向「陰魚」——一年的四季正在又一次的無限輪迴之中……

秋天來了秋天來了！聽聽蟋蟀的鳴叫，看來明天天氣要晴了。

三個人都完全沒有睡意。今天是我與胖子辟穀的第八天，小男辟穀的第四天。我的體重已經降到四十八公斤，皮膚質感明顯變好。胖子體重八十五點五公斤，血壓依舊高，一二〇／一四〇，腰疼，腿疼。

小男從昨天開始已經基本上不怎麼睡覺。應了道長說的，「辟穀期間，你們體內的眞氣會很旺盛，慢慢的會幾乎沒有什麼睡眠，有也是兩、三個小時就足夠了。」

將近十二點，道長與香港的陳先生也過來了。陳先生封頂順利結束，容光煥發，二十幾天來終於洗了一個從頭到腳、完整的熱水澡，正美美地喝果汁。他邊喝邊感歎：「太神奇了，太神奇了！」似乎連他自己都不相信居然這般經歷了辟穀的二十一天，「什麼東西都沒有吃啊，我還是好好的，而且還更好了！」

道長明顯顯得疲倦。他交給陳先生一張寫滿字的紙，告訴他今後要注意的事項，祝賀他的辟穀成功，告誡他一定要珍惜辟穀的成績，不要暴飲暴食，珍愛身體，珍惜生活。

陳先生感激不盡。將近十二點半，他終於喝盡果汁，美滿幸福地與我們道別：他嶄新的人生已經開始了。

我們央求道長再坐一會兒。不由自主又聊上了……

小男：「道長，你說的符咒，到底是『符』的訊息對人產生的影響巨大，還是咒的發音、聲音對人產生的作用大？」

道長：「兩者各有作用，是不同能量的影響。符和咒在中國由來已久，有著自己輝煌的歷史。中國的傳統文化，經過了一個名物兩可的時代。這是軒轅黃帝在結束人類漫長的巫文化之前，中國的文化和全世界其他文化的肇始是一樣的，都經過了一個名物兩可的時代。」

小男：「道長，你說仔細點。」

道長的聲音明顯比白天低沉、緩慢，卻是同樣清晰。

道長：「在漫長的文化長河中，最早出現的是甲骨文這樣的祭祀文字。甲骨文裡的文字都是記錄早期道家祭祀活動的。你們可以去查看甲骨文的『道』、『德』這些字，字的形狀表明的就是關於人與天地的關係。道家文化起源最早的就是祭天祭地的祭祀，甲骨文裡表現的都是與祭祀相關的象形文字。我們的先民，他們以清淨的心，對待無量的宇宙，在上古的時候就達到了天人合一。實際上在他們那個時代，在名物兩可的時候，從哲學上來講在思維這個層面上，主客體沒有分家，最早中國所有的文字和信號，都保存有大量生命存在的訊息。注意到沒有，甲骨文裡的人字怎麼寫？是一個人彎腰施禮的動作。道教的道字呢？一個人跪著朝拜天，頭上和身體的四周各有幾條線，象徵與頭頂大道相連接的氣路和四通八達，這是全息的天人合一。這就是中國的文字符號，而這些符號所代表的意義遠遠沒有被揭示出來，就像我們現在古代文化裡面、古文字裡面一定帶有著大量的宇宙訊息沒有被翻譯出來。」

小男：「這是『符』的一種訊息化解釋吧？咒呢？」

道長：「我們很多人從來不知道——而現在的科學正在知道，在證實——聲波對我們的影響。聲音是一種波，波對人體的作用是很大的，它產生的是一種弱作用，而不是以一種強作用的方式來影響我們。特殊的語言、特殊的文字，對我們的生命體都有影響，通俗地說，就是符和咒。符是文字，咒是聲音。舉個例子，以前我們給人取名字要看八字，一看這個人五行中缺火，那麼就要解決這個先天的問題。現在很多人意識到了名字對我們的重要，因為我們的名字經常被人叫，人家在叫到你的名字時，實際上都在給你一種能量，那麼這個能量——你被叫的名字，從強作用來說，就是不斷地有人在打你；從弱作用來說，就是不斷地在用波感化你。這個能夠接受吧？我們的生命體都有生物場，你的生命體不斷與『波』發生作用，就暗暗地、漸漸地發生了變化。」

小男點頭自言自語：「原來改名字是這個意思……」

道長：「名字對於人的影響有幾千年的歷史了，是一門古老的文化。我和你們說過嬰兒和『噓』音的關係，講過拿破崙的士兵們走過一座橋的時候因為同頻共振震塌了一座橋。我們的古人無非是發現了與宇宙相關的一些最簡單、樸實的特殊音節對我們生命體的影響狀態。我要改變你的生命狀態，不管是想讓你的層次發生轉化、你的生命狀態發生變化，還是你的疾病發生變化，透過不同的聲波就能夠導致。道家可以做到，如果你想消災免難，只要發出一個個的咒語，就能夠幫你消災免難，道理就是同頻共振的理論，它所影響的訊息，包括符咒所影響的訊息，是宇宙亙古以來我們的心面對宇宙時所產生的和諧溝通，用這個音來敲開了溝通之門。」

我靜靜地聽。道長已經不止一次講過這個道理，但是在這個時間聽來，又是別有一番觸動與感悟。

道長：「中國的符咒是一個特殊門類的特殊知識，特殊的音節能夠產生特殊的效果。這是我們中國人非常古老的學問，也是未來的科學，並不是什麼迷信。」

小男：「所有的符咒都是有針對性的嗎？還是一個咒語就可以針對很多事情？」

道長：「我們開頂時的咒語，你還記得嗎？咒語當然都是有針對性的，每個病都有專門可以針對的咒和符，我說了，這個在中國是一個特殊門類。我們常用的是玄門符籙科，民間還有祝由科符咒等等。比方說祝由科，它的開篇就講到：『軒轅黃帝制傳醫家十三科，內有祝由科』，這個『祝由科』把這個疾病分成了幾百起，就是說幾百種病都可以對應了。『祝由科』的治療主要就是透過符咒治病。」

我：「道長，什麼是『祝由科』？」

道長：「凡得病必祝問其由，稱為祝由。從這些字上就可以看出中國古人的知識和智慧。」

胖子笑：「從沒有聽說過，眞是孤陋寡聞……怎麼傳送這些知識和智慧呢？」

道長：「我們的道觀就是傳送這些知識的地方，它幫助我們、教會我們認識生命，找到自己，開通智慧，啓迪文化，這是道觀的一個傳統。像我們對待疾病的態度，疾病到底是什麼呢？我反覆地問過你們，我們怎麼面對痛苦和疾病？是我們要多想的。」

小男：「一般人的簡單理解，疾病就是痛苦唄。」

道長：「我們先假定想想這個世界上如果沒有疾病、沒有戰爭這些讓我們痛苦的事情，這個世界會是怎麼樣？疾病和戰爭是在這個宇宙框架結構以外的東西嗎？我們不應該厭惡這些東西，它們是不是也是宇宙框架結構內部很合理的東西？」

我笑：「如果萬一我們是被戰爭或者疾病淘汰的人……這樣想想我們就不會喜歡它啊！」

道長：「是啊，但是宇宙、我們的世界，從以前到今天是發展的吧？也是進步的吧？這個世界總的來說正在健康地往前走，它的健康是用什麼完成的？這個健康是不是也包括了疾病和戰爭？我們生活在這個時代的人絕對負有一個很巨大的使命，只是我們不知道，我們都還在找這個使命而已。」

小男：「呵呵，這個話題太大了。道長，有的人口袋裡面裝了一個什麼符咒，這有作用嗎？」

道長：「嚴格地說，對於沒有經過修持的人，是沒有任何作用的。」

小男：「那我們辟過穀了，算是有修持的嗎？」

道長：「我是說寫這個符咒的人。如果寫符咒的人沒有修持，那是沒有任何作用的。如果寫符咒的人是一個長期修煉的人，他生命的能量場巨大，已經開發了巨大的能量，當『我』的能量被一些特殊的方式固定下來的時候，如果是這樣一個人寫下的符咒，那太有作用了。」

胖子：「說到病，道長，爲什麼同樣的病，有的人得了沒事，有的人就會致命，還是相同的醫生看的，大到大病，小到感冒之類，怎麼回事？」

＊　＊　＊

道長：「我們在前天說過吧？把一個人的年、月、日、時，作爲他生命中的四個支柱，配上天干地支，生命的數學模型就建成了。出生的時辰和年月日的作用，對我們生命構成很多的變化。一個人出生的時辰與這個人的疾病有很大的關係。我們常常說你的這個病是你命裡帶來的，也常常會說你這個人命裡缺火。『命裡缺火』可能對你身體的心臟會有一些反應，對你的脾胃也不好，因爲火生土，你火很弱，脾胃就比較不好。針對你剛才的問題，如果說有五個人同時都發現了脾胃的病症，而且病症都一樣，我可能就會特別緊張、在意這個命中缺火的人。因爲那幾個人的病都是後天的，而只有這個人是先天的脾土不足，命中又缺火，那麼在五運六氣的作用下，這個人的情況就會嚴重很多。」

小男：「這也是你說的『一個人生病與否在他出生的時候就決定了』，而用現在科學的說法，就是基因決定了一個人的健康與壽命？」

道長：「我是從道醫的角度，簡單地說明我們看待病人病情嚴重程度與否的一個判斷標準。這就是爲什麼我們看病要先問出生的時辰，就是要看你命裡帶有的是什麼，先天缺乏的是什麼。有很多人這一生中可能會得很多的病，從小到大甚至幾十種，但是當一個人離開這個世界的時候，醫生在最後的診斷書上肯定只寫有一種病導致的生命衰竭，而不會把你其他的病都寫上，那麼實際上構成一個人一生中最致命的病症就只有一個。但是很多其他的病你也得，只是沒有關係，對你不會致命，你也不用害怕，這就是你說的爲什麼相同的病症，相同的醫生看，有的病人沒事，有的病人就致命。極端地講，有的人甚至得了癌症也沒事，即便拖拖拉拉沒有治癒也自己慢慢會好起來，因爲你身體的致命點不在這裡。而一個人如果得的病是與自己身體最弱點對症上了，就算一次小小的感冒，也會要了這個人的命。所以我前幾天說的『知命』的另一個方面，就是透過一些技術的方法，比如四柱的測算等等，了解自己生命的優勢與薄弱。」

我：「假使我們了解自己的命，知道自己腸胃的強盛，那麼即便得了癌症也不怕，也不需要開刀治療？」

道長：「癌症，如果用我們道家的方法來治療和看待，就不應該做手術。從人的整體來說，爲什麼會得這個病？那麼解決問題可能就不僅僅是局部問題了；從局部說，這個東西是一定不要去碰它，你去碰它，就是刺激它、激勵它了。我們道家的這個看法，與當代科學發展的認爲也是越來越接近。美國最近公布治療癌症最新的方法就是阻斷療法。什麼叫阻斷療法？就是給癌細胞阻斷營養作爲治療的方法。像你們現在的辟穀就是全方位的阻斷。」

小男：「那做手術呢？不是也有經過手術切除好了的嗎？」

道長：「西方醫學在這方面做了很多、很大的科研工作，但是事實證明，依舊沒有找到根本解決的好辦法。對於癌症，『爲什麼會得』，這個問題的回答對於治療有非常重要的提示作用。而簡單的『腫瘤切除』手術，手術本身再高超，也有一個『啓動它了』的問題。這個東西一般是以不去刺激它爲好，而且不是所有的癌細胞都會無限度地長大，它很可能長到一定的程度就自己停下來了，而我們去割它，那麼就是直接地刺激它，它就瘋狂生長了。簡單的例子，鬍子不是越刮越多嗎？」

是的。我想到春天修了枝的樹，剪掉了花朵的玫瑰，都是爲了讓它們快速成長。癌症眞的也會是這樣？

小男突然笑起來：「如果生的偉大現在在，他一定會說，『我們耳朵如果不去掏的話，耳屎就總是那麼一點點，對不對』？」

我們哈哈笑起來，完全是生的偉大的口氣。

生的偉大今天聲明了，明天他要「到附近」去爬爬山，因爲他「看出來了我們根本不存在危險」。附近是四川的雪山。

道長：「你們眞的不想睡了嗎？可以多練練功，我也要去練功了。」

＊ ＊ ＊

彷彿時光並沒有流逝……這一夜之後，我們還是圍坐在玻璃茶房，相同的位置，聽著道長種種的談論。不過天色已經大亮。並沒有天晴，雨像細密的珠子，串起了天地之間，串起了樹梢，草地，串起了早飯，練功，冷水浴，也串起了一天又一天看似相同的「聽道長論道」。

我們身邊多了幾個昨夜安然在房間睡覺的人，小潔，無話不說，人馬座……又是新的一天了！

小男：「……我們是不是應該以一切的善意去看待所有？包括我們認爲錯的、不好的事情，也許是緣分的另一種表現？」

道長：「我常常和你們說的『良性意識』。良性是什麼？大白話：良性就是我們歡迎出現障礙。生活是不可能沒有障礙的，無論你有多麼成功，多麼健康，多麼一帆風順。這就像我們的生命一定會有成功一樣，而無論你是多麼不如意，多麼失敗。」

無話不說：「這個思維的方式確實可以說是良性意識。北京有兩位朋友，夫妻兩個，男的帥氣，女的漂亮，但是不知道是什麼因緣，生的孩子和誰都不像，用我們世俗的眼光來看，就是太醜了，於是這兩位給孩子取了名字，沒有叫『不能見人』，而是叫『活下去』……」

大笑……

無話不說依舊沒有表情地嚴肅：「這也是一種良性意識吧？」

道長笑：「這個太良性意識了，兒大十八變嘛，一定有美的一天的！」

小男：「道長，你別聽他打岔，請你接著說良性意識……」

無話不說：「生的偉大不在，我很高興。他終於去爬山了，我覺得思維順暢多了。對我來講，他不在這裡，就是一個良性意識。」

笑……

道長：「好，我接著說。當我們的生命中出現障礙時，身體也好，事業也好，人也好，家庭關係也好，都會覺得不愉快或者擔憂。其實換個角度看——並不是自欺欺人，而是眞的體會到，我們的人性是因爲障礙而昇華的，沒有障礙就無法顯現出我們生命的博大。我們都歡迎出現障礙，每一個成功人士都一定有他非凡的經歷。要成爲一個非凡的人，一定要有非凡的經歷、非凡的事件、非凡的世界，才能夠塑造非凡的人。一般的人被一般的事情就壓倒了。這個道理明白嗎？」

胖子：「有的人是被成功壓倒的，也是一樣的道理，因爲有的時候成功是化了裝的障礙。」胖子使用道長的「化裝」造句。

道長點頭：「對，你們已經能夠舉一反三地看待了，很好。因此這就需要，也只能是在事物中戰勝自己，在失敗或者是在成功之中自強不息。所以我們是怎麼來看障礙的呢？我覺得，我們遇到的障礙，是我們最大的救星，我們最大的老師，我們最大的幸福源泉，是我們的快樂和家，我們爲能夠超越障礙而幸福。所以當障礙來了的時候，我們就會很快樂地對待它，而不是低落、沮喪、悲觀之類了。」

無話不說：「我們呼籲障礙吧。」

笑。

道長：「是啊，你是對的，不可笑。我們爲什麼不可以這麼認爲，而一定要那麼認爲呢？從來沒有人和我們說『把雞蛋捲起來』，就意味著雞蛋是不能夠捲起來的嗎？我們需要在內心溫和地開闊自己。如果能夠從另一個角度理解『把雞蛋捲起來』，雞蛋當然是可以捲起來的，而且早已經充滿我們的生活：誰沒有吃過蛋捲呢？蛋捲不就是捲起來的雞蛋嗎？關鍵是我們理解的角度和迂迴的程度。」

人馬座點頭：「是啊，我們的思維都變成模式了，無形之中我們變得只能這麼想，而不能夠換個角度那麼想了。」

道長：「確實。大部分時候我們爲夢想而活——一般的人容易爲夢想而活，但是我們也可以因爲夢醒而快樂。你們發現沒有？有的時候越感受失望，越感受悲哀，阻力越大，我們距離目標反而越近。所以在修道的人眼裡，不會覺得有什麼阻力和障礙，關鍵是你怎麼看待這些。」

小男：「阻力越大，可能說明你找到了癥結，找到了突破的地方……」

道長：「對。像辟穀一樣，這是我們自己主動去尋找問題的癥結。一切的改變都在於我們的心境。」

亞女：「相隨心變，一定是這樣嗎？」

道長思忖：「有一個故事。一個道人給一個書生看相，結論是書生爲人厚道，卻沒有官運。

「幾十年後，書生特地又來找道人，這時他已經做了很成功的大官。道人並不知道，一見面，道人驚異地說，『你的相變了，怎麼有很好的官運了，你做過什麼事情？』

「書生回憶，終於想起來很多年以前有一次漲大水，書生看見一窩螞蟻被困在一小塊即將被淹沒的泥土上，就用一根棍子把牠們全部搭救出來。道人聽罷，說，『有心無相，相隨心生；有相無心，相隨心死。』」

道長停住，我們沉默相隨，都在緊緊思考這幾個字的引申。

道長：「這就是改變書生命運的一個因素。就是說當我們發了心之後，大善大惡就得改運，有的時候甚至可以改命。最高層面的改變，是修道的核心把握。當我們真正悟到了道，也就是我們徹底改變了自己，而這個改變對於修行人來說，並不是極限的改變，而是你不在命中了。

＊＊＊

「確實像無話不說講的，我們完全可以期待障礙，然後再快樂地應對它、解決它、超越它。這就是第一個良性意識。」

小潔：「我一直在想，修道的人是應該或者真的沒有欲望了嗎？」

道長：「道家是不排斥欲望的。道家是首先幫你達成欲望，在達到的過程中和達到之後，讓你認識到，『原來還有這樣的無限多樣性』，然後在最後，一定要讓你知道，『我追求的東西算是什麼東西啊』，完全沒有意義，就算賺了錢、成了名，這些又有什麼意義呢？」

小男：「達到欲望也算是悟道的過程嗎？」

道長：「我們說過，人生的一切都是悟道的過程。悟道是要讓我們的思想保持清醒，在清醒之中就不會被很多世俗的東西所影響。透過一定階段的修行、達到不同程度的明白，那就是另外一回事了。經過悟道、修道，然後會明白，我們人是很可憐的，大家都在追求的很多東西，某種程度上是沒有意義的。從古到今，大家可以想一想，我們能夠記得多少事情？記得的古人又有幾位？別說一千年，就是一百年之後，我們這裡又有多少人能夠被人記得？」

無話不說：「那要這樣說的話，什麼事情都沒有意義了。」

道長：「好，這就是道家的問題。第一個層面上來講，一百年以後沒有幾個人能夠被後人記住；第二個層面，人生很難得啊，這麼難得的人生經歷了一次之後，很可能千秋萬代也沒有機會再經歷一次人生了。做一次人是很難的，這種機會比大海洋裡面的一粒小沙子進入一只漂泊的瓶子的機會還要小。能夠托生在大道之邦的中國，能夠領悟這些東西，更是太難得了。而我們現在追求的東西都是些什麼呢？是非常短暫、很瞬間的東西。有人想過嗎？我們永遠只能吃這麼一點東西，只能睡一張床——就算再有權力再有錢，你也不可能一夜睡好幾張床吧？你也不可能吃很多的東西吧？人能夠享受的，其實都已經被我們自己的身體承受能力限定住了，但是你要毀掉的卻可以很多。

「在所有的生命中，只有人是最適合修行的，因爲苦樂參半。如果我們找不到生命裡面眞正的意義在哪裡，唯一的辦法就是透過修道、悟道、不斷地昇華我們自己，找到一些最基本的存在意義。」

胖子：「這個最基本的意義是什麼？」

道長沉吟：「這個說起來又是很漫長的。簡單地說，我們的生命是無量壽福的，道的修行，證的就是一個『母子光明會』的意義。常人一般都是『見子忘母』或者『見母忘子』，就是說在本體與表象之間，只看到『用』的方面，而忘了根本，在『本體』與『用』之間震盪；而道家的修行，能夠讓『母子相會』，在體、用之中出入，眞正實證到天人合一。」

小男笑：「這個理解起來……可能只有人馬座毫無障礙了……」

道長：「就是說，我們的生命是不死的，修行既能夠讓我們在生命的永恆中無量壽福，享受生命的種種喜悅，又能夠穿越生命的各個層面，在一切時、一切處之中，體會當下的美與好。」

小潔：「呵呵，我還是提問比較通俗的吧。道長，你剛才說了，道家是幫助人達到欲望的？」

道長：「假如有人說『我就想得到這個六合彩』，或者『我就希望我的企業能夠發達賺錢』，我們也許首先就是幫助他們達到願望，而在幫助的這個過程中就像給人開了一個天窗，人們在透過這個目的達到的過程中，在自己階段的利益獲得中，會走向一個對終極意義的思索。」

無話不說：「萬一那個人得了錢就滿足了呢？就這樣了呢？絕對不思考什麼終極的意義了呢？」

道長笑：「這是不可能的。那樣的話，快樂就遍地都是了。人是很不容易滿足的，很多時候常常是越得到越不滿足，人的欲望是無窮的，人的『配置』裡面，就有這些因素。你剛才發問的『人生什麼事情都沒有意義了』，這也是思考的一種，而是『終極意義』與否，只是我們給予的一個辭彙。」

小男笑：「是的，如果這樣的話，所有搬了新家，有了新車，艱苦戀愛終於結婚，事業終於有成的人，都應該人生快樂美滿了！但是事情往往走向反面：反而更加不滿足、不開心了……我好像有些說偏了？」

道長：「沒有說偏，這些人或早或晚，最終都會思考生命的意義。人們生活在很浮躁的社會裡，我們都很少靜心下來想些事情。『得到』比『得不到』更能夠讓人開悟。在達到願望的過程中會讓人明白，原來這個世界不是我們所看到的那些浮躁的現象，原來很多東西對生命是沒有意義的，而這個沒有意義是我們以前不知道的，或者說在我們窮盡一切去『達到』之前所不知道的。」

都在點頭，各自檢點自己生命之中的得到與還沒有得到的種種感悟。

道長：「有一個落魄書生，夜宿一座荒廟，夢到自己狀元及第，繼而又娶得嬌妻美妾，人生浮雲直上，富貴不可限量。但隨著年齡的增長，漸漸貪念滋生，並越演越烈，聚斂了無數不義之財。某日宮中大宴，酒醉後竟誤殺宮中歌姬，皇帝震怒，數罪並罰，終被腰斬棄市，突然夢醒。這時他醒悟到了是非善惡、因果報應的種種道理，心中猶如一潭春水般清澈明朗。什麼是得到？得到的是什麼？人都是要在經歷之後才會醒悟。」

無話不說：「就是年齡不饒人。有相當的經歷，就是有相當的年齡了。人生如果倒過來還行，先七老八十的，事業有成，美女用到過氣，權力什麼的都不再算是個什麼玩意兒，立馬悟道，然後漸漸青春年華，再不爲金錢美色權術所動，這樣管用……」

引得大家又笑……

道長：「所以孔子說五十而知天命，因爲到了這個年齡，經歷的事情多了。也有很多人只有到了這個年齡才知道，『哎呀，一切都不是那麼有意義的』，就像我們餓的時候總是想吃很多很多東西，實際上我們眞的能夠吃多少東西呢？人一心想得到的任何一樣東西，一旦眞的得到了，也就是那麼一回事，他一定會覺得了無生趣。人的每一個願望都建立在外在的期盼之中……」

我：「所以很多的人生都是作繭自縛。」

小男：「但是對人生的說法還有另外的解釋，比如按照入世的說法覺得人生就是體味這樣的百態，有痛苦，有幸福……」

道長：「這個對啊，這就是我們要明白的東西，但是眞正有幾人能夠做到呢？大多數人都是爲外物所牽，他高興是外在的高興，他痛苦也是很外在的痛苦，他的努力都是外在的努力。」

小男：「無論道教也好，佛教也好，對於大眾的接受來講，有一個很大的障礙，很多人會認爲它們都很消極，像認識到生活的實際是無意義，就顯得很消極了……」

道長：「這個認爲，是近現代一百年以來的認爲，我們中國古代不是這樣的。道教和佛教都有很積極的一面，佛和道都是讓人清醒，而清醒並不是消極，是更加積極。魯迅爲什麼說『中國根底全在道教』？這裡面有一個『世』，中國古代，儒家是入世，積極地入世，以仁道經緯天下，建立禮法框括天下，這是儒家的入世；佛家是出世，四大皆空，去掉執著。中國的道家是出、入世並重。道家講究道法自然，避居山林，人在山中就是仙啊，避居山林，就是出世，而入世呢？從姜子牙開始，到後來的陳平、諸葛亮等等這一系列的道家人物身上看到，當天下有什麼事情的時候，都有道家的人物在維持天下的和諧，就是『達則通濟天下，窮則獨善其身』，是很積極的入世。」

大家有點頭、有沉默，都在琢磨。

小潔：「道長，你說『處處是道』，簡單地說，究竟什麼是道？」

道長：「我們可以說得不那麼玄，道就是法則，宇宙運動、發展的根本法則。像做生意有一個生意之道，成功有一個成功之道，做任何行業都有它自身的一個道理，做到一定的程度，你找到一定的竅門了，這些都是各個程度上的道。道就是隱藏於一切之中的法則。我們生活在這個世界上，就要順應這個宇宙運動、發展的法則，『背道而馳』會出大問題，一定是『順道而行』。所有道都統籌在一個大道裡面，而大的道就在小的道裡面運用。中國的醫學，就是道在醫學領域中的運用。任何一個東西運用的好壞、成敗，都表明了這個法則運用得怎麼樣。人的世代生活沿綿不息，我們一定要明白自己所處的這個世道、環境的一個根本規律是什麼，逐漸找到宇宙的大道在這個時代的印證，它的表現形式，它的落腳處。當我們明白了在這個時代裡面道的顯化、形式，我們就知道自己應該做什麼了。」

小男：「不同時代，道的顯現也不一樣嗎？」

道長：「對啊。比如說名醫華佗，他在那個時代是名醫，不能夠代表在這個時代也適合，他能夠醫治他那個時代的病，但是他不能醫治明代的感冒，他的藥再靈驗，但是在明代醫治病症可能就不是那麼有效，更不用說對付今天的病了，但是由此就認爲華佗根本就不是一個好醫生嗎？錯了，他那個時代的藥方，按照中國人的說法叫陳方，而我們現在用他們留下的藥方就叫加減方。漢代人的體質、他們對藥的適應和感覺、藥的品質和份量，與明代的，與今天的，完全不一樣。同樣的病，在那個朝代用那種藥就能夠治好，在今天就無用。今天的藥方一定要在那個陳方的基礎上加加減減。我們需要學習的是華佗的醫理和治則，他判斷病情、處方用藥的思路，而不是一個僵死的漢代陳方。這是我們治病的根本原則。因此從命和運的角度來說，就是既要了解道的亙古如一，又要踏踏實實地體察『道』在每個不同時代是怎麼具體變幻莫測去顯現的……」

午飯的音樂在雨中唱響。

雨更大了，這時聽見滂沱的雨點奮力敲擊著玻璃的屋頂。一直大家都太專注了……

「這麼大的雨啊！」大家開心地讚歎，好似雨顯示了一個什麼與眾不同讓我們歡愉！

我們的心愉悅安寧，就像被這大雨沖刷乾淨的山林……

＊　＊　＊

香噴噴的餐廳。午飯的菜有糖醋排骨，排骨冬瓜湯，水煮魚，清炒空心菜……這麼多我喜愛的啊！

天哪……

12
刮痧

常月：「刮痧是體表排泄，只有等到你身體的毒從裡面漸漸出來到表層了，你會有其他的症狀出來，這時刮痧才是比較好的時機。而這時如果沒有刮痧，你不舒服的症狀就會持續得久一些。」

辟穀第八天下午的調理，常月說主要是治療我長期的頸椎疼、背部疼痛，然後給我做了刮痧。這是我有生以來的第一次刮痧。常月幫我的背部拍了照片，太恐怖了，大片的瘀紫佈滿整個背部！

我：「我從小看見鄰居有刮痧的，沒有這麼嚴重啊……」

常月：「只有體內積累了大量的病氣，才會發出像你這樣整個背部大片紅紫。」

我：「我看他們刮痧一般都在夏天，有人中暑的時候。爲什麼我辟穀也要刮痧？」

常月：「刮痧不僅僅爲了解決中暑，刮痧也爲了排毒。透過皮膚的刺激將皮膚毛孔打開，將淤積在體內的風、寒、阻、濕各種病氣排出去。刮痧就是打開這個通道。一般身體正常、健康的人，刮痧後皮膚不會出現這樣深色瘀血一般的紅點，只會微微地發紅。紅色的深淺，出現的部位，都因人而異。紅色特別深、特別密集的地方，通常就是病氣比較重的地方。」

我：「刮痧時你給我塗的是什麼啊？」

常月：「潤滑用的黃酒。有時候也可以用酒精、藥物、油，起到潤滑皮膚的作用。」

我：「這樣的刮痧，能夠把病氣散掉？我自己沒有覺得有病啊？」

常月笑：「每個人的身體或多或少都有病氣的淤積，等你的病氣淤積到發作成病，就麻煩了。」

我：「你們說的『望氣』，是不是也包括看病人的病氣重不重？」

常月：「扁鵲就是非常高明的道醫，他看人就能夠看出有沒有病。刮痧可以排出病氣，但並不是一步到位，而是一層一層的排病氣，先從體表的開始排。刮痧有解表的說法。體內深層積蓄的毒氣，透過刮痧是沒有用的，刮痧基本上只能解除表面的病氣。扁鵲也有文章說，人的疾病有在皮表的，透過刮痧可以排除；有進入肌肉的，有進入骨骼、進入骨髓的，逐漸深入、潛伏得深了，再怎麼刮痧，也都沒有用了。」

我：「感冒透過刮痧有用嗎？」

常月：「有啊，感冒時的刮痧從脊柱大椎開始，全身陰、陽氣交會的地方，透過刺激這些地方，使得全身的氣血活躍。感冒時的刮痧不僅僅是排毒了，透過刺激經絡、穴位，活躍氣血，提高整個身體的抗病能力。現在你感覺輕鬆點沒有？」

我舒展、晃動雙肩，果然，經過頸椎、背部經絡的通電調理，再是一通刮痧，相當「身輕如燕」，呵呵！

我：「非常好啊，但是為什麼等我辟穀都八天了，你才給我調理這些，給我刮痧呢？」

常月：「我們做的方案是，前幾天主要調整你的內分泌系統，你的內臟、心臟和胃更需要首先關照。辟穀本身也是內在的調理，一層一層地由內向外，往肌體的表面排毒。刮痧是體表排泄，只有等到你身體的毒從裡面漸漸出來到表層了，你會有其他的症狀出來，這時刮痧才是比較好的時機。而這時如果沒有刮痧，你不舒服的症狀就會持續得久一些，但是最終也會排泄，因為我們的皮膚本來就是會呼吸的，透過我們的皮膚呼吸，我們的鼻腔呼吸，還有像打噴嚏、發腳氣，都是一種排除，無非時間要漫長一些。而透過外力呢，是尋找到了一種幫助，一個助力。」

我：「我明天還需要再刮痧嗎？」

常月：「不用，這種方法通常是不連續的，要等到你刮痧的症狀消散一些再做。其實這種方式也不要經常用，任何事情都有它的負面因素……」

我：「刮痧也有不好的？是傷害皮膚嗎？」

常月笑：「不是。常常刮痧會讓你的身體形成依賴。任何東西的使用如果控制不好，都會讓人形成依賴。長期刮痧，你的身體形成了依賴，人體自身的抗體、免疫力就會慢慢消失不起作用，它會依賴這種外力的幫助。所以我覺得任何東西都不是一種絕對的、非常好的東西，只在需要的時候做一下。我們自己的身體最好。」

小小常月，說起醫道來，也是有理、有節，滔滔不盡的。我深感敬佩。

「你不是學醫的，怎麼知道這麼多呢？」

常月：「我們跟隨師父（道長）十多年了，天天的教誨，耳染目睹。師父對我們很嚴格。還有自身的修煉、治療經驗。」

我：「這些年來，你治療過難度最大的病人是什麼病？」

常月想著：「有一個都不能夠走路了的癌症病人，但不是我一個人治療的，是我們幾個一起治的。我自己經歷的，應該說是一個來自德國的病人。一個女病人。」

我：「也是癌症嗎？」

常月：「不是。她得的病很特殊，也很嚴重，師父在國外也遇到過的『硬皮症』。這種病我以前沒有聽說過，後來聽師父說他們在國外也遇到過，才知道這種病後果的嚴重性不亞於癌症，整個人的皮膚會漸漸沒有知覺，變成像一層殼一樣。這位德國女病人得這個病已經有七年了，西醫根本沒有辦法治癒，頂多是階段性地控制一下。她去過印度治療，因為印度有瑜伽，她認為也許會對她有幫助，但是沒有什麼效果。」

我：「她怎麼知道這個偏遠的縉雲山呢？」

常月：「可能是師父在德國講學，德國的朋友傳來傳去的，有緣就傳到她那裡了。她自己說是一個喜歡中國道教的朋友告訴她我們的縉雲山，就找到了這裡。」

我：「她來的時候，皮膚還有知覺嗎？」

常月：「沒有。我們也從來沒有接觸過這種病，只能嘗試著給她治。治療一次、兩次，根本沒有任何的作用，更談不上效果了。」

我：「沒有給她辟穀嗎？」

常月：「沒有辟穀。到目前爲止，國外來的人，我們一般不給辟穀，因爲文化背景不一樣，他們不是很理解的事情，溝通也會有問題，如果溝通不好，一定會有麻煩。誤解會造成身體的傷害。」

我點頭。不要說老外了，中國人都不是人人都能夠接受的。像我這樣接受的人，頭幾天都一直在懷疑是不是「兒戲生命」了，是不是會死……

常月：「給她治療了幾次，兩天過去了沒有什麼效果，我們就很擔心。如果對她的病症沒有任何起色，我也會對自己認定的東西，或者更明確地說，對自己的能力產生懷疑。我們就每天開會討論對她治療的方案。」

我：「不只是用電療的方法嗎？」

常月：「通電治療只是方法之一，還有其他的方法。但是沒有想到，在第三天治療進行到一半的時候，她突然哭了。我們不明白爲什麼，翻譯也搞不清楚是怎麼一回事。她哭得很厲害，哭完了之後才和翻譯說，『你想想，我的皮膚已經七年沒有任何的感覺了，但是現在有了，會是什麼樣的心情？』治療第三次，她的皮膚才有感覺，大家都很高興！然後她踏踏實實在這裡又治療了半個多月，眞的就治好了。」

我：「這是你也沒有想到的結果吧？給人治病，你並不是一切都有把握？」

常月：「一般的疑難病還都是問題不大，但是這種病從來沒有遇到過。有的時候我自己也不是很清楚，爲什麼我們眞的能夠治好這種奇怪的病。我們知道怎麼做，用我們的什麼方法，還有我們的眞心，這些都很重要。但是眞的治好了，道理是什麼我就不太說得清楚。這個德國女子很敏感，練功也很認眞，回去德國後還是持續練功。」

我：「她是什麼時候來治病的？」

常月：「前年的夏天。回去以後因爲工作很忙，又裝修房子，可能情緒焦慮什麼的，到了去年年底的時候她的病又犯了。她很緊張，在今年快三月的時候又來了。這次我們不怕了，我們每天給她調整。她練功的狀態非常好，可以每次都把氣聚到丹田，然後隨意地移動到身體的各個部位。而她以前根本就沒有聽說、了解、應用過我們的這些知識，她那麼快速地進入狀態讓我們都目瞪口呆，因爲我們要練習到那個狀態需要多久的時間啊！」

我：「她知道你們掌握的是中國傳統的道醫醫術嗎？」

常月：「知道，我們透過翻譯告訴她的。她練功特別認眞用功。她回德國的時候在這裡買了很多東西，香爐、香、道教的音樂，所有這裡能夠喚起她記憶中國的東西都買了。她說她在德國練功的時候，希望感覺到依然是在我們這裡。現在一直都挺好的。」

黃昏時分雨眞的小了，遠遠近近的山林、院子，是被霧氣迷濛了的美麗。竹林清香。大家樓上樓下穿梭著，看一眼被彌散在薄霧裡面的美麗山景，依次去調理室接受調理。

在這裡的心思變得簡單，風景也似不同以往的秀麗清爽。

＊ ＊ ＊

晚飯之前大家又彙聚到溫暖的餐廳。有的還在抄經，我們這些北京來的，趁調理的空隙抄完了經，知道道長這時會到，都候著他來，然後圍著道長，不停地聊天，學，問……

下午這時的話題，天天都是相當的「八卦」……呵呵！卻深深吸引我們！

小男：「……我們怎麼才能夠知道我們的上一世呢？你說過人只有在很小的時候才有可能有上一世的記憶……」

道長微笑而肯定：「都是可以再現的。」

小男：「怎麼再現啊？我就不知道我的上一世……」

道長：「可以知道的。我們找個機會從頭道來……」道長看見了我，「你們調理完了？怎麼樣？」

我述說我的刮痧。我越來越好，胖子卻有點「英雄氣短」，今天呼吸有些急促，老是好像喘不過氣來。

小男：「你們別打岔，我想知道我上輩子是怎麼一回事，是一個道士呢，還是一頭牛？和我這輩子有什麼關係啊？」

大家笑！

小潔：「道長，我的問題是，我練功的時候難以做到入靜！入靜眞的就是什麼也不想嗎？」

小男：「道長，你先回答我的……」

道長笑：「你們這兩個問題是有匯合處的。你們說的『入靜』，其實是我們心中的一個想像，我們事實上是不能夠做到入靜的。我說的是不是實話？只要一入靜，我們的腦子一會兒就會自己想到一個事情，昨天的事啊，今天的麻煩啊，一會兒還要開一個會啊，什麼事都來了，什麼人都出現在腦子裡了。越入靜，腦子裡面的事情越是風起雲湧，難以抑制……」

大家笑，紛紛坦白：「確實是這樣的……」

道長：「於是我們就想要壓住我們的思緒，告誡自己，『我們是在練功啊，要清淨啊』，一直壓下去壓下去。其實不用壓抑它，由它去思緒翻滾，去想好了。我們『回嬰憶忘』的訓練就是不壓，隨著腦子裡面出現的事情一直看下去，看它——我們的記憶會一件一件地出現什麼。但是這裡有一個關鍵：我們千萬不要跟著它走。比如說你腦子裡面出現了今天開的一個會，你再次『看到』就是了，但是不要去進行陽性的思維，跟著去進行邏輯思維，去分析、去判斷。」

小潔：「呵呵，我連做到這個都很難，事情出現了，思維就跟著走了……」

道長：「我們修煉的時候，腦子裡面出現任何一個事情，去『看清它』就可以了，放下不管了，意志不要去跟進它。你一旦放下它，馬上又有一件事情闖進來了。還是由它來，看清楚就丟掉，不去思索。這樣訓練不了多久，你自己就會發現，闖入你腦子的事情層出不窮，而且只有多不會少。而你一件一件地放掉放掉，放到後來，你會覺得闖到腦子裡來的事情，時間會漸漸推前，你會覺得你想到的已經不是現在的事情了，而是回到了從前，想到我小時候吃到的一個什麼東西，一個窩頭，一碗麵條，你腦子裡面的事情有一個推進的軸線，這個軸線，其實就是時間的軸線，它會自己越來越往前推，這就叫『回嬰憶忘』，意思是去回憶那些忘記的事情，曾經有過的事情。這樣一點一點地往前推，很多的事情還是會蜂擁而來，但是時間的軸線不管你願意不願意，都是在往前走，一直到無限久遠，最後會穿越太極弦，然後回到我們的上一世——你問的那個問題，我們到底有沒有上一世。當我們眞正地、徹底地進入寂靜的時候，時間、空間對我們就沒有意義了，我們在瞬間進入了永恆，像我們的入定。在那種徹底的寂靜中，我們可以看到過去，也可以看到來世，不同的是我們，你，可以看到什麼程度，看到什麼層面。但是無論看到什麼層面，都不過是個境界，都不可以爲是，才能繼續深入。在不斷地超越中『入於無古無今』，『而後入於不死不生之地』……」

* * *

小男閉上眼睛感受一下：「事情倒是很多……但是怎麼可能一直退回到上輩子呢？關鍵就是，到底有沒有上輩子啊？」

胖子有氣無力地笑：「我估計得有上輩子，要不然這輩子沒見過、又覺得面熟、一見如故的人，一見如故的景，是怎麼一回事呢？」

道長：「是的。我們有時候覺得自己一定來過這個地方，但是我們又是眞的沒有來過，難道這種感覺僅僅是一種錯覺嗎？不是的，是我們在一種特殊的狀態下，受到一種訊息波的衝擊，激發了大腦，突然想起什麼——想不起來的事。從因果鏈來講，每個人都是命定要知道他的一切的；從我們的生物全息理論來講，就更容易理解了：在生命過程中，任意地拆取一個片段，都蘊藏著全部的生命訊息。」

一人：「但是即使這樣，道長，好像依舊不能證明我們確實有前生。我們其實想要的是一種栩栩如生的記憶，而不是科學從大腦細胞角度的開掘和推斷。還有來世，來世還沒有來，有沒有也還不知道，怎麼也會儲存在我們這世的腦細胞裡面呢？」

無話不說：「你這是三維空間的思維，基本上還是屬於平面思維，當然你就只能夠看到一個平面，而完全不能夠想像它的立體。這個立體，其實一直都存在，你以為還要等到下一世呢……」

小男笑：「哎，無話不說，你什麼時候進步到這個水準了？」

無話不說：「我一直是最理解道長說的了，我的疑問就是我的一步步在證實，否則我會鐵了心來這裡辟穀？這個不說了，我依然保留我相當的看法，看在良性意識的份上不提了……」

道長笑：「栩栩如生的前世？呵呵。可以透過一定的方式，我們能夠再現它的狀態。現在科學已經能夠做到從一個細胞複製出一個生命，所謂『克隆』，這個得到世人的認可了吧？沒有人會說是『騙局』吧？其實只要換個角度，包括地球五十億年的生物進化史，都留在我們的一個細胞裡面，被一個細胞完全記錄。科學還不敢這樣去認定，但一定是會越來越靠近這個研究的。」

所有人都多少被震驚：我們自己身上的一個細胞，竟然儲存有地球五十億年的生物進化史？

無話不說：「我還是想知道最實際的，我這一生有限，人類身體細胞與地球五十億年生物進化史的關係，我就不去管它了，但是請跟我們說一說，除了『入靜』以外，還有什麼樣的捷徑可以讓我們知道栩栩如生的前世？」

小男笑：「中國人的修煉沒有捷徑，中國傳統文化的優越就是因爲四千多年了，怎麼個捷徑法？生的偉大爬山去了，你就全面暴露了……」

無話不說冷淡地：「不要提他，讓他好好爬山去吧。我們抓緊修煉，等他回來，我們都知道前世了，也能知道他的了，可能吧，道長？他可能也就是一隻山上的什麼動物，說不定還是昆蟲類的，我看他還牛不牛……」

道長笑：「你們怎麼這樣看待和使用我們的修煉呢？那我還是別說了……」

大家七七八八：「別，道長……別聽他胡說八道，就是眞有快速修煉，他也沒門，因爲他的心態有問題……」

善良的道長被我們這幫半仙、半俗之人糾纏不過：

「好吧。簡單來說有三個情況可以幫助我們，第一個是八歲以前的小孩，一般來說是非常容易的，如果我們願意做一個試驗的話，不用很久，經過幾個月的誘導，這個小孩就能夠再現出他前生的事情。如果我們一定要這樣刻意去做的話。」

無話不說似自言自語：「那我還得先養個孩子，用別人的孩子可能不道德……」

我：「怎麼確定這個經過誘導的孩子不是在胡說八道呢？沒有人能夠證明啊！」

道長：「你們應該看見過一些孩子對他前世生活的地點和朋友家人的指認的報導吧？這種現象還是經常發生的。這是第一種情況。第二種情況是夢境，以及催眠。你們都應該知道了，我們有兩個系統，一個是邏輯思維的陽性系統，還有一個是陰性系統。當我們的邏輯思維逐漸退去的時候，我們生命的潛意識、特別是生命的原意識顯現，我們在訓練的過程中就會重演我們過去的生命——

我們的前生。這種就是人爲的，透過催眠的方式。第三個知道自己前世的方法，就是透過修煉，修煉到一定程度的時候會到達『回嬰憶忘』的境界。但是我們知道了前世又有什麼意義呢？在我們的DNA中存儲著包括人類祖先在內的全部訊息，如果都調出來，你能承受得了嗎？……」

無話不說：「有恩報恩，有仇報仇……」

大家笑。

胖子：「爲了人類的和平，這每一世的記憶『消磁』，應屬於自然界的『維和』手段……」

道長：「知道過去和未來，不過是修行過程的一種境界而已，關鍵並不是爲了如何知道過去和未來，而是如何活在當下，只有在活生生的當下，不斷地經歷而穿越，『歸根復命』，回到自己的存在中心，才能成爲自己的主人。」

小男：「那得修煉多少年才能夠『回嬰憶忘』啊？」

道長：「到達這種境界事實上並不複雜，最多只需要兩個多月，你們經過訓練都可以辦到。在我們靜坐的時候，人徹底放鬆，讓我們入靜，透過一種特殊的誘導。」

人馬座：「這也算是術吧？」

道長：「對，這是一種術。」

小男：「所有反宗教的人都抓住了這一點：透過人的前生來世來利用人們的現世進行政治的、宗教的活動，而大多數不相信這些的人，就……人有時是很功利的，我如果不知道……」

道長：「我知道你要說什麼。這個世界上的一切都是有可能被人利用的，但不是他們利用了『什麼』，這個『什麼』就一定也有問題了；也不是一個『什麼』確實有價值的，就不會有人來利用。比如邪教爲什麼會滋生？我們都知道治病叫做扶正去邪，同樣的道理，正教不興，邪教當然就會來。幾千年來我們都懂得這個道理，如同地裡面種了菜，就不會長雜草，如果地荒蕪在那裡，肯定會雜草叢生。」

小潔：「我練靜坐。不過兩個月，我想知道我的來世……」

道長笑：「希望你能夠堅持靜坐……」

＊　＊　＊

晚飯了。

美好的飯菜和延續下來的前生、來世的話題，滔滔不絕。話跟話，又轉著說到風水、堪輿。大家堅持讓道長在這天晚上講座的時候，有系統地講一下堪輿，而不要再是「閒聊」。

道長首肯。

13
風　水

道長：「風水講的就是如何讓我們知道這個磁場的強弱、走勢，知道磁場的地磁、地電、地脈，然後知道怎麼讓我們的生命去順應它，讓它能夠對我們產生好的暗導力。」

晚上八點，練功房。

道長：「大家一再堅持、都有興趣要我講堪輿。這個堪輿其實與我們在這裡養生的關係不大……」

小男舉手：「道長，這是你答應的！我覺得堪輿與養生應該有關係啊，我們的身體不好，是和家裡的風水好不好有關係的……」

道長笑：「好，大家這麼堅持，而且都感興趣，那我就來講一講。先從你的問題，認爲風水與健康有關係的請舉手。」

舉起一片手臂。

但是有一個人沉默地坐著，雙手安靜地擱在自己的雙膝上。

這是今天中午上山來的一位新人，來看望他在這裡的一位朋友。他臉上是滿滿自信和質疑的表情，這個表情我們都非常熟悉，帶著山下塵世生活的知識，自得，自負，我們曾經的樣子。

道長：「啊，你不相信。你可以和我們講講你不相信的原因嗎？」

他幾乎不假思索地：「我覺得這和我們沒有關係。風水本身就有一定迷信的色彩，這和我們的人生有什麼關係啊？門口懸掛個鏡子什麼的家庭，一般都比沒有懸掛鏡子的人家過得艱苦一些，這個艱苦包括處境，也包括健康，所以有什麼關係呢？這樣聯繫是不是太牽強了？」

無話不說：「這位朋友的性格和我很像，直言。但是我不同意他的說法，恰巧我也是很喜歡地理，我認爲風水就是與環境、地理相關，與我們的生活關係是很大的。我忘了古希臘是哪個哲學家說的，熱帶因爲氣候炎熱，使人喪失鬥志，所以大部分人只能做很低能、很低賤的工作，做些奴隸、傭人的事。而寒冷的氣候使人的性格堅強，所以寒帶的人能夠成爲統治者。所以，是統治者還是奴隸，就與地理位置相關了……」

大家笑，說這樣說非洲人民就要抗議了，見解不對……

無話不說冷峻地不爲所動，不加辯解：「這位古希臘的什麼哲學家還舉了很多的例子，比如像平原，平原容易使人產生幻想，因爲看不到盡頭啊，所以平原出來的人……這可能有一些經驗上的道理，雖然也不能一概而論。所以我覺得一個人生活的地理位置，與這個人的未來關係是很大的。」

一人笑：「這不是風水，這簡直是地理與命運了！」

小男：「不對，我覺得你舉的這個熱帶和寒帶人的例子就非常片面，非常不準確。非洲人有給人當奴隸的歷史，絕對和非洲的熱沒有關係，非洲大陸整個是一個原始落後的地方，它是被列強侵入了，那中國一百年前也有人販子，也有被賣到歐洲、美國去的，但中國並不是熱帶國家。」

無話不說：「你的觀點用在批判這個可以理解。」

人馬座笑：「你的意思是說當奴隸和熱的這個風水有關係，那你對這個風水的理解就太……我先淺薄地反駁一下，你對風水的理解和我一樣，太淺薄了。」

無話不說：「好，那我再說同意風水和人生、健康有關係的第二個例子。我們中國人都講究房子最好是依山傍水，坐北朝南，這樣的一個居住要求，這個要求至少符合了一個自然規則，比方說房子，人家都沖南，你爲什麼一定要沖北呢？沖北沒有陽光啊，自然或者說大家習慣做的是有道理的，這裡面有它的科學性，這個科學性就包含了地理因素。所以這裡面說不清的玄學那些東西，我們先不去說，只說房子最好要朝南，因爲南面有陽光，房子的後面最好也有東西，是山就更好，因爲借助了地理的優勢找到了靠山，如果沒有山就種幾棵大樹，沒有樹就要……你們留意過北京那些房地產建案沒有？好的開發商都會把別墅建在公寓樓的南面，公寓高又便宜，會擋著北風。我知道的是一般的習慣。」

人馬座：「我覺得你說的那個還不叫風水，確切地說你說的是科學，坐北朝南，避風、多陽光啊什麼的，科學的道理，仍屬於普遍的。」

無話不說：「風水就是科學啊……」

新人：「誰都知道在北方生活需要陽光，所以窗戶要開向南方，我們都是動物，這是動物的本能，要多曬點太陽，這是很正常的，住房子也好，開門也好，我們一定不能違背普遍的規律，這是生活的規律。但是爲什麼我說不信呢？首先這個規律就不能夠很勉強地認同爲『風水』；其次，如果說門不能這樣，比如說門要偏一點，否則就沖到什麼了，家人就會生病了，這我就覺得有點荒唐，我不懂的是這些東西。還有像房子門口一定要坐一對獅子什麼的，門口要掛一面鏡子，這我就更加不明白、不敢苟同什麼了……」

大家都望著道長，等他開口。

＊ ＊ ＊

道長一直微笑而認眞地聆聽，見大家議論一番，都期待他的說道了，才開口：

「很好，你們都由衷地表達了你們的看法。風水在中國的名字叫『堪輿』。堪輿之學在中國歷史上已經很長久了，道文化在地理方面的運用，就產生了堪輿學說。堪輿學到了我們現代又改名了，有人開始叫建築風水學。建築風水學講兩件事情，一個是水的問題，一個是風的問題。這兩個問題：水和風，就是堪輿的根本東西。

「什麼叫堪輿？堪輿其實就是透過一種方式來研究地理磁場和我們生命磁場的關係。

「堪輿強調『無水則風到而氣散，有水則氣止而風無』，所以風、水二字為堪輿的關鍵，以得水之地為上等，以藏風之地為次等。堪輿是關於如何使地理生氣的技術，只有在避風聚水的情況下，才能得到生氣。這門古老的中國技術，換做、翻譯成為今天科學的語言，就是『地理磁場如何在我們的引導下，能夠在這個區域內形成一個比較好的磁場』。我們把這個造化之機，交媾之理，運用在我們的環境中，這門學問就叫風水。

「剛才無話不說沒有說錯，這裡面有當今可以用『科學』二字解釋的東西。我們的政府當今對於我們自身傳統文化的重視，使得這門古老的學問不僅進入了大學的課堂，去年建設部在人民大會堂還專門做了一個風水論壇，做了一次很有影響的學術討論。

「堪輿，研究風水，這些都是中國的文化，中國的國粹，中國人自古就研究這些。目前世界上也有越來越多的國家、越來越多的學者在研究風水。我剛才說了，風水論證研究的，是一個生物場與地理環境關係的學問，研究的是地理磁場和人體磁場之間的弱作用。什麼是弱作用？」

大家似乎知道，又不能夠準確地答說出來……

道長：「強作用大家都知道，那麼弱作用呢？其實眞正能夠說明白、知道的人，很少了。迄今為止大家都知道地球是有磁場的，我們的生命體也是有磁場的，這兩個磁場難道相互不作用嗎？相互沒有關係、沒有作用，才怪了呢！磁場不僅影響我們的身體狀況，還對我們的運氣、命運也有影響。風水講的就是地理磁場和生命磁場這兩個都是客觀存在的磁場，它們之間客觀的相互關係。我們怎麼正面使用地磁地脈對我們的影響，使我們的事業做得更好，身體更加健康；或者說我硬是要和它反著來，那也許就是毛病不斷，事業不順……」

笑……

道長：「我們先說生理現象。比方說明天要下雨，有的人關節就會痛得不得了，這個現象沒有人反對吧？地氣上升就會影響到人的關節，就會痛，這種相互的關係現在人人都知道，不奇怪了。這說明地理環境的變化對我們是有影響的。雖然這只是一個風濕的問題，但是這個風濕的問題說明了我們生活的環境、生活的狀態，和地理是有關係的。你腳不痛並不是說你的腳沒有反應，只不過說明了你沒有風濕而已。因爲你有風濕，那麼你有感應，由此可以說明地理環境在影響我們的生命。

「我們講天人同構，講一個人的生命體和天地是同體的，潮漲潮落，月圓月缺，和我們人體之間就是有關係的。我們有一個專門的學問在研究地球磁場對我們生命的影響。地球是自西向東旋轉的，在這個旋轉的過程中，我們感覺似乎一切都是不動的，但是我們知道，江水、河水、海水都是先沖刷右岸的，這就是因爲地球在旋轉。地球是這樣自西向東在動，磁場也是這樣在運動的，而我們一個人如果一定要反著動，這才叫做反動！」

有驚歎，有笑……

道長：「風水講的就是如何讓我們知道這個磁場的強弱、走勢，知道磁場的地磁、地電、地脈，然後知道怎麼讓我們的生命去順應它，讓它能夠對我們產生好的暗導力。從大的城市規劃到小的個人家居，都有如何與地磁場相適應的問題。

「中國古代，在幾千年前，我們對住人房屋的選擇、建設，都有考慮各種各樣風水的因素，在今天看來都是有非常偉大的前瞻性的。現在全世界比較先進的國家都講究人居環境，考察人群居住的地方每個立方有多少的日照、有多少的細菌、空氣品質如何，這個地方的乾燥或者濕度、空氣流通的情況……我們的祖先在那麼早以前就考慮得這麼周全了。我看過一些資料，那時的排水系統可能比我們現在更加有道理、更合理。這些都是我們眼睛能夠看得到的東西，還有更多的是磁場對我們人的作用，就是我說的弱作用。

「我們知道地球的磁場一直都存在，而我們人有生物磁場，它們之間會有相互的作用，地球的磁場對我們的生命有各種干預，我們是感覺不到的。但是不是我們一點都感覺不到呢？不是的，我們在陽性的、旺盛的狀態當中，在邏輯思維的狀態下，確實很難感受到什麼東西。但是在我們睡眠的時候，在做夢的時候，我們是能夠感受到的。大家有沒有這樣的經驗？通常上了八十歲的老人睡覺是不換地方的，他睡慣了的床，你要把他從這一邊換到另外一個地方，他可能就要生病了。因爲這樣的年齡，他自己的生命磁場已經很弱了，他和地球的磁場那種深刻的關係就特別明顯，你要是動了他的床，他就怎麼都不舒服了，而搬回來就一切都好了。孩子也是，把一個嬰兒搬到一個特殊的環境，他也許會哭得很厲害，因爲嬰兒很敏感。這樣的例子在我這裡就更多了，因爲我常常要給人看病。去年在馬來西亞就遇到一個孩子的病例。一家人搬家到一個新的地方，那家的孩子就出問題了，一個孩子遍身長滿了癬，看了很多醫生都沒有用；另一個孩子眼睛看不見了，這家人的心情糟糕透了。我去看了他家的情況，就勸他們搬離這個地方住可能就會好。結果他們在種種無奈之中只好選擇了我的勸告，搬離了那個地方，孩子的病症眞的就慢慢好了。磁場就是不斷地在對我們發揮著一種弱作用，雖然我們不是很明確地感受到，但是這種作用一直是有的。不能說我的身體不錯，哪兒也不疼，就不承認磁場的存在，這是不對的。波就是存在的，像我們現在的身邊，我們的空中都充滿著波，而我們看不見。這個地球的磁場也是存在的，這個磁場和我身體的磁場就是要發生作用，這個事不由我們說的，生命和這個地球的關係就是這樣。不同的是，我明顯感覺到沒有，但八十歲以上的老人就感覺得很明顯，有風濕病的人對地氣會有感覺，女子對潮起潮落會有反應，所以環境對我們人是有影響的。

「那麼古人研究的，就是如何能夠因勢利導地用磁場的規律來影響我們的生活。這也是一個很大的話題，如果從養生的角度切入的話……」

小男：「道長，全面切入……」

笑，紛紛贊同！

道長笑：「那我們這個就不是養生文化了，我們就是專門講堪輿，講《易經》……你們不回紅塵過日子了嗎？」

無話不說：「你們這些人！要實際，先不管講什麼，先講著，再提問啊，日月如梭……道長，你接下去說。」

道長笑：「好，你們可以隨時提問。從我們的養生，更應該說從生活的角度切入，有兩個地方對我們是非常重要的，一個是你們的辦公室，一個是你們的臥室，這兩個地方構成了人生的主要生活地。簡單的，這些地方會影響我們的情緒；嚴重一些的，會影響我們的身體健康。爲什麼？這是不是迷信呢？」

道長起身在身邊的寫字板上畫——

道長：「因爲磁場不是透過聲音來影響我們，而是透過位置對我們產生影響。你們看，隨著地球的轉動，河水始終先沖刷右岸，這股力量會誘導著這些現象，那麼這股力量也會誘導我們的氣血發生很多的變化。而生活環境中對我們影響最大的，莫過於臥室，然後是辦公室。臥室最重要的是床的位置。我們一生有多少時間是睡在床上的？在辦公室，主要就是你們使用辦公桌擺放的地方，你們坐的方位。像你們現在，坐的位置最差的就是你……」

大家都看道長指的這個人。

道長：「如果是在你的家裡，你常常坐的也是這樣一個位置，你做的事情往往就會半途而廢，而且你還會經常有些小感冒什麼的，源源不斷……」

道長舉例的這個人是香港朋友，靠牆而坐，牆上有洞開的窗，夜晚香香的空氣陣陣飄送……這是我們很多人都喜歡的座位啊……

道長：「因爲你這個位置背後的牆上開有窗，而門口又有這麼大的銳角對著你……」

是的，道長不說我們都沒有注意到，門口有一根柱子的銳角，正好大大咧咧地針對著他。

道長：「你背後窗的外面又都是植物，植物生長得好的地方，陰氣比較盛。第三個因素，你又迎門，你如果老是這麼做，就會出問題。」

被道長舉例的朋友，立刻站起身來換位置：「道長，你不說，我還以爲這是一個好地方……」

大家笑。

人馬座：「風水能夠使用在我們這個小小的房間嗎？」

道長：「當然，任何的地方。在這裡，我首先想到的是要在這個房間裡面形成一個閉合磁場，因爲我們在這個環境裡，這樣一個小小的範圍內，也有一個小的磁場要和大地的、大的地理磁場相混合，發生關聯，這是我首先要考慮的。第二是我們個體在生命的大磁場和小磁場狀態中，一個適應的方法。

「磁場是很有意思的，如果從量子力學的角度來講，能量的變換，相互影響的作用是很大的。不管是陰宅還是陽宅，其實就是在一個閉合的磁場裡找到我們這個磁場和大地磁場的關係。風水並不是一成不變的，很多時候也是因人而異，很多人看了書，按照書上說的這個一定要朝這裡挖，那個一定要……不一定的，因爲我們每個人都不一樣。比如這個人天生就缺水，但是他住的房子的狀態水又很盛，那就對這個缺水的人好，而換了一個人可能就很不好。還有，某個地方的風水很好，但是這個人天生五行差錯，他就鎮不住了。不一定風水很好的地方就能夠養人，很多人還會因爲風水太好而因此出問題。」

人馬座：「對於風水來說，最重要的是要注意什麼呢？就是對大家都能夠適用的？」

道長：「核心的問題是怎麼樣藏風，怎麼樣聚氣。如果家裡有一個小院子，可以考慮做一個小水池。這個水池是很關鍵的，因爲它能夠調節局部的場。普遍地說，這個小水池最好是半圓形，彎過來的這一邊最好向著自己……這只是最安全的做法，具體的情況也是因人而異。」

小男：「我們居住的環境呢？哪些問題最爲關鍵？」

道長：「對於一間房子，房子的朝向是非常關鍵的，房間裡面人坐的位置也非常重要。像你們兩個人——」道長指了我和我對面的李先生。我們仔細環顧我們周圍，背後都是堅實的牆，沒有窗，也沒有雜物，也沒有銳角對著，也沒有迎門……看不出所以然。

道長笑：「你們兩個人的頭上有橫樑。」我們抬頭，確有一根房子的橫樑橫架在我們頭頂。

道長：「這個對坐在下面的人就有影響。怎麼處理房間裡面和辦公室裡面的橫樑，是很有考究的，不然會導致很多問題發生。不了解的人會說，『哪個屋子沒有橫樑啊？橫樑怎麼了？』你在橫樑下面就是對你不好，你一定不相信，那你就堅持天天坐在橫樑下面，天長日久地試一下。在這個樑下面做任何的事情都是不好。從物理學的角度來講，密度很大的物體，周圍的場是會讓時空彎曲的。從我們的角度來講，處理一個房子首先要找到它的銳角，然後想辦法來弱化它。」

＊　＊　＊

一「軸」人：「道長，是在房間裡面找到銳角重要，還是床的位置重要？」

大家笑，也跟著發軸：「還有你這樣問的？銳角是你的金庫嗎，非找到不可……」

道長：「比如說一道突出的牆，一根方形的柱子，你們知道為什麼歷史上室內的柱子都是圓形的？這不是技術和審美的問題。還有房頂因為建設或者美觀而設有的橫樑……與床的關係都非常重要。」

小潔：「床的方向也應該有講究的是嗎？哪個朝向對床好呢？」

又有人笑：「不是對床好，是對睡在床上的人好……」

道長：「床的位置與方向當然有講究。一家人如果想要家和萬事興，老年人要在東南角上安床。如果老年人沒有安置好，這家人就很難處理好。一般來說，床最好正朝南北向，和地球磁力線同向，這樣的位置最利於我們休息，是調節自我紊亂磁場最好的方式，對促進健康幫助很大。如果床的朝向不是很正的話，磁力線就會斜著切割我們的身體，引起一些有可能發生的隱患……」

我們這幫紅塵之中人紛紛翻動各自的美麗雙眼，算計自家床的位置與南北磁場的關係……

道長：「如果說我們頭頂橫樑是在床上方，最一般的會影響睡眠品質，會失眠、頭暈、頭痛，出現心腦血管疾病。萬一出現這樣的狀況又避不開的話，一定要設法把床移到別處，或者用吊頂來把屋頂做平，寧可降低屋頂的高度，也要避開壓頭的橫樑。」

小潔：「我聽說房間裡有鏡子不好？」

道長笑：「我們這麼談下去的話，在沒有解決大的理論體系與知識認知的狀況下，確實是很迷信的，因爲話語後面的道理你們不明白，那就是迷信、迷迷糊糊地相信了……」

大家紛紛反對：「現象就是本質，如果我們連自家的床都不知道怎麼擺，還說什麼傳統文化……」

「先運用起來，道理慢慢就懂了。你接著說吧，道長……」

道長只是嘿嘿笑……

無話不說：「道長，我們都算是在神仙班進修過了，家裡如果還是沒有一個磁場感受地胡亂擺放，被那些角啊、線啊什麼的『方』著了，那不是讓生的偉大那樣的道盲笑話死了嗎……」笑。

小潔：「你別說人家道盲，生的偉大《清淨經》背得都比你熟……」

無話不說：「是，他記憶好，但是他不知道怎麼放床。還有你說的鏡子，現在都市裡那幫土財主，不知道怎麼弄好了，滿屋子鏡子，好像一個房間變成了好多個房間，陶醉得不得了。我知道我小時候，老人確實不在房間裡放鏡子的，有個小鏡子什麼的都藏在衣櫃裡、枕頭下面、箱子裡面……」

一人：「那時也沒有大鏡子啊。」

無話不說：「所以，我的疑問，類似於鏡子問題，是科技發展的問題，還是世界觀的問題，是不是現在科學能夠造出大鏡子，你也有錢可以隨便買鏡子，就可以滿屋子放鏡子，模擬出很多虛擬空間……」

笑……

小男笑不成句：「什麼叫科學造出了鏡子……你也屬於反動類……」

道長終於開口：「鏡子本來是可以用來擋煞氣的，可以把煞氣發射回去。臥房裡面不適合放鏡子，有很多你們知道的科學道理能夠解釋。如果臥室裡非有鏡子不可的話，也千萬不能夠對床，這是非常忌諱的，既不利於健康，也不利於夫妻感情。呵呵，我只能簡單地這麼說。」

小男：「道長，客廳裡能不能夠有鏡子呢？」

道長笑：「你們是和鏡子較上勁了？這個東西不是一時能夠說明白的，我們還是從大的方位來說說客廳吧。通常客廳都在房間的最前面，臥室在後面。但是現在有的開發商在設計時爲了自身目的或者『與眾不同』，有時弄出的房子一進大門先看到的是臥室，客廳則在臥室後面。這樣的設計非常不好，叫『退財之所』，住久了可能逐漸財源枯竭。」

人馬座：「還眞是，我有一個朋友的房子就是這樣的，看起來很別致，但就是不知道哪兒不對勁。」

道長：「孩子的房間最好不要安排在緊鄰廚房的臥室，更不要把床靠在臥室和廚房緊鄰的隔牆上。」

一人有點緊張：「如果那樣，會怎樣？」

道長：「天長日久的話，對孩子的人格養成、專心讀書都是不利的。」

小潔：「如果房間恰巧在廚房的樓上，行不行？」

道長：「那就更麻煩了。廚房屬火，如果樓下是廚房，睡在上面的人會不妥。廚房也最好不要在兩個臥室之間，對住的人不利。廚房裡的橫樑和臥室一樣，也是千萬不要壓在灶上，不然容易對屋主感情有影響。」

無話不說：「如果廚房在房子的中間呢？」

大家笑：「誰把廚房放在房子的中間啊……」

無話不說既不解釋，也不堅持，讓人猜測他家廚房的設置是不是已經前衛到了這個程度……

道長：「廚房是很忌諱放在屋子中央的，就像把客廳安放在臥房後面般不妥。我們的祖先從來沒有這樣安排過住所的廚房和客廳，這不是一個簡單的偶然，是有原因的。如果廚房這樣安置了，會影響家運。廚房也拿來晾曬衣服，更不可將衣服披在熱的爐灶或鍋蓋上烘乾。這不僅僅是一個安全的問題。還有可以參考的是，浴室和廁所的地面不能高於臥室的地面，浴室和廁所都不能設在家庭的中心區域，這些都有可能影響到房內閉合磁場的生機。」

人馬座點頭：「就是說地下室最好不要安排臥房。道長，什麼叫影響閉合磁場的生機？」

道長：「用堪輿的原理來解釋很簡單，浴室和廁所是五行屬水的，五行的中央區域屬土，把屬水的浴廁浴室和廁所放在屬土的中央位置，就會發生土剋水的影響，對住的人非常不好。」

道長：「……除了我們今晚講座堪輿，告訴大家地球地理磁場和我們生命磁場之間的弱作用，對於生命體的影響，還有就是數字對於生命體的影響。關於數字，除了在你們的生活中、住房內所能夠體現的，我再跟你們講一些趣事，給你們一個數字意味什麼的概念。

「數字與五行也有關係。去年（二〇〇四年）召開了一個易學會議，大家在一起就聊到了美國的九一一事件。九一一從易學、《易經》的角度來講，是很有自己特點的，和數字有很奇妙的關係。你們聽一下這些數字的意味：第一是二〇〇一年；第二，事件發生的日期大家都知道是九月十一日；第三，撞擊世貿大樓的第一架飛機是航空公司的第十一號飛機；第四，世貿大樓的樓層數是一百一十層（一一〇）；第五，大樓名叫『雙子』，子在道教裡是『1』的意思；第六，世貿中心的英文說法正好是十一個字母；第七，這一天是進入二〇〇一年之後的第兩百五十四天，用易學來命名座標的話，二五四數字相加正好是十一；第八，這天距離二〇〇一年的結束正好還相差一百一十一天。」

沉默。

道長：「難道這一切都僅僅只是巧合嗎？」

沉默。

道長：「還有，在一六二六年，荷蘭人皮特用兩百美元把曼哈頓島買下來。一六二六年的這一天是九月十一日。還有很多這樣的『巧合』。依照數術學的座標，第一架飛機上坐了九十二個人，九加二也是等於十一，我們的數術學就是這樣立座標的；第二架是六十五個人，相加也是十一。」

停頓。沉默。這一連串的數字解說，讓我們吃驚得幾乎感覺呼吸都不太通暢了……

道長：「我用這個故事來說明，有很多東西表明，也可以說證明了，我們中國人的祖先，以他們的智慧尋找到了一種方式，使我們至今都能夠用來爲世界、宇宙建立數學模型。在這些數字裡面，絕不是可以用來搪塞的『巧合』，而是有著很深刻的奧妙。就像那些咒語，都有奧妙。同時，這並不意味著『十一』這個數字就不吉祥，這樣解釋就太表面了，絕不是這個意思。那爲什麼『十一』在美國九一一這件事情上就體現成了一個可怕的數字？所有的這些，在我們中國的古老文化認知裡，都叫數術學。」

沉默……

道長：「這些現象值得我們深入的研究，超越當代科學領域與知識範疇的研究。我們修行，就是爲了達到完成或實現從小人到君子，從普通人到『大人』，從俗人到聖人的昇華，從而達到『與天地合其德，與日月合其明，與四時合其序，與鬼神合其吉凶。先天而天弗違，後天而奉天行。天尙弗違，而況於人乎，而況於鬼神乎』的境地。拋磚引玉，大家有一生的時間思考和實踐。今天講座結束。」

14
道醫的成本

道長：「一個好的道醫，一天頂多只能治五個人，因為給病人治病的『藥』，在道醫自己的身體裡面，他需要時間把自己體內的『良藥』，輸送給他救治的病人，然後還需要花時間把自己身體因此吸引來的病氣排除掉……」

辟穀第九天了。

這天例外睡了懶覺，因爲夜裡一直清醒到將近早晨六點。之間下樓兩次，看見小男也是睡不著，一個人靜靜地坐在小小門廳的沙發上看書。梳洗的時候在鏡子裡面看到自己，瘦成了一個陌生人！尖削的下巴，深陷的兩腮，讓我聯想到非洲災荒、饑餓的照片。不同的是我沒有一絲的饑餓，雙眼炯炯有神，面色雖然消瘦卻是紅潤。但是……我憂心忡忡。現在才知道瘦是多麼難看的一件事。眞難看，比之胖，要難看多了！練功時候我的良性意識都是「讓我胖點起來……」的不由自主念想。練功之後遇到常月，她笑，安慰我說等恢復飲食以後就會好起來，會更加年輕，尤其身體狀況會回到二十年以前。但願她說的都是眞的，她經歷過那麼多人的辟穀，她自己也辟穀，她說的應該是經驗，不會是安慰我的一個美好願望。

在一樓遇到正要下去山腰紹龍觀的道長。趁他等人，又問：「道長，站樁的時候你一直說『陽病陰治』，『陰病陽治』，什麼是陽病，什麼是陰病呢？」

道長：「簡單地說，一切帶有炎症的病，屬於陽病——『炎』字是兩個火嘛；風濕、寒痺、凍症之類的，都是陰病。陰病陽治，聯想太陽；陽病陰治，聯想月亮，簡單說大致是這樣……」

與道長同去紹龍觀的小道士到了，他們匆匆鑽進雨幕……

大家又習慣性地聚集到二樓的茶座，「看絲絲小雨，輕飄在窗前；聽絲絲小雨，輕輕打在屋簷……」

奇妙的事情出現了：一身短打的不眠夜，晃蕩著從走廊飄然出現。

我驚訝得以爲眼花了：「你怎麼來了？」

無話不說：「%¥#＊&%！你丫怎麼才來！」

胖子嘿嘿笑：「你%¥%還知道來……」

不眠夜完全是一種彷彿危急時刻英雄出場的表情：「看看你們怎麼了，是不是需要有精神支援，我靠！看來完全不是那麼一回事！你們太幸福了！完全沒有哥們兒當初孤苦伶仃一個人的慘！」

善良小潔：「你穿得這麼少，冷嗎？是不是沒帶衣服？」

不眠夜：「這還冷？我們是辟穀二十一天的，這天兒，多舒服啊！」

小男：「不眠夜，現在我們成不眠夜了，整晚睡不著……」

不眠夜坐下：「一樣！我當初一個人，也沒個說話的，白天滿山逛，晚上電視開一夜，挨個頻道找有吃的內容，最好是找到有講做菜的，那叫一個過癮！比吃了一宿還來勁；再不然，不管什麼情節，有吃飯的就行……」

笑……

小男：「不眠夜，你辟穀結束之後，第一頓吃的是什麼？」

呵呵！我們幾個已經不止一次地討論過這個話題了！小男和胖子每天都變換「吃什麼」的內容；我很堅定：就是山門下的農家樂，請大廚燉一個鯽魚湯，放幾葉青菜，世間美味……

不眠夜：「我靠！哥們兒太炫了！點了一桌子的菜，就哥們兒自己一個，這個嘗點兒，那個吃點兒——還不能多吃，道長有交代，得適可而止，滿街的人都看我，以爲我要尋短見了……」

小潔：「滿街的人？這麼轟動嗎？」

不眠夜：「我封頂前一天，道長雲南有事，我是跟著道長一起飛到了雲南，在雲南道長給我封的頂。第二天我就獨立行動——必須獨立行動，道長哪能讓我這麼吃！但是哥們兒忍了二十多天了，就是看看，也得弄上一桌子！所以在美食街上，那叫一個爽！」

笑……

「全吃了？」一人問。

「那不能，」不眠夜很得意，「那是一種儀式，證明我什麼都可以吃了！不過哥們兒也沒有太注重儀式感，還是沒忍住先吃了一條烤魚，然後七七八八，到大半夜的時候，幾乎吃掉一半。」

小男笑：「你太……道長不是說了，辟完穀之後一週之內都只能吃一點點，而且不能夠吃太油，你還吃烤魚……」

不眠夜神祕地詭笑：「等你辟穀結束，你就知道了！那不由你控制！不過，哥們兒爲了弘道，吃得有點大發了……今兒下雨，道長又有事下山，一會兒我帶你們去江邊吃魚吧？」

亞女：「嗨！吃什麼不是吃！一樣，別折騰了。」

不眠夜：「特好！那些地方都是我辟穀時的理想，早尋摸好了的！」

小潔開心地：「去去去！太好了！我們換個口味去！」

小男笑：「你們這些人！太幸福了！」

無話不說看不眠夜：「沒像你說的改頭換面啊，還不是穿著原來的衣服……」

不眠夜：「嗨！沒想到！」

大家好奇，問怎麼一回事？

不眠夜笑：「封頂之後第二天，哥們兒也有力氣，也自由了——海誓山盟地跟道長道別，確實是保證了會聽道長交代的，但是轉身哥們兒就管不住自己了——發現所有衣服穿在身上都咣當得厲害，哥們兒體重降到了六十公斤多一點，幾乎回到中學的狀態了。既然都這麼年輕、這麼帥了，還穿著以前的衣服，就太對不住自己了吧！所以在吃烤魚前，先給自己置辦了好幾身……」

胖子笑：「吃完就『回去』了？」

不眠夜一拍腿，分不清是遺憾還是得意：「哥們兒太著急了，確實吃得有點過了！沒幾天，那些小了兩號的新衣服，全成辟穀成就紀念品了！」

胖子：「那你還是比以前瘦很多，還行。」

不眠夜：「那是！畢竟脫胎換骨了！」

……

中午雨還在下著。能夠吃飯的人大部分都跟著不眠夜去了山下「改變口味」，無話不說也乘機隨往。

白雲觀中午的午飯只有道長、昨天來的新人和我們幾個辟穀的在，大家合併到了一張大圓桌。廚房沒有準備，但依舊是滿桌子的菜，能夠吃到嘴裡去的只有兩三人。

記錄一下：海米冬瓜、魷魚絲炒青菜、烏雞冬菇、炒四季豆、剁椒全魚、番茄炒蛋、肉片茭白

……

小男問新人：「你怎麼沒有和他們一起下山改善伙食啊？」

新人：「我還是想在這裡多聽道長說說。」

他臉上昨天那種「明智」的表情似乎被山上的雨氣融化掉了很多。

新人：「我沒有接觸過這些東西，從來也都不了解怎麼會有這些理論，還有你們辟穀什麼的。」

我：「我們辟穀已經第九天了，除了喝水，什麼也不吃。」

新人：「人一般六天不吃東西就有生命危險了，但是我看你們的精神都很好，挺神的，我看見了還是覺得不可思議。你們一定沒有偷偷吃什麼吧？」

我們大笑！

我：「我知道你也是懷疑的。就像我，我一定要自己辟穀，才能夠相信眞的是這樣，才眞的一點懷疑都沒有，否則我也會以爲是不是有偷偷進食什麼的。」

新人有些靦腆地笑了。

小男：「如果你不是在這裡自己看到，而是在北京聽說，你可能就一點都不會相信了！」

新人笑：「眞可能是。你們辟穀的目的是什麼啊？減肥嗎？」

胖子：「這麼大動靜的減肥啊？不過減肥倒是有效，我已經減了二十斤了！」

道長來了，帶著雨氣，坐到餐桌邊。

道長驚歎滿桌的菜：「這麼豐盛啊！就我們幾個能夠吃……呵呵，你們可以飽飽眼福！」

新人：「道長，我們正在說辟穀，爲什麼他們這麼多天不吃東西，精神還這麼好？」

他們開始吃飯，邊吃邊聊……

道長：「其實我們吃飯都是應該『食無語』的，但是你們在這裡的時間有限，我們就聊一聊。「生命獲得能量的方式很多，把東西吃下去並不是唯一能量供給方式。比方說植物透過光合作用，透過光能、磁能、電能、波能，使生命獲得能量。」

新人：「難道人也能夠這樣嗎？」

道長：「如果我們懂得採集的方法，同樣能夠解決能量的供給問題。而像植物一樣採集能量的能力，在我們生命體裡早就存在。但是像我們人體所有的用進廢退，不去使用，或者不知道使用，它就漸漸無用了，比如我們的尾巴。很多功能現在需要我們在一種特殊狀態下去挖掘、去再現……」

新人：「我剛剛在問，辟穀是爲了什麼？爲了減肥嗎？」

道長：「辟穀是爲了轉換生命的形態，提升生命的品質。」

新人：「是長生不老的意思嗎？」

道長：「長生不老是一個修行的方向。『長生不老』已經被社會通俗化了，通俗化的意思就有些失眞了。你所說的長生不老，意思是我們的肉體永遠存在？可以與日月齊輝，與天地共存？」

新人笑，點頭：「大概是這個意思吧。」

道長：「這樣的普遍性理解，是由於對生命的認識比較狹隘而產生的認識狀態。我們這段時間探討了很多問題，包括討論了我們的生命並不是物質結構狀態的唯一一種存在方式，它還可以能量態存在。能量是已經獲得釋放了的物質，而物質是等待被獲得釋放的能量，它們之間是可以轉化的，只要給它一個條件，它們就可以互相轉化。物理學裡有這個公式，這個條件的給予，在道家就是修煉的過程。如果從這個意義上來講，就有長生不老。但是這個長生不老和我們一般意義上說的長生不老有微妙的區別，是指達到不生不死的——無論外在形式的能量和物質狀態如何變化，而本質卻是始終如一，這就是我們要透過修煉知的那個『常』。」

新人：「物理學是有這樣的理論。但是我們人如果轉化成了能量狀態，我們的意識又在哪兒了呢？」

道長：「能量化了之後，只會和意識結合得更加緊密。你看我們修煉的練精化氣，這『精』，就是我們的肉體，物質的精華。練精化氣，氣就是能量。接著就是練氣而化神，神就是進入我們的意志狀態。然後練神而還虛，練虛而合道，這個虛就是我們宇宙的虛。」

新人低頭思忖了一會兒：「生命以能量狀態存在，這有實證嗎？」

道長：「有實證。說遠的你未必能夠相信，就說我們自己的修煉。我們人本身是感受不到『氣』的，但是你只要練了一陣子就會感覺到這個氣。這個氣是從哪裡生出來的？就是從我們肉身生出來的，只不過才剛剛開始。剛剛開始練就是從無中生有，慢慢的，透過我們的漸進，氣就會越來越強，強到我們的丹田部位似乎都沸騰了，火熱的一般。這不是我一個人的感受，古往今來所有練功人都有這種感覺。再後來丹田像燒開的開水一樣，而且這股熱量沿著我們的經絡走。」

新人：「這是眞的嗎？」

道長：「這不是我們的想像，因爲想像是隨著想像跑的，它可以全身亂跑，而這個氣在身體裡面只會按照經絡的路徑走。這個從我們物質肉身裡產生出來的氣，就是我們的實證。」

新人：「如果我們不練功的人呢？是不是就廢了？」

道長笑：「我們每一個人都有很強的能量，即使沒有辟穀，沒有練功。像無話不說，治療他的糖尿病，是靠我們這些常年修煉的、有能量的人每天給他發功，因爲他的身體能量出現了問題。我們發出的功都是能量，給他補充。但是從根本上，治療他的病，還是依靠他自己的身體。

「所謂的『能量』，就是我們的身體生出來的氣的累積。我們說練精而化氣，這個氣就是能量態，你只要進入這個狀態就能夠很明確地感覺到。你的物質身體和能量的狀況出現了轉化，你會非常明顯地感覺到，它就是一步一證的。我們練功是三年一小成，五年一大成，十年就是一個階段。」

＊　＊　＊

正聊著，無話不說沉默地進來。大家驚異，他不是一同下山改善伙食去了嗎？

無話不說：「想去但沒去成。再說，我有什麼可改善的？對於我都是望梅止渴的事兒。」

我們見他悶悶不樂的樣子，問究竟是怎麼了。

無話不說：「我測試血糖的東西沒有了，現在對自己的身體一無所知了。」

道長驚訝地看著他，笑：「你測試血糖的東西沒有了，就對自己的身體一無所知？你的身體還在啊……」

小男笑：「那你昨天是多少啊？」

無話不說：「昨天就沒有了。」

小男：「看你的樣子，我覺得不會高。」

無話不說有點高興，抬眼看他：「是嗎？看樣子還行是不是？我自己一點兒底都沒有了，到底還該不該吃啊？吃多吃少啊？」

胖子笑：「是什麼啊？是吃藥，還是吃飯？難怪不跟他們下山去吃了，看來是思想鬥爭之後了。」

道長咕咕地笑：「看看，一個被數據控制住了的人，都不相信自己了，居然說『對自己完全不知道』了，呵呵！你從來沒有懷疑過數據嗎？如果測量的東西有問題呢？或者萬一你看錯了，或者檢查身體的時候，人家難免地、十幾年以來的正確，就是在你這裡疏忽了一下呢？」

無話不說：「我沒有想過這個問題。不過如果數據顯示不好，那我就是和數據顯示一樣的不好，這是一定的。」

道長笑。

小男：「人就是這麼被嚇死的——玩笑話，只是說檢查結果對我們的重要，我們毫不懷疑。但是現在醫院醫務人員還是負責的，只有你看錯，不會有他們寫錯……」小男謹愼地補充。

道長：「那你感覺一下，你自己現在覺得怎麼樣呢？」

無話不說：「我覺得還行。」他想了想，指小男：「他說我看起來還挺好，我就覺得好像挺好的，沒事一樣。」

道長笑：「你在這裡，會有什麼事呢？」

無話不說：「應該也沒有什麼不舒服，就是心裡沒底了，沒數了！」

道長：「你覺得好就行啊，爲什麼一定還要依靠數字來證明呢？你能夠不去管那個嗎？」

無話不說相當疑慮：「你不讓我吃降血糖的藥，不讓我打針，我都做到了，但是血糖這個東西，沒有測試，光是自己覺得好不好，成嗎？我們天天測試，看不吃藥，不打胰島素了，還眞行，你這兒管用，也是良性意識啊，我天天有數據比沒有數據強。」

小男笑：「你還是不相信道家的醫術。道長沒有給你辟穀是對的，給你治個病，你還天天依靠科學測試來證明……辟穀的話，用什麼來證明呢？」

新人疑惑：「我看你昨天還吃水果呢！糖尿病能吃水果嗎？」

道長笑：「沒有關係，如果自己感覺好，吃點水果沒事，肉類、主食都沒有關係。關鍵是細嚼慢嚥，還有不要過量。」

無話不說：「道長，你不給我辟穀，現在看來是我的錯。那你能不能給我畫道符或者念個咒什麼的，我不是瞬間就好了嗎？」

道長笑：「可以瞬間好，然後呢？瞬間之後呢？」

無話不說：「如果有這個必要，我可以天天在這裡聽你給我念個咒什麼的，或者交給我，我自己天天念……」

道長笑：「這就和吃西藥一樣了，到點念咒？」

小男笑：「你別逗了，符的作用應該不是這樣的，道家的東西這麼多年沒有普及，一定有很重要的原因在裡面。但是，道長，我有一個疑問，你說過咒語產生的作用就是聲波的作用，是聲音的能量對人體產生的影響。可是昨天下午你又說萬一遇到什麼危險，就默念咒語。既然是聲波的作用，默念還有什麼作用呢？」

道長：「我們所理解的聲波是非常有限的，太大的聲音我們聽不到，太小的聲音我們也聽不到，所以你現在是用狹隘的人世間的聲音來衡量。咒語在不同的狀態中，在不同的功態中，有不同的效力。如果用現代科學的辭彙勉強打一個比方，比如我在功態的時候，就不受三維空間控制了。當我身心合一的時候，我調動了全身能量和氣的時候產生的聲波，我的默念比你們正常出聲念作用還要大。正常念可能聲音震動很大，但是不可能調動你原來生命的狀態。我們生活在很有限的世界裡，我們看得到的東西、感覺得到的東西、聽得見的東西，都是很有限的、極其有限的，是很小的一個範圍。」

我：「最早的咒語是不是和巫師有關？」

道長：「你們知道『醫』這個字在早期的一種寫法嗎？下面是一個巫字，上面是一個醫字。醫本身就有『巫』的意思。巫這個字我們現在把它貶義化了，『巫』實際上指的是有特殊本事的一種人。在中國，巫師等於天師。中國最早的時候，巫師是天官的意思，是溝通天地的。我們看這個字，上面一横代表天，下面一横代表地，之間連通天地的是左右兩個人。他們是天人之師，稱爲巫師，國師的意思。曾經一度皇帝的師父爲巫師。現在有很多辭彙與它原來的意思都不大一樣了，像『罄竹難書』，原來是一個中性詞，後來就常常用來形容不好的東西，比如說一個人的罪惡用罄竹難書來形容，而說一個人的好就不會說他罄竹難書。由於這個詞在某一個時代總是和一些罪惡聯繫在一起，它就變得有時代屬性了。你們去查找一下中國唐代以前對巫的稱謂，都是天人之師，它本身講的就是人與天、地之間的連通。這個人不是一般的人。以前的天人之師都是會治病的，他們與道都是相關的。有名的道士和方士有扁鵲、華佗，他們也都是有名的醫生，還有葛洪、孫思邈，也都是道士。」

新人：「爲什麼現在還是中醫多、道醫少？」他笑，「就像他剛才說的，如果念咒可以治病，依靠聲音治病，那誰還願意吃藥呢？」

道長：「不是這樣的。但是這個現象又確實存在：現在的世醫中，道醫幾乎沒有了。這不僅僅是我曾經說過道教在歷史上的幾次重創造成的原因，還有『道醫』與修行的關係。一般人即便能夠是道醫，也很難修到這個程度，道醫的成本高。」

無話不說：「什麼成本？修煉的成本嗎？」

道長：「不僅僅是修煉的成本，還有治療的成本。就修煉而言，一般醫學院，一個醫生的培養，西醫通常是五年，中醫有短到三年、長到八年的，但是道醫就不是這樣了，除了知識的掌握，更重要的是自身的修煉，那都得十多年以上，還要看自身的潛質與能力。從看病的角度，一個醫院的醫生，一天看幾十個病人是常事，他累的是手，不斷地寫病歷、寫藥方；而一個好的道醫，一天頂多只能治五個人，因爲給病人治病的『藥』，在道醫自己的身體裡面，他需要時間把自己體內的『良藥』，輸送給他救治的病人，然後還需要花時間把自己身體因此吸引來的病氣排除掉，再練功把輸送掉的好東西『補』回來，使自己重新成爲好身體。你們看看這個成本，是輕易想普及就能夠普及的嗎？所以我們建議每個人自己修煉，自己的身體是自己最好的良藥，其他的外在介入，說實話大家都知道，是藥三分毒。只要入口的，美食都有毒。但是修煉就完全不一樣了。」

小男：「掌握了『術』，對道醫的治療有很大作用嗎？」

道長：「掌握一種技術相對容易很多，哪怕你們要學四柱，要學八卦，只要掌握公式就可以了。而高下之別，一定是因爲你通不通靈，是不是靈敏，感覺好。通靈就與巫有關。世醫只講究精氣學說，道醫講究的是精氣神的學說。世醫不需要練功，只需要掌握一種技能；而道醫要修煉，要有道行，外加種種術的掌握。這就是爲什麼中醫多，而道醫、尤其是好的道醫少。」

新人：「我還是……不是很明白。」

小男安慰：「情有可原，我們已經聊過很多了，你剛來，還接不上『地氣』。」

道長：「你看見他們辟穀的這幾位了吧？我們一般的常識，有病看醫生，用藥治病。這是容易的，基本上每個醫生都可以做到。但是用辟穀呢？先不說辟穀達到的作用非一般醫術能夠比擬，單說辟穀這種方式，就不是一般的醫生能夠做到的，一定要有相當修煉程度的道醫才能夠把握。像給無話不說降血糖，醫生用藥是簡單的，但是我們的治療方法是什麼藥也沒有用，是不是？你也就降下來了，然後這幾天才用一些中藥來調理。中藥在我們的治療中不是主治，而是輔助材料。我們道醫的主要治療方式是發功、通經絡，這些都不是一般的醫師能夠做到的。世醫會的東西，在道家醫學裡面都是容易的。世醫最早的藥學、最早的醫理，都是道文化的知識，是道家中比較容易掌握的東西。只要掌握技術，並不需要經過長時間的修煉。」

新人點頭：「那些需要長時間修煉、掌握的東西，正是因爲我們理解不了，所以就不會相信，也沒有機會去了解、相信。比方說他們幾個辟穀，這是我第一次正面、眞正接觸這個事情，以前聽到的、了解到的都是負面，或者說確實是虛假的。但是呢，我依然有疑問，因爲他們說開頂是你給他們發了功，使他們的腦袋上陷下去了一個坑，你們的說法是開了天門，開通了吸收天地精華的管道。像這樣的說法，一般人是不會相信的。」

道長笑：「對，會認爲是假的、騙人的。」

小男摸自己的頭頂：「我不經歷，我也不會相信。確實是。」

道長：「你現在在這裡，你自己看到了，他們這麼多天沒有吃任何東西，依然精神煥發，還下山去買東西。如果僅僅是不吃東西而沒有其他能量的輸入，依靠你們認爲的心理或者精神的作用，能夠做到這樣嗎？任何人都可以依靠自己巨大的精神、心理作用來嘗試一下，看餓不餓？會不會出事？一定會出事的。如果有人要嘗試，一定要有醫生，這不是開玩笑的。」

新人：「辟穀這個詞現在挺流行的，像一些佛教的寺廟啊，一些瑜伽的訓練啊，都有這個辟穀的內容……」

道長：「你知道的所謂很流行的辟穀，有90％都不是辟穀，嚴格地說，他們做的只是短期禁食，只是用了『辟穀』這個名字。禁食對身體也有好處，但是與辟穀不能夠相提並論。眞正的辟穀是不會餓的，只會饞，但是那些所謂的辟穀是有饑餓感的，他們禁食的同時還可以吃水果，有的甚至還喝稀粥。這和你看到的他們的經歷是一回事嗎？」

新人：「是不是任何一個人在您的指導下都可以辟穀？」

道長：「對我來講是。辟穀是一套功法，自己掌握這套功法，需要有兩三年時間的練習。如果一個從來沒有任何修煉的人要辟穀，就必須依靠我來打通他們的經絡，幫助他們開頂接受能量……」

雨聲越來越大，滴滴答答的聲音像我們沒完沒了的話題。如果天天都能夠這樣就好了，如果天天哪怕都有這樣一小段的時間就好了……

* * *

午飯之後，我在淅瀝的雨聲陪伴中，躺在房間沙發上看書。一個體驗著中國傳統道文化、辟穀了九天、瘦若一名中學生的人，躺在山中雨聲裡面，捧讀的是英國科學家寫的《時空的未來》。呵呵，美妙！

這是一本對於時空彎曲、時光旅遊的書，描寫未來，討論量子世界。我帶了不少這類「科學」的書籍，用來參照當下我的實踐與感受。書中有非常具體的、對於世界科學性的解釋，有很多以物理學的眼光和知識對我們身陷的這個世界的探討，也有文學幻想一般的「未來描繪」，人類的時空旅行，回到我們的過去，也去我們的未來……

書中有一句話深深打動我：「我們總是在錯誤中迷失。錯誤教會了我們認識自己，不但有我們未知的東西，也有我們知道、然而可能出錯的東西。」就像幾天前我同樣在這本書裡看到的另一句話：

「一個科學的特別是物理學的世紀正在結束」……

這是一本謙虛的科學書。就像我，是一個謙虛的當代人……呵呵！

15
把我的血糖管好

我不明白：「不眠夜怎麼了？弘道弘出什麼事了嗎？」

道長笑：「他就是為了弘道，吃多了蛋塔，血糖又高上去了，所以沒有辦法又回來，是不是，不眠夜？」

不眠夜倒是守規矩，兩點差幾分鐘，帶著調換了口味的人，呼呼啦啦回來了。進入練功房，他們彷彿修煉已深，轉眼間判若兩人，安定，垂目，細細長長地呼吸，貌似進入了「神光內守」的狀態。下午的練功開始了，站樁，導引術……之後，常月調理的日常調理。兩個多小時轉眼即逝。

在二樓的玻璃茶室，又與道長相會。

大家正嘻嘻哈哈，中心話題是不眠夜央求道長「把我的血糖管好……」

道長只是笑。

不眠夜：「……道長，你得管我，我都是為了弘道，這你能夠不管嗎？」

我不明白：「不眠夜怎麼了？弘道弘出什麼事了嗎？」

小男笑：「他找藉口，說是為了弘道，居然一天吃無數個蛋塔……呵呵，是嘴饞……」

不眠夜：「你看你！蛋塔還是有數的，一天沒有超過十個……哥們兒確實是為了弘道，看，哥們兒嘗試了道家的功法，辟穀二十一天，糖尿病好了，而且還是徹底好了！牛吧！可是那些人不相信，我有什麼辦法？我只能以身試法了，有道長在，我不相信有什麼是我不能夠做的……」

道長笑：「不要把我這麼抬出來……」

不眠夜：「必須的！有你保著我呢！我說，那給哥們兒買蛋塔去！這個糖尿病人不敢吃嗎？這是玩命啊！買了，吃了，沒事啊，那些人就服了！」

無話不說慢聲細語：「那你也不能每天為了不同的人而天天吃蛋塔啊！誰不知道蛋塔好吃，我是不是也可以為了弘道吃頓飽飯呢……」

大笑……

人馬座：「你％＆％你還沒有吃飽飯？你的盤子比我們的大多了……」

無話不說「我％＆％是一個盤子，你們是無數次隨意添加的小碗……」

小男笑：「那不眠夜你吃一次就得了，幹嘛吃個不停呢？」

不眠夜驚呼：「我～～靠！吃一次夠嗎?!你不知道不了解道文化的人是眾生的海洋嗎？哥們兒為了弘道，為了證明道醫的偉大，道文化的深刻無所不包，恨不能每分鐘都在吃蛋塔，證明給每個俗人看！你以為我容易嗎！」

小潔捅捅他：「蛋塔好吃嗎？」

不眠夜不由自主露出滿意的微笑：「那不用說！尤其是剛做好的，那叫一個香！哥們兒原以為這輩子永別這美味了！但是一天吃那麼多個，確實不是好吃的問題了，這是責任與信心！」

笑……

問：「你一天吃多少個？」

不眠夜自己也忍不住笑：「道長，我說實話，為了弘道，我一口氣吃過四個……」

大笑！

「你別以弘道為幌子了，呵呵……」

不眠夜嚴肅：「你看！你這麼說不對！這得多大的勇氣啊！這不是一般人能做的！相當於上刀山下火海了！是不是，道長？」

道長笑……

一人：「那你應該還在北京四處吃蛋塔啊，怎麼又來找道長了？」

道長笑：「他就是為了弘道，吃多了蛋塔，血糖又高上去了，所以沒有辦法又回來，是不是，不眠夜？」

不眠夜：「完全正確！道長，有你呢，我還會繼續弘道！」

無話不說：「我怎麼就沒有這好腦子呢！」

道長：「你現在血糖多少？」

不眠夜自己也不好意思地笑：「不瞞你說，道長，快十五了，哥們兒自己扛不住了……」笑！

「那你中午還率領大家去大吃大喝？也是為了弘道？」

不眠夜：「我都到這裡了，我怕啥了？有道長在，也為了你們謀口福啊！附近就有好吃的，我能不說嘛！」

道長笑，轉而漸漸嚴肅：「我交代你的事情全忘了吧？辟穀之後半年內是不能夠大吃大喝的，更不用說你一次吃四個蛋塔了，因為經過辟穀，你的身體得到了全面的淨化，回到你很久以前乾乾淨淨的身體，像小孩子，而你這麼不珍惜，是對身體的摧毀啊！如果你沒有辟穀，這麼狠吃，也許還有一個原有環境可以接納、抵禦；你現在回到從前，是很純潔、很弱小的身體，你這麼不愛惜，身體受到的損害是非常大的。」

不眠夜也漸漸嚴肅了，不住點頭：「是，看見血糖這麼高，哥們兒都睡不著了，這麼弘道得出人命了……」

善良的道長：「你弘道是一片好心，但是也不能夠這麼不顧自己……」

人馬座笑：「道長，你別聽他的，他就是饞，愛吃蛋塔，控制不住……」

道長：「我相信他也確實爲了給人證明他已經好了，連蛋塔都可以這麼吃了……」

不眠夜猛烈點頭：「對，道長，蛋塔是我吃的，意思絕對是這個意思，我絕沒有一個人自己吃過……」

小男：「那最大範圍就不用說了，最小範圍吃蛋塔，給幾個人弘道？」

不眠夜笑：「給我老婆。那是半夜，沒其他人了，我老婆非常頑固，死活不相信，當初還勸阻我上山，所以我有責任對她弘道，因爲現在我好了，爲了證明我確實很牛，我說，『給我拿個蛋塔去！』就半夜吃蛋塔給她弘道。自己人也得弘道，是不是，道長？她服了！」

笑……

無話不說嚴肅地：「道長，他這個例子非常不好，如果你允許，我爲了弘道可以做更多的事情。我白天下山弘道，晚上你給我證道。或者隔一天下一次山弘道……」

不眠夜阻止：「你不能這樣，我是認錯了，上山來找道長了，你這樣做是重蹈覆轍，是存心了……」

道長笑：「你說我是管你不管呢……看你的樣子，你也沒有好好練功。如果你每天有好好練功，血糖也不至於一個月不到就反彈到十五……」

不眠夜：「你當然得管我！我已經不是我了，我是弘道的一個有力證明！我確實沒有好好練功，一是太忙，（笑）弘道得到處跟他們說，那些人也不是閒人，拉我照樣打牌什麼的，我爲了弘道，證明能夠和正常俗人一樣生活，就把練功的時間擠沒了……」

道長笑：「我給你辟穀，告訴你這些道理，是爲了讓你照舊這麼不健康的生活嗎？那還不是不練功的問題，是你等於沒有上山來過，是一點作用都沒有啊……」

不眠夜：「道長，你千萬別生氣，我不是回來了嘛，就是我知道不對了！這次你再把我弄好，我給那些人做個榜樣，健康生活，時間到就睡覺，再不落他們的套了……不過還有一點，就是血糖十五了，哥們兒到現在也沒有吃過一絲、一丁點的藥，怎麼樣？不爲弘道，敢嗎？」

新人：「道長，藥眞的那麼不可取嗎？」

道長：「並不是。對於一個年老體弱的人來說，如果吃藥有效，那就吃藥。但是對於我們的身體而言，藥是最下品的東西，是你自身的生命體已經沒有能力依靠自己來救治自己了。像你們這麼年輕，身體的狀況好，完全可以依靠修煉達到健康的狀態，不要依靠藥物，所以並不是藥物一無所是。」

新人：「包括中藥？」

道長：「對。中醫、中藥，也都是出自道醫。像五行的觀念與用法，金木水火土，心肝脾胃腎，五藥入五性，意思是各種各樣的藥全部歸納爲金木水火土，然後講它的元精元氣等等學說，是道家在內修、外修的實踐過程中實驗出來的。中醫和西醫的最大區別是中醫講究整體觀，而整體觀念是道家的根本世界觀，這個認識就不侷限於人體的『整體觀』了，而是天人合一。」

不眠夜：「我就追求這個！我有這樣高度的境界，所以我不怕了……呵呵！」

道長：「道家《南華眞經》裡莊子說的，『天與人，一也』，這是最早對於天人合一一個比較完整的闡述，意思就是天和人是一個一致性的東西。那時我們還沒有什麼宇宙全息理論啊什麼的，莊子在那個時代，是獨與天地精髓相往來的，他遠不知道我們現在會透過全息理論來敘說宇宙萬物的關聯性。」

小男：「天與人是一體的意思？」

道長笑：「之前我們聊過。我再簡單說一下：天人合一在道家的理解中，首先應該是天人本一，如果說天人合一，天和人我們把它合在一起，說明它還是兩個東西才需要去合；而天人本一，指的是它們本來就是一個東西，無非這本來是一個東西的事物，從兩個方面去敘述它，天與人之間是可以相互感應的，這在另一個意義上又叫『天人相感』。」

亞女：「天和人，天那麼大，人這麼渺小，怎麼認為是一個東西呢？」

道長：「這就是現在人闡述的科學全息理論。從我們道家來說，就是天人合一，天人本一。經絡在我們人體內的巡行，我們叫周天；我們每天做的導引術，其實就是引導我們的氣在人體走了一個小周天。周天是中國人的一個概念。」

小男：「『周』是一周、一圈的意思嗎？」

道長：「周有幾個意思，一個是周流六虛的意思，它是流動的，是一個能量與時空的結合體，也可以說無量宇宙的意思。我們認為整個宇宙是一個大周天的概念，我們生命是一個小周天。在當今，宇宙周天和我們生命周天這個觀點已經被現在的全息說肯定了。」

小男：「怎麼肯定大周天與小周天的『合一』性呢？」

道長思忖：「除了修行之中我們自己難以言說的體驗，還有一些數字能夠借鑑。看我們的人體小周天。我們全身一共有三百六十五個穴位，對應了一年的三百六十五天；我們的身體有十二條經絡，對應了一年的十二個月；經絡的交匯，我們有任督二脈，一陰一陽，對應了一個白天、一個晚上；

在任督二脈上，一共有五十二個穴位，對應了一年的五十二週等等。我們的身體與地球、宇宙，與時間和空間，都是一致的。不要懷疑，這不是巧合，是擴大了的生命線，也是宇宙的縮影。在修煉中，透過了解人體自己，我們就能夠認識宇宙。這樣的一個眞理運行了幾千年，而其中的一小小部分才在目前被我們的科學全息理論證實。所以，天人本一。」

我：「既然天人本一，到了現在怎麼成爲天人合一了？」

＊＊＊

道長：「對於這個，儒、道兩家有自己不同的闡釋。在莊子的表述還是天人本一，結果這句話流入到『形而下爲之器』，讓後人感覺到好像它們是兩樣東西，卻有共同的一些性質，所以我們需要去合。『天人合一』有點像『存天理滅人欲』，是理學的一個修行功夫，是要使我們不斷地去修正自己，以使自己和天理相合。」

人馬座：「能不能夠說『天人合一』是儒家的學說、認爲？」

道長：「如果以朱熹文化來代表儒家的話，天人合一是今天我們看到的朱熹文化的實質，『存天理滅人欲』是它的一個根本意思。這個意思是透過天人的感應，以我們自己的生命行爲來修正。修身就是修正自己的行爲，以和天理相融合。所以如果這樣理解，認爲『人天合一』了，把它作爲我們修行的一種準則，那就意味完全不同了。而道家在這方面顯得非常奔放，非常自然，我們認爲人和天本來就是一回事，『天性人也，人性機也』，我們認爲天和人本來就是一回事，天和人本來就沒有分開……」

胖子調理完也來到了二樓，換小男去調理。

小男依依不捨：「道長，你要單獨給我補課啊……」

大家靜候道長接著說。

道長：「在我們（道家）的概念中，一就是一切，一切就是一，萬物都是一演化出來的，一代表了萬事萬物。而在宇宙萬物中，人是宇宙最智慧、最全息的一個細胞。我們已經代表了天的所有屬性，我們就是它最大的一個表現物，而好、壞、是、非、對、錯，是我們人自己生出來的一個主觀認知。」

不眠夜：「我靠！道長，你天天給他們講這麼深哪！我辟穀的時候可是孤家寡人一個，天天野人一樣漫山遍野地溜達，沒人搭理我！你說的這『天人本一』的天，是我們抬頭就能夠看到的天嗎？」

道長笑：「你說的是物理意義上的天，我說的天，是時、空和生命全息的一個總和。」

不眠夜：「在道家的認爲裡面，宇宙又是什麼呢？是我們現在平時說的宇宙嗎？」

道長：「上下左右謂之宇，古往今來謂之宙，它講方位，講屬性，同時也講時間、空間。我說的『天』，還包含了宇宙的原發，這個天，指的是天道。道是宇宙生命的原動力，是宇宙生命發展的原點，是宇宙生命的本來面目。中國的文化就是圍繞著這個產生出來的。人和天的相互對待關係，分別就是儒、釋、道三家的用世之法和用世的入腳處。在這裡面，道家所謂的天人合一，實際上是道家把握了它本身的天人本一。」

新人：「這麼說來，其實中國傳統文化對我們今天的影響，一直都非常大。」

道長：「對，像我們今天說的以德治國，和諧社會，天人合一，這些都有五千年中華道文化源泉。爲什麼我們政府在今天會提出『和諧社會』？因爲中國的文化就是和文化，而道文化已經成爲中華民族文化的一個根基。道家是很平和、很包容的，只有中國的道教能夠做到把孔子像、釋迦牟尼像搬到道教的殿堂裡面來，只有道教提出了三教合一。

新人：「我們中國人古代的智慧、文化和當今文明、科技的發展，不應該有衝突吧？」

道長：「本質上就是不衝突的，應該說當今的文明和科技的發展正越來越意識到中國幾千年前智慧的偉大。不認可的通常都是因爲不了解。」

不眠夜：「道長，別說我抬槓啊，別一會兒我說完了不給我調理血糖了……呵呵，我小人之心，小人之心，道長不會和我們一般見識……我想知道，怎麼『當今文明和科技的發展正越來越意識到中國幾千年前智慧的偉大』？我覺得是科學越來越發展，和我們那些古來的、看似有些迷信——我是這麼說，除了迷信找不到其他辭彙代替了——的遺傳，沒有什麼特別的關係啊，比如你給我們辟穀，那就是辟穀，和科學的發展沒有關係。」

道長：「我只能簡單地、籠統地說了。你們看，現在控制論的黑箱原理，正好可以把我們的道醫治病原理翻譯過去；當今的系統論、資訊理論，還有泛系理論，又正好可以把我們的內運動翻譯過去；量子力學、質能互換的定律，還有混沌論，正好又能夠把我們對宇宙、對生命的描述翻譯過去。當他們能夠把我們的這些東西翻譯過去的時候，他們覺得他們追尋已久的、剛剛開始用能量來描述生命狀況的能量醫學，原來早在四千多年以前中國已經有了成型的體系。你沒有來的這幾天，我們討論過，目前西醫沿用的還是牛頓力學的知識。用量子醫學，上個世紀成型的科學來植入醫學體系，他們才剛剛開始，而在中國已經非常成型了。我並不貶低西醫，西醫在結構上的研究是非常偉大的，因爲它解決了很多的問題。但是西醫現在的水準只能在生命醫學的水準上，只能從結構上和物質上接觸生命狀態，把人推進到細胞的程度上、分子的程度上去認知，無法進入人體醫學的模式，無法從實驗中把人體和動物分開。中國在四千多年前就建立了光輝的人體醫學模式，三個字就解決了：精、氣、神。我們『精』之中的形，就是目前西醫在研究的層面，從結構上去把握和認識生命狀態。」

不眠夜：「你不讓我吃藥，我就不吃藥。但是藥確實是沒用的，或者說是反而起到壞作用的東西嗎？這個我眞的一點都不明白。」

道長笑：「你看，我們其實一直在糾纏這些問題，但是値得再說。我反覆和他們都講過了，現在的醫學都是透過兩種管道，透過化學的和物理的方式來介入我們的生命、改變生命的狀態。而我們不是，我們是把握了生命內在的狀態，靠內在的狀況來調整我們的生命。就像我所有的功夫都是內練出來的。從治病這個角度，西醫、中醫，和我們的目的都是一樣的，都是爲了將一個人由疾病狀態向健康狀態轉移。西醫借助的是外力，用外在的東西介入我們的身體。而我們是透過內在，這是我們最大的不同。我們的透過內在，即是太極醫學的奠基之座。並且，我們更加提倡的是『不治已病，治未病』，即是『生命在於滋養』的傳統中國人的概念。」

胖子：「道長，我也有疑問了，一方面，道家講究你剛才說的『不治已病，治未病』，推行『生命在於滋養』，一方面又強調『病是緣分』，我對於後者的理解是，我們的生命，好像只有在極限狀態才能夠找到新的突破？」

道長：「兩者並不矛盾。但是一般來說，常規的東西力量太大了，無論是對生命的認識、生活的觀念，還是生活的習慣、知識的認知等等，人大多只有在極端的、無可奈何的情境之下，才有可能『病急亂投醫』，什麼都願意去了解，願意去相信。那麼從這樣一個極端的角度來理解，病就是緣分。我們日常生活在各種觀念、各種態度之中，實際上已經受到很多習慣、『常識』的影響，有很多的習慣思維、慣性行爲，我們自己也說不出這些習慣和常規是何時開始駐長在我們內心的，是從哪裡來的，但是我們無論做什麼都是受這些習慣、觀念、認爲的影響。當我們依照慣性處理各種生命的現象，生活的平緩、湍急，我們甚至都不會去想，『爲什麼我會這麼說、這麼認爲？』『爲什麼我這麼做？』好像本來就應該這樣。這『本來就應該』，實際上就是我們一個很大的誤區。

「治病用藥很正常，但是我要讓你們知道的是道家對人的認識：人是可以不吃藥的，因爲我反覆說了，最好的藥是你們自己。」

新人：「有沒有人聽了你說的這些，還是依然無動於衷，還是不相信？」

道長：「需要他親自經歷過一些什麼，才具有眞正的說服力。但是完全無動於衷的人還是少，將信將疑的更多。我的使命，就是以我的知識、經歷和修行，讓更多的人能夠盡量地了解。讓我非常感動的一次是我在德國講學，也教他們練習這種功夫，在翻譯的幫助下，盡量跟他們講一些我們中國傳統文化的認知。

「有一天我教功教到中途，突然有人來接我，要我去處理一件急事。大家練功練到了一半，翻譯也要和我一起去。沒有辦法，我只好選了其中一個略微練過這個功的德國人來爲大家帶功。我出去了將近半個小時，當我回來推開門的時候，一瞬間我自己都驚住了，一屋子的人，都是金髮碧眼的外國人，在兩個也是金髮碧眼的外國人的帶領下，喊著德語的口令，認眞練習著我們中國人的功夫。我聽不懂他們的口令，但是從動作上我知道這是我們的導引術。那一瞬間太具有衝擊力了。我想起我師父最大的心願就是要把中國的道教文化帶到全世界去，走向全球。這麼多年我經常在海外講學，但都是我教外國人練功，或者我的學生帶領他們練功，都是我們中國人的中國語言口令，而在那一瞬間，是德國人在教德國人，我們的道文化好像眞的已經國際化了，我一時感動得熱淚盈眶。德國人和英國人是歐洲最保守的人，他們是很理性的，如果我傳播的知識不足以打動他們，他們依照我所說，在練習的東西對他們沒有一點眞正好的感受，他們不可能依照我說的做，不可能花費這麼多時間來『試試』。他們更喜歡去野外，泡咖啡館、酒吧，去健身。而當時和我們一起練功的好幾位，都是德國的醫學博士。那眞是不可想像的。我並不驚訝於這些掌握了當代科學知識的醫學博士們也認可我們東方的智慧，我震驚的是我們這麼古老、傳統的文化終於傳播到了這些金髮碧眼的人中間。」

我再次重複：「愛因斯坦說過，人們對這個世界的看法和認爲一般形成於他八歲之前的成見。能夠打破西方人的成見，接受中國傳統文化，很不容易……」

無話不說笑容滿面地回來。大家都專注在聽道長的話，沒有意識到他什麼時候離開的。

無話不說：「我重慶的朋友送來測試血糖的東西，我測了，不錯啊！」

道長呵呵笑：「看到了嗎？這就是積習，無論如何都是難以改變的，他就是相信測試，而不相信自己的感受。如果測試的數據表明他現在的血糖也是十五，他還會笑著進來嗎？」

不眠夜：「多少啊？」

無話不說很輕的聲音：「也就不到七吧。」

不眠夜做昏倒狀：「我靠！你還天天什麼都吃！道長，道長，你看他還沒有辟穀，而且什麼都吃，居然都正常了，你快給我也弄弄……」

大家笑：「什麼叫弄弄？你都辟穀了，這麼大動作了都……」

無話不說：「關鍵是，我不以吃蛋塔的名義弘道。我也頂多就是多吃塊魚什麼的，還被生的偉大逼迫得半死。道長，六、七以內都算正常吧？」

道長：「對於你，相當不錯了。現在不憂慮了吧？」

無話不說：「牛！沒的說！哈哈！」

大家笑：「聽口氣好像完全是自己的本事啊……」

無話不說：「我也不是一點功勞都沒有，我認眞練功了啊，細嚼慢嚥了啊，是不是，道長？按照現代醫學的說法，我認眞配合了，病人的配合是相~當重要的！哈哈！」

必須要記錄一下晚飯的菜式。有多久麻木於每日三見的餐餐飯了？有多久麻木於生活中隨處都在的可見、可聞、可觸、可嚐，可日日相見的風、花、雪、月，生命時時依靠的日、月、天、地了？我感覺有很多時候，我們感受生活，生命的皮膚、感官，像是結了厚厚的痂，也像一塊「沒有知覺」的木頭一般，在人海歲月之中木楞楞飄浮、跌宕，以結痂的硬硬外殼，自傷、傷人，辜負了自然造化。

SO，晚飯的菜是：紅豔豔的麻婆豆腐，臘肉炒青椒，紅燒帶魚，清炒空心菜，蒜蓉西蘭花，蒸臘肉，蘿蔔小排骨，還有魚頭青菜湯。

生活的美麗圖卷！在這張飯桌上，日日餐餐地徐徐展開，沖刷視覺與內心習以爲常的熟視無睹，帶回記憶之中最早、最新鮮的欣喜與盼望……

16
睡仙功

道長：「練習睡仙功對於無話不說這樣的人來講是最簡單、最划算的，你們看他是在睡覺吧，實際上他既睡覺了，也練功了，睡了八個小時，醒過來一收功，就是練功了八個小時。」

晚上八點，練功室。

大家尋找到自己習慣的鋪墊，依次坐下，準備展開一天中最熱鬧、最豐富的集中討論。

道長剛落座，一人：「道長，我一直想問，我們每天練習的站樁，你們給我們治病發的功，我們練的氣，屬於氣功嗎？」

道長問大家：「那今晚我們就以提問的方式回答你們的疑問，大家同意嗎？」

大家：「你講也行，回答也行，反正我們都想知道……」

一人：「最好回答完以後再按照道長你準備的講講……」

大家笑，立刻聲援這樣更好。

道長笑：「那我回答完你們的疑問之後，有時間的話，我盡量再多講一些。

「你提問的這個『我們使用的、練習的，是不是氣功』的問題，應該說困擾了很多人。到現在都常常有人以爲『我們一直練的是道家的氣功』，你們是不是也有這樣認爲？」

有人說是，有人說不是。大部分沉默著，大約都是我這般對氣功並不了解的人。

道長：「道家的養生、功法，和十多年前流行的氣功有很大的區別。所以我願意今天既然有人提問了，就先解答這個問題，這些問題弄不清楚的話，第一，我們不好掌握我們學到的東西；第二，我們無法給自己定位，無法區分其他傳統的東西。你們怎麼看待呢？」

無話不說：「都是在練氣啊，我一直認爲，這不說是氣功，起碼與氣功相關。難道氣功還都不是一回事？」

道長微笑：「我們應該先講講養生和氣功的異同。道家的養生是生命的生，不是身體的身，這個我們剛來的時候就講過了。很多人很容易把身體的健康和養生攪和在一起。氣功和養生是有很大區別的，氣功基本上追求的是身體的健康，道家的養生功，是道家對於生命的修煉，這個修煉的歷史準確地說有將近五千年了。依照道曆計算，今年（二〇〇五年）是道曆四七〇二年。」

小男：「對不起，先打斷一下。道曆是怎麼回事？道曆是農曆嗎？」

道長：「不是。道曆是道教的曆法，今年的農曆才兩千多年，全世界通用的西曆是二〇〇五年，而今年的道曆是四七〇二年。爲什麼要說到道曆呢？因爲它記錄了與我們生命修行相關的漫長歷史。你們知道氣功有多少年的歷史嗎？」

一人：「不知道。」

另一人：「也是四千七百多年了吧？」

道長：「氣功只有四十多年的歷史。中國的歷史上根本沒有『氣功』這種說法。氣功是在中國很特殊的一個狀態下出現的現象。」

無話不說：「那小刀會、義和團他們也不是氣功？」

道長：「不是，他們叫神拳。在中國歷史上有修道、靜坐、吐納、導引、調攝，還有修身練養或者煉丹，很多很多的名字，但就是沒有氣功。最早出現關於氣的記載，是『上古之人，以氣予人，謂之布氣』……這是第一次把氣這個字與功連在一起，但是都沒有叫氣功。」

小男：「我以爲氣功也是一件歷史悠久的事情呢……」

道長：「不是。『氣功』這個名字，還是建國後郭林他們叫起來的。郭林爲什麼會把中國傳統的練養方法叫做氣功，與當時的歷史狀況有關。新中國成立以後有過無數場的政治運動，其中有『破四舊』與『文化大革命』，在一種非常特殊與極端的狀態下，將傳統文化中極有價值的東西與一些封建迷信通通掃除了。而當時西方的醫學也沒有及時地在中國大地遍及，所以那個時期還有『赤腳醫生』，大家記得嗎？

「中國人歷來是注重『養生』的，這個事無論歷史上發生怎樣的變革、動盪，老百姓也是自己一定會做的事情——關於滋養生命還有其他的話題，待會兒再講。而我們的道文化中分明有留傳了幾千年的、很多傳統的養生方法可以用，可以提升大家的身體素質，但是因爲破四舊，因爲文革，這些東西就沒有人敢去碰了。在這種情況下，像郭林這樣的人就想了一個辦法，在道家修養的技術中，把理和法去掉不要了，把原來修煉的技術方面的東西拿出來，新取了一個名字，就叫氣功。當時還叫新氣功，表明這是新的東西，和那些舊的沒有什麼關係了，改換名字『革命』了。」

人馬座：「確實，我們都不知道這個來由。那氣功到底是什麼意思呢？」

道長：「氣功的氣，指的是生命的潛能，功是指調動這個潛能的技術、方法，就是說用一種技術或方法來訓練開發生命的潛能。氣功的名字就是這麼來的。氣功產生了之後，中國就出現了空前多的氣功師。我在馬來西亞講課，發現那裡也有很多人都在練氣功。我說這很奇怪，就跟他們講氣功在中國的出現，是傳統文化，特別是傳統養生文化，在當時的社會中，正常傳承被隔斷了，所出現的一種變了形態的表現形式。因爲正常的傳統文化在破四舊、文革之時無法出現，氣功這種東西完全是因爲不得已，在那個歷史時期裡面被逼得創造出來了。中國如果沒有那段歷史時期，傳統的道文化養生技術能夠正常傳承下來的話，絕對不會有變形爲『氣功』這種東西。它屬於是我們傳統文化的變相延續。」

無話不說：「那氣功師不好嗎？」

道長：「不能夠這麼簡單地來說。氣功的出現對當時的中國有積極的一面，同時也有消極的一面。因爲這個氣功是我們道教的精、氣、神三個層面之一，在理、法、術的修煉中，它只是術，而脫離了理和法，這就逼得那些氣功師們要去創理、創法。」

小男：「非『創』不可嗎？自己練練，覺得好不就行了嗎？」

道長：「不是這樣的，一般說氣功練到了一定程度，強健身體就可以了，但是因爲沒有傳統的『理』的支撐，如果再往前面鍛鍊，這個氣會怎麼樣，他們就摸不著方向了，就會出現大家都知道的『走火入魔』的狀況。而在道教的養生體系中，修煉的方向一直是很清楚的，它是道教生命轉換形式的一個步驟，一步一步的。首先是身體健康，之後逐漸地脫離我們身體的物質狀況，練精而化氣，練氣化神……一步一步地轉化。所以這個氣在道教是很明確的，但是氣功不是，因此練到後來，身體確實是練好了，但是繼續還要練下去，他就只能自己編了，編一些道理出來，就會出現很多的胡說八道。所以氣功大師很多，但是他們都不知將要怎麼辦。他們脫離了一個嚴格的整體體系，這個體系是中國的儒、釋、道組成的中國傳統文化，絕對不是憑一個人、一個氣功師的智慧能夠整理得起來的。中國的傳統文化博大精深，那是有多少仁人義士啊，老子，之後是莊子……有多少人在那裡蓄積，我們可以翻查一下歷史。憑現代的一個個體的人，因爲了解了一點東西而去編，能編多少？所以氣功即便有『理』，也是錯漏百出，因此氣功是很容易出問題的。」

不眠夜：「我見過走火入魔的，成爲一個瘋子了……」

道長：「很多古老的功法在現代的使用，對傳統技術進行了改良和編造，重新創編變了這些功法，實際上沒有經過多少年、多少人的檢驗。就以西藥舉例，在西方如果要出一個新藥的話，會經過很嚴格的過程，如果沒有上億的投入，沒有多少年的臨床，沒有無數白老鼠的實驗，沒有經過相當長的時間，是不會有一個新藥上市的。所以現在『流行』的東西，其實都是值得質疑的，因爲它沒有經歷時光與一代代人的檢驗。我們道家的修煉是經歷了無數代人，四千多年的歷史啊！而很多功法都會出現很多的問題，就是因爲它把傳統的東西改變了，改變之後，就像吃了新製的藥一樣，它的副作用要幾年、甚至十幾年之後才會知道。練功也是，這個氣練了以後會不會岔氣、亂神，那要幾十年才知道。」

小男：「道長，我們練的道家養生功，就絕不會出現後遺症嗎？」

道長笑：「當然不會。因爲我們這些功法經歷了幾千年的傳承，是一個經驗，而不是嘗試。幾千年的道教傳承中，如果說在唐朝有人練功出了什麼問題，那麼宋朝就改變過來了；宋朝出的問題，明朝又改變過來了，幾千年的傳承，該出現的問題都出現了，該修改的地方都修改了，各種各樣該出差錯的現象，早就打磨了。」

無話不說：「硬氣功又是什麼意思呢？」

道長：「這些都是新發明的名稱，其實都是道家武術功法中的東西。在氣功名稱很響亮的時候，就把我們用來健身養生的叫做軟氣功，把用來輔助技擊的叫做硬氣功。」

一人：「所有人都能夠練出來嗎？」

道長：「對。我們的身體蘊藏著無限的能力，是我們自己不知道罷了。」

小男有點抓耳撓頭：「我們自己啥也不知道啊？我們自己的身體眞的藏有那麼多的本事、能量和力量嗎？」

道長：「是啊，我們的生命是具有巨大潛能的。」

新人：「道長，那種外功，所謂硬功夫，你練過嗎？」

道長：「練過啊，在我很小的時候就開始練了，我們必須要內外兼修。」

小男：「那些硬功夫……現在你們還有比武嗎？」

道長點頭：「這又聯繫到了另外一個話題。先說這個，今年春節，我們在縉雲山以民間的方式發起了一次武術的盛會。」

無話不說：「說實話，道長，你不要生氣，我覺得中國武術比比劃劃的，花拳繡腿，本來就很像表演，還不如硬氣功呢……」

道長：「所以我說這就聯繫到了另外的一個話題。今年春節我們縉雲山的比武相聚，同時也是爲了討論中國武術的前途問題。我們意識到的中國武術正受到很深的傷害，傷害到了像你說的這種誤解。直白地說，可以講中國的武術已經遭到活生生地扼殺。」

道長神情沉重。

道長很少動用這般生猛的用詞，很少這般凝重神色。大家完全沒有料想到，屏聲靜氣期待下文。

道長：「中國的武術怎麼可能是『表演一樣的花拳繡腿』呢？我們中國的武術是非常了不起的中國功夫啊！我很想把我們的武術再一次地弘揚，但是中國的功夫也全部面臨扼殺，這是我很大的焦慮。」

無話不說有些猶豫，但還是說了：「道長，可能我用詞不當，但是也不至於中國的武術遭到扼殺，電視上經常都有表演啊。我希望的是，電視轉播的時候來點眞的中國功夫，別都是表演。現在連硬氣功、拍磚什麼的，都成了表演，人家在磚上做手腳了……」

道長：「我們不說魔術。但是你說的表演，正是我們的焦慮和擔憂。在世界性的搏擊賽事中，中國傳統武術連正式的比賽都參加不了。這個不是我們的問題——你聽我說下去，爲什麼我們極其優秀的、悠久的傳統武術，竟然只剩下表演了？我們中國的武術是非常具有我們自己文化傳統意義的。」

無話不說：「這麼說還是虛了。傳統意義與世界性的賽事是兩碼事，比賽是眞功夫……」

新人：「我們也有加入比賽，有散打啊什麼的……」

道長：「你們說的都對，而我們做的傻事情，就是沒有爲我們這個泱泱大國制定出一套屬於我們自己的比賽規則。」

大家有些不知所云，頭腦隨著道長的話頭在轉……

道長：「目前的比賽規則是完全仿照外國西方人的做法制定的，這就把我們的武術給毀了。比如拳擊比賽，西方人制定的規則是以擊拳的點數來確定勝、敗者標準，如果我打了你二十個點，而你才打了我十幾個點，那麼我就贏了。是不是這樣？但是在中國的傳統功夫中，像金鐘罩、鐵布衫等抗打的功夫，本來就是要讓你來打我，在誘使你進攻我的時候，一下子把你打倒，那麼計算點數，這個拳法就只有自取滅亡了。還有你們剛才說的散打，目前世界性的散打比賽，最大的問題，應該說規則，是每個散打的人被戴上了拳套，這就意味著，凡是點穴，凡是鷹爪、猴拳、鴨拳、蛇拳、虎拳、螳螂拳、八卦掌等等，所有這些手上有象形動作的拳種，我們中國人的擅長，都沒有用了，都必將含恨退出歷史舞台。所以我說，我們的中國功夫大部分是被我們制定的比賽規則活生生地扼殺了。」

大家瞬間沸騰了——

人馬座：「對啊，有地躺拳，專靠故意躺到地上攻擊對方下盤的，那按照比賽規則就是倒地為輸了！中國的武術不能打！」

道長：「確實是這樣，地躺拳在中國是很大的一個門派，這種拳的特點就是透過倒身滾下去來進攻對方。而現在的比賽規定，你只要身體一沾地就輸了。中國的武術有很多是象形拳，就是模仿動物的，一戴上拳套，怎麼象形呢？中國的武術是一個很了不起的東西，但是當前的現狀就是幾乎全部都被約束了，所以如你所述，弄得像個舞蹈、像體操了。更糟糕的情況是，由於沒有主管道的弘揚與認可，加之後繼乏人，每年都有一些傳承幾百年的民間拳種永遠地告別了歷史舞台。我們什麼時候才能不去重蹈與韓國爭奪『端午祭』的覆轍，關心一下自己本民族的優秀文化？如果我們再不趕快針對傳統武術的特點，重新設置比賽規則，為它的生存培養新人，很快又會有幾十個傳統拳種滅絕。沒有傳人了啊！現在的傳統武術選手不要說進體委，連專業運動員都當不了。這樣再過二十年，中國有沒有眞正意義上的傳統武術就難說了……」

沸騰……沉默……沸騰……

話題到此，皆憂心忡忡。

道長：「我們一起為這項中國傳統文化的運動專案——中國的武術，共同努力贏得今後世界的一席之地，並且希望能夠發揚光大，重新造福於人。這不是我個人的能力能夠達到的，希望每一個中國人爲傳統文化在世界的弘揚，盡心盡力！」

無話不說：「不知不爲罪，現在知道了，我回北京就行動。咱們國家體委有人（呵呵，無話不說非常仗義的表情與手勢），咱們可以建議，可以提議，如何在政策上面，從國家角度扶持一下……」

一時大家群心激昂，紛紛是「應該怎麼怎麼著」和「咱們哪裡有人」的表述，踴躍以杯水之力試圖推動大江滔滔之勢。話說回來，再大的江河湖海，又是哪一滴可以不被小水杯盛起的呢？

呵呵，善心可嘉！

＊　＊　＊

漣漪漸漸平穩。小男：「道長，你剛才說『關於滋養生命還有其他的話題』，還有時間說一下嗎？很想知道。」

道長：「這個話題……我們留在明天晚上說好嗎？因爲這個問題除了探討我們都以爲非常正確、非常了解之『運動』的實際概念與差別，還會涉及我們中國人的養生態度，以及理、法、術的各個層面。今天我們討論了道家的養生功法，與你們一直分不清楚的氣功的差別，反過來我想知道：你們練功的狀況怎麼樣？無話不說，你下午不是說你練功非常勤奮嗎？『認眞配合了』，呵呵，你一天練幾遍功？按照我們對你的要求，你應該一天練習三遍樁功，外加導引術、打坐等等，你應該忙得都沒有時間露面，可是我爲什麼隨時隨地都能夠看見你呢？」

大家笑……

無話不說坐在原地力圖保持鎭定。但是他情不自禁晃動起來的圓圓的身體，暴露了他的自知的理虧……

無話不說：「道長，你說得很對。我也是盡力努力了。你教給我們的功是很好，就是，每天哪有這麼多時間練啊！我還琢磨呢，如果我這裡太投入了，明兒回北京連練一遍的時間都沒有了，這個反差是不是太大了？會不會導致我身體的混亂？所以我現在就開始適應著，假使我現在是在北京……」

無話不說講得像模像樣，彷彿有情有理。大家笑：「還有這樣強詞奪理的……」

無話不說：「那我也比不眠夜強，我這一遍功，也是保質保量，分秒不差的，有時候還故意多站一會兒（大家笑），這不容易，你們能夠主動多站一會兒嗎？我練一遍功，前前後後加起來不少於三十分鐘，像不眠夜，一項不落地做完，還不到十五分鐘……」

大家笑……

不眠夜：「哎，你不能和我比，我這十幾分鐘專注的程度不一樣。道長說了，人如果能夠做到深度睡眠的話，一夜頂多兩個半小時就夠了。我這屬於深度睡眠，你那是迷迷瞪瞪八個小時都不保證品質……」

道長笑：「都這麼振振有詞，還以我的話來證明你們都沒有做錯……呵呵，你們的才華用來弘道，一定比我強。練功專注，保證時間，肯定比隨隨便便地做一遍要有效得多。但是，無話不說講回到山下可能更加沒有時間練功，基本上也算是我的一種擔憂，這也是我現在想要告訴你們的：如果真的沒有時間練功，睡覺也是可以練功的……」

一時大家驚喜萬分。都知道站樁好，導引術好，但是人性中趨舒避苦的懶惰，不能夠刻苦自己、期望在最簡單中能夠「一舉兩得」的便宜心理，即便是在知道「絕對好」的情境下，也是不可抑制地傾向較少付出，「順便得到（道）」。這點可愛的小心思，清晰明白地呈現在大家的眼神裡，似乎把練功房都照亮了！大家心知肚明自己的平凡，呵呵笑起來……

道長也笑：「這總比你們找了無數的理由——也可能真的是現實——什麼功也不練的好吧！」

大家紛紛贊同：「對……」

道長笑：「這套功法叫睡仙功。呵呵，看你們，知道睡覺也可以練功就這麼高興，你們練功就像小學生做家庭作業，好像是給老師在做——」

大家笑！

道長：「練習睡仙功對於無話不說這樣的人來講是最簡單、最划算的，你們看他是在睡覺吧，實際上他既睡覺了，也練功了，睡了八個小時，醒過來一收功，就是練功了八個小時。」

無話不說很難得地笑彎了眼睛：「這太好了，快跟我仔細說說！主要是跟我說，你們順便也聽聽……」

道長：「睡功有兩類，一類是幫助我們睡眠的，另一類是在幫助我們睡覺的過程中增長功力的。今天我們要講的是後一類，就是在幫助我們睡眠的過程中增長功力的方法。目的也很簡單，我們有了功力之後，睡眠才會更好。」

不眠夜輕聲感慨：「我靠！道長今天才說！早知道我天天都練睡功了……」

道長：「睡仙功的修煉中最有名氣的，是我們的陳摶老祖。傳說中有他兩三個出生的地方，而其中最可靠的是在重慶。陳摶老祖在中國歷史上影響很大，他對道教的煉丹理論形成起到了重要的作用。他首創了無極圖，是太極圖的奠基人，許多當時有名的大儒、預測的名師，都是從他的門下出來的。作爲一代始祖，他發明了睡功，就是我們現在說的睡仙功。

「這個功的姿勢非常簡單，但是你們誰來和我配合，做一下示範？無話不說你來吧，讓最熱心睡仙功的人來幫助我們示範一下。」

無話不說的快速反應，一定耗費在了「就地」琢磨「此示範得當不得當」，不眠夜已經猶如迅雷不及掩耳之勢舉手的同時站起，同時表態，同時已經走到眾人之前，同時躺下：

「道長，這樣的事情我來，我有這樣的責任……辟穀也是我先來，我非常願意爲大家做白老鼠。你看我這樣躺對嗎？」

道長笑：「很好，你這樣不動是對的。大家看到他這個姿勢了嗎？非常錯誤！」

大家哄笑。

一人笑：「你這是永垂不朽，不是睡功……」

不眠夜手腳亂動，在地板上不知怎麼調整，不知如何是「對」。

道長：「首先，要把左手左腳分別放在右手右腳的上面，女性是反過來，把右邊的手和腳放到左邊的手和腳上面。」

不眠夜的左右手腳得令飛快搗騰。一陣手忙腳亂之中，看出他對於左與右的概念模糊。最終，左右分清，手腳擺定。

道長：「對了，這樣，然後手的大拇指和小指對頂相交，其他的手指自然交叉，雙手放在小腹丹田處。舌抵上顎，呼吸自然放鬆，頭正身直，全身放鬆。注意，建議不用枕頭，尤其是有頸椎病的人，不用枕頭對頸椎的恢復有更多的好處。不習慣的人，有血壓病的人，建議用低矮的枕頭。之後，整個人要按照三線放鬆法，透過意念：第一從我們的頭部開始，頭部、面部、頸部、胸部、腹部、大腿、小腿，一直到腳尖；第二再從另外一側，從頭頂到太陽穴，到頸部的兩側，到兩肩、上臂、前臂、十指，一層一層地放鬆。吸氣的時候想到頭部的放鬆，呼氣的時候想到頭部入靜，然後面部放鬆，面部入靜，頸部放鬆，頸部入靜……一層一層下來；第三是從頭頂開始，先後腦勺，後頸、背、腰、臀部、大腿、小腿，再到腳底的湧泉穴——湧泉穴在腳底的正中。這樣，三線放鬆之後，加上我們的意念，這個意念就是：在吸氣的時候，想到我是身處在大的宇宙之中，宇宙的精華眞氣，源源不斷地吸入到我們的身體裡面；在呼氣的時候，深深地沉向我們的丹田。吸氣收入身體，呼氣沉入丹田，我們人體就像一個接收器一樣，這樣連續一呼一吸三十六次。」

道長停下，觀察不眠夜。不眠夜如道長所說，深深、細長地呼吸著……

道長：「一般的人沒做幾下就睡著了……」

無話不說：「那怎麼辦？還沒有做到三十六下就睡了，這功是不是就白做了？」

道長：「沒有關係，需要的就是讓你自然地睡著，想怎麼睡就怎麼睡。大部分人，包括爲失眠苦苦無奈的人，都做不到呼吸三十六次。睡著是對的了，千萬不能說是白做了，自責自己『怎麼搞的，睡著了』，就這樣做著做著睡著了，我們也是在做著功，因爲它已經進入我們的潛意識、潛功能狀態了。早上或者中午午睡醒來的時候，記得千萬別忘了收功。這個過程，你睡了多少個小時，你就已經練了多少個小時的功了，收功很重要。」

小潔：「但是睡著的時候，再潛意識我也不知道自己是在練功態，早就睡得亂七八糟了！」

道長：「沒有關係的，不需要你知道，你就是從床上睡到地上也沒有關係，怎麼睡都沒有關係。你們見到過有些孩子一開始好好睡著覺，忽然半夜跌到了床下，還是沒事呼呼大睡的嗎？有經驗的父母不會驚醒孩子，悄悄把孩子抱上床，反而一點事都沒有，如果忽然把他叫醒，他會非常疼痛。人醒著的時候哪怕是個孩子，只是從床上掉到地上，也會輕的摔痛，重的摔壞。這說明我們其實是很不了解自己的身體和狀態。這就是在潛意識狀態下的一種正常狀態。」

小男：「如果我中間醒了一下之後，又繼續睡了呢？」

道長：「那就繼續睡，沒有關係。關鍵是徹底醒來的時候別忘了收功，這才能對身體有幫助，因爲這樣會讓我們的身體回到氣血中去。而且今天收了功，明天再練的時候，自己就會在今天練功的基礎上，又往前進了一節，就不會往回退了。我們每收一次功，就上一個台階，再練一次，又上一個台

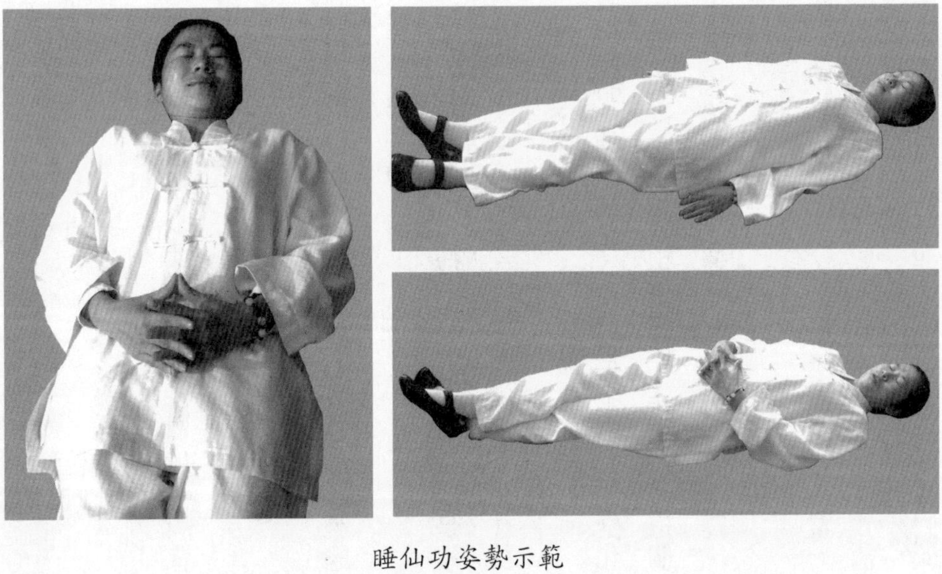

睡仙功姿勢示範

階。」

此時，道長腳邊的地上，傳來一陣低低的呼嚕聲。不眠夜——

大家愣了一下，哄然而笑……

道長笑：「說明他很認眞地聽了我的話，練睡功了。我說過，在每一種功法、每一種『術』的背後，都有它的理和法。那麼針對睡功而言，其後面的理和法是什麼呢？」

大家內心躑躅，似乎有感受，又似乎不明白，喃喃不知如何表達。

小男：「我覺得人在睡著的時候還可以練功，這個睡覺是很自然的，自然就是道？人跟自然是……和諧的，即使……即使，你睡覺的時候也是可以……」

道長：「對，你說得眞好，這是我沒有想到的。理法術，是以前古人很成型的一個東西，但是沒有能夠傳到現在。我們現在的人看待一件事情，都不能夠從這三個方面去深刻地看待和思考，往往都停留在表面，從我們個體的自我得失去考慮，爲表象所迷惑、所忙碌了。

「『理法術』不僅是我們看待一個功法，也是我們看待所有的傳統文化，看待世界上所有的文化現象，乃至看待所有事物的準則。理法術的三個層面，分別代表了事物的根本規律和我們切入這個事物根本規律、顯現在這個時代的基本方法，以及具體地實現這個方法、運行的目的所做的手段。那麼回到我們剛剛知道的這個睡功，它的理法術是什麼？」

大家聽得全神貫注，不知不覺，津津有味，如薰如醉。文化的灌溉，讓久久忙碌、枯燥、蓬塵一般的心，猶如荒田遭逢了春雨，勃勃春又生了……

道長：「首先我們要了解，爲什麼要練睡功？從理上講，這是萬物的道理，睡功就是幫助我們去睡眠的一種功法，直接的解釋就是這樣。睡功幫助我們的睡眠，從睡眠品質到睡眠的各種狀態，都處於一種最佳的效果。像不眠夜，因爲了解，運用了這套功法，而從此夜裡就能夠深深入眠。

「人爲什麼要睡？『睡』在宇宙中所表現的意義是什麼？像以拳闡道，睡的道理是什麼呢？」靜默。我相信絕對沒有一個人會認眞地想「人爲什麼要睡？睡的道理是什麼？」包括失眠的人。我們習慣太多太多各種深入到我們生命之中的現象了……

道長：「在我們的『大道至理』中，宇宙是太極由無極而生，太極叫『抱一爲天下式』，這是一個宇宙的大理，而抱一之後又道生一，一生二。這個『生二』生的是什麼東西？大道至理，大道至簡，二就是陰和陽。這兩個孩子——陰和陽，又各生了三男三女，加在一起就是我們的八卦。那麼道生一生二，在這個過程中，我們可以了知萬物的理法術，首先要知道的是道一之理和陰陽之理。道一就是所有我們生命的最高狀態，是道一的狀態，是回到本原的狀態，是回到空，回到無的狀態裡面去，達到了道一的狀態；其二，天地生出了陰和陽這兩種物質，陰陽的相推，就衍生出了宇宙萬物。

「太極生了兩儀，陰和陽，這陰和陽在我們人就比喻爲男人和女人，在我們的空間就是天和地。陰陽的結合才能夠產生萬物，這個道理，也是天人本一的，是不是？在我們個體的睡眠中，我們把醒著的時候個體邏輯思維的理性狀態，稱爲陽性狀態，把睡眠稱爲陰性狀態。在睡眠的時候，我們的顯在意識退位，代之以潛意識，睡覺的時候就是我們的潛意識狀態，這個狀態叫做陰性狀態。我們人必須要有陰性狀態和陽性狀態兩種的交替。

「陽性意識的作用是什麼？是爲了讓我們的大腦可以盡量地支配自己去認識這個，改造這個世界，去創造更美好的未來。那麼陰性意識的作用又是什麼呢？是讓我們的生命與精神眞正地保持一致，使我們的生命能夠在自我的潛意識狀態下，理解自我，幫助我們修復自己的身體，使我們的身心處於一種平衡狀態。

「所以晚上熬夜的人，身體通常都不好，很快會得到糖尿病之類的。因爲不讓自己的身體和思維休息，就完全打亂了人體自身的自然規律。晚上十一點以後還熬夜的人，長年累月，肝、膽就不會好，因爲這個時候是行膽氣，肝膽火旺。早晨五點的時候是行大腸經，如果早上五點鐘起來吃早飯，這樣的人腸胃吸收肯定很好。講到這裡補充一點，如果在早晨五點鐘起來吃藥，吃任何一種藥，藥性都能發揮得最好，藥的效果起碼會好上幾倍。不是因爲藥的好壞，而是人體吸收得好不好，因爲這個時辰正好行大腸經。

「繼續回到睡眠。人處在這個自我的狀態裡，我們的生命在自動地認識我們，這個狀態在西方的醫學叫生物回饋。因此，睡眠與白日，一種是表現陰性功能的潛性思維，另一種表現陽性功能的邏輯思維，是完全不同的兩種狀態，它們必須交替、交會，必須像早上出太陽，晚上出月亮，白日、黑夜這樣交換著，如果打破了這個平衡，就叫陰陽失衡。從中醫的角度來講，陰陽失衡就得病了，生病就是陰陽失衡。大家明白了嗎？睡，是非常重要的，因爲它暗合天理，是我們的陰陽狀態的正常交換，是宇宙陰陽之道的根本，這是道，是睡的理。說清楚沒有？」

太清楚了，從來沒有聽到過這麼好聽的道理……

小潔舉手：「道長，我看見你們常常午夜十一點練功，這是不是熬夜啊？」

道長：「練功不是熬夜，因爲練功是更高級的休息，我們必須在那個時間練功。」

人馬座：「道長，你說的是睡仙功的理，那睡功的法是什麼呢？」

道長：「法就是對生命的根本認識。從法上講，什麼是生命體呢？我們的生命體是什麼？」

大家竟然又是語塞，一時答不上來。這麼些天了，時時刻刻地在聽道長說道，心裡似乎隱隱約約地明白了，但是眞的表達不出來我們的生命體是什麼呢？

道長微笑：「我們一直都在討論這個問題啊，生命體是不是我們眼睛能夠看到、手能夠觸摸到的這幾十公斤肉？我是不是就是這樣一個物質的我？」

大家這才有所反應：「不是，我們還有意識。」

道長：「對，那我們的物質身體加上我們的意識，是不是就是全部的我了呢？」

大部分人像醒過來一般：「不是不是……」

道長：「對，不是，還有一個，我們的能量。我們每一個人都有生物場，我們的身體都有能量，那麼物質、意識、能量加在一起，是不是就是眞正的我了呢？」

無人敢貿然回答。

道長：「在這裡，我們把意識姑且稱爲神，把能量稱爲……稱爲什麼？」

一人沒頭沒腦地：「人吧……是不是人就是生命體……」

大家笑。問的就是人，但是眞的完全不知道該怎麼回答了……

道長：「哎，你們很像回到小學的課堂了，依靠習慣而不是我們的陽性思維回答。意識是神，能量就是人啊？呵呵，很純眞啊……再想想，能量是什麼？」

終於有人理直氣壯、經過了邏輯思維之後回答：「是氣。」

道長：「對，那物質的身體呢？」

無話不說：「物質是肉啊！」

大家笑……

從地面傳來一個聲音：「精氣神……」

大家愣了一下，才想起地上這個不眠夜，練睡功「著了」的人，笑起來：「原來沒睡著啊……」

不眠夜閉著眼睛，面露微笑（人閉眼「睡著」的時候還面露微笑，眞可怕，呵呵）：「早就醒了！這麼重要的時刻，能不醒嗎？你們甩不了我……關鍵時候還得幫你們回答呢……」

道長笑：「關鍵時候的關鍵回答，靠睡功提升智慧了……無話不說說得對，我們身體的物質就是肉，但是我們又說物質是精，這並不矛盾，我們說的精，就是物質的精華。道家認爲形之精爲精。對這三個的綜合認識，即精、氣、神，構成我們對人、對於我們生命體的認識與理解，也是我們看待事物的三個層面。我說的這個就叫法，以萬物之理，知道了生命的綜合層次，就叫法。這個精、氣、神就是法，那麼這個精、氣、神修煉的具體技術，像我們剛才說的睡仙功，就是術，在睡仙功中體現出精、氣、神的修煉。關於睡仙功，它的理法術，大家是不是都明白了？」

胖子：「道長，關於理法術與這個世界的關係，明天晚上的講座是不是可以具體地講一講？」

贊同……

道長：「可以。」

胖子：「我們知道了睡功的理法術，還需要掌握什麼關鍵呢？還是只要睡著了就行？」

道長笑：「改變睡眠狀態只是一個根本，是最起碼的。然後，既然是一種功，當然就有我接下來要講的要點。很多人會有疑問，睡功是不是要求保持一種姿勢？怎麼運用我們的意念？還有氣在體內如何運用？

「所以我們練睡仙功的時候，一定要注意三調。注意聽了：放鬆和姿勢，是調我們的身；然後用意念去想，宇宙，我，這是調什麼？調我們的神；氣在我們體內的作用，能量的作用，是在調我們的氣。睡功透過這幾方面的組合，變成了一個技術，這個技術完美地反映到我們生命中『精氣神』的訓練方法，而這個訓練方法就是爲了幫助我們體會宇宙中陽性狀態和陰性狀態的交媾。聽明白沒有？

「其實我們練功中所有的功法、所有的技術，都在實踐這個法。睡功、樁功都是在實踐這個法，而這個法又是因爲我們的理帶給它的，是陰陽的根本自己帶給它的。其中睡功是盡量地執行了法對我們生命中這三個層次的完美運用。一定要注意我說的這三調——調身，調心，調息，這三者的結合就是氣的運用。」

氣息勻暢，大家彼此的心靈、悟性，如行雲流水在道長的話語、講解之間款款穿行！內心充滿感激，學生對於老師的感激，無知對於「知」的感激，摸不著門與看見了通往美妙之門的感激……難以言表！

靜默許久。小男：「道長，任何一種功，都是理法術的結合表現嗎？」

道長：「都是。練功的狀態一定要自然，尤其像睡功，一定要舒服，讓你們的身心都感覺舒服，美妙不可言，因爲畢竟是睡功。一板一眼，太過緊張了，都會扭曲，都會不對。我們練功的有一句話，『似守非守』，你不放走它，也不抓死它。」

無話不說：「我們練站樁時，不要站得那麼低，是不是也很好？不必要那麼一板一眼……」

道長：「練站樁不一樣。但是站樁可以先練高樁，就是站得高一點，再來是中樁。高樁，雙腿微曲就行了，但是慢慢就要過渡到中樁，到了中樁的時候，你們的身體已經不僅僅是在治病，而是強健你們的內臟功能。」

無話不說讚歎：「這個理倒是好，就是站不住……」

道長：「這都有一個極限的問題。剛剛開始練樁功的時候，站一會兒，五、六分鐘左右，雙腳會又酸又麻又脹。但是只要一過了這個關口，雙腳就像是沒有感覺了。再過四十分鐘左右，雙腳又會又麻又酸，再過去這個勁，過了一個多小時就不是這樣了。這有一個極限，一旦過了這個極限就好辦了。還有靜功也非常重要，你們會盤坐嗎？你們已經注意到了我們這裡的學生每天晚上十一點都來這個練功房，他們就是在這裡練打雙盤。」

亞女急迫地：「打雙盤是爲了什麼呢？我特別想了解靜坐功……」

道長笑：「今天沒有時間講了。我記得，一定給你們講解。是不是應該讓不眠夜收功了？」

大家看不眠夜，又看他展露出得意的（可怕的）微笑。道長的口令緩緩響起：

「雙掌自然回攏於小腹丹田前方（距小腹約十釐米左右），意想眞氣源源不斷地收歸丹田，不再啓動。然後雙手相交於小腹丹田處，雙掌重疊，男左手在內，女右手在內，置於丹田處，用力收小腹、提肛，意念全身眞氣沉入氣海，不再啓動，約三分鐘左右。」

……

不眠夜從地上坐起，站起：「哈！舒服！謝謝道長！無量壽福！」

道長微笑，抱手還禮：「無量壽福！」

待不眠夜回坐到自己的蒲團，道長才開口：

「我只能先簡單地解釋一下：靜坐雙盤，是為了在練功中能夠始終保持真氣活躍的狀態。我們都知道身患疾病時，我們經常處於頭重腳輕、步履踉蹌的狀況。此時濁氣在上、清氣在下；在我們雙盤之時，卻可以保持上虛下實，也就是下盤穩固，上身自然空靈的狀態。此時自然清氣上升、濁氣下降，周身真氣異常活躍。」

大家紛紛試著盤腿，但是基本上沒有人能夠做到雙盤，有幾個可以做到單盤。

時間飛快過去……

17
辟穀第十天

似乎有不少的一些什麼東西，在我自己並不十分清楚的狀況下正在改變，在自己悄悄地變換方向，悄悄地沒有透過我的思考和指令在自行調整，或者說痊癒。

這是辟穀第九天的夜晚，我們在討論中國傳統武術、充滿對傳統文化面臨危難的擔憂和焦慮之中度過。

也在淺涉「理法術」的話題中度過。

每天都有無數讓我們著迷的話題。有讓我們以前基本上熟視無睹、習以爲常的種種現狀，而在道長的剖析之間心生憂患（比如中國傳統武術的逐步消亡）；有讓我們耳目一新，深感前途光明的道文化之理、與功法之術結合的「法術」。與道長相處一天的品質，抵得上……呵呵，一時沒有恰當的可以讓我信手拈來形容的成語、辭彙等等什麼的。簡單直白地說吧，與道長相處，就像心靈與思維進行的美容術，一天一天立竿見影地靚麗起來，對於生命的逐步了解與信心，也由此生長。

回到房間。練晚功。

結束之後，對於吃的記憶和想像，瞬間又自動地占據了大腦全部。它們一點都不見外，不請自來。竟然想到了卓別林。呵呵，此情此景之下，我豁然理解了卓別林在他的默片之中，爲什麼會創作出人在饑餓的時候能夠把別人想像成爲一隻雞。辟穀雖然不餓，但是對於吃的想念與想像，那是分秒必爭地占據我的頭腦，形形色色，頑強堅定，比毅力的力氣大多了。爲了控制吃的思緒不要無邊無際地飛揚，使我到凌晨都不能夠睡覺——已經有先例了，我便小心讓它盡量舒暢地安靜「落地」，比如，讓每一個思維都降落在魚湯、米線、餛飩、涮羊肉這些東西上，插空是清蒸莞魚、冬瓜粉絲……讓思維不再沸騰。

當吃的需求不再需要，吃的樂趣被禁止，我才眞正了解了吃的意義。

那麼生活、生命的其他方面呢？「定力」，「淡定」，化解到世俗生活的表面，在遠沒有「定力」，遠不能夠「淡定」的時候，它們是什麼呢？如果這樣能夠找到，那麼修行要「修」之「行」，是不是就可以方向明確一些了呢？

我一定會看到與以往完全不同的人生，一定會有稍稍清亮一些的、伴隨人生的生活！

＊　＊　＊

辟穀的第十天開始了。

昨夜最終是被定格在一杯濃濃的咖啡上。鐘與錶，都被我「背轉了身去」，看時間，會給我長夜漫漫的壓力。睡眠越來越少了。一杯隱藏在腦海裡的咖啡，會引出來一個個與朋友相會的下午，一本翻看的書，天空暗淡的光線，漂浮的雲朵，或者燦爛的陽光，一種城市的聲音……

一直沒有提過，我是帶著小狗來辟穀的。早上起床，我的小可愛沒有像往常那樣摟著我和我打架，卻像看見一個陌生人般，警覺而疑慮地使勁兒在我身上聞。

道長在我們剛來的時候開過玩笑，說我們辟穀的人在辟穀之後身上的氣味會發生變化。看來道長是認眞的，沒有在開玩笑，我的小狗狗好像不認識我了！十天沒有人間煙火，我的氣味一定已經發生變化了。小可愛一直嗅我，然後用那樣懷疑的眼神看我，又跳到了床對面的椅子上對著我哇哇叫。牠肯定疑惑了，爲什麼看上去的我，和嗅上去的我居然不一樣了？

在房間練完吃飯功，按照規則洗了冷水澡。再一次感到驚訝，原來天天洗冷水澡眞的沒有想像中的可怕，雖然山上一直下雨，天氣寒冷，但是辟穀的人竟然連冷水澡也不怕了。天天都洗，沒有問題。

然後去三樓小露台洗衣服。想起辟穀第一、二天的時候，嘔吐得連上樓都不行，暈頭暈腦的。現在已經沒有任何問題了。

下樓發現我的小可愛不知去哪裡滾了一身的泥，髒兮兮地在等著我。呵呵，不知道是不是因為我給了牠打擊？我幫牠洗澡。我驚訝我的氣力和精神，這在平時也是不小的體力活，而在今天，在沒有吃東西十天之後，一切還是照常進行了。

另一件奇怪的事情悄悄發生了：就在昨天的夜裡、今日的凌晨，我依舊還是不能控制對食物百般地思念和嚮往，今天上午這種想念突然減退，連中午看他們吃飯的願望也消失了。今天與昨天不一樣了，那種感覺是那麼奇特，那種「退卻」就像早春的溫暖除去了冬天厚重的外衣，昨天還是「寒冷」得巴不得再有一件厚厚外衣，「今天」已經因爲「陽光的明媚與氣溫的和煦」，穿著薄衫混跡於花草樹木之間，溫暖適宜不思寒服。那美食的誘想，如同厚實的冬衣遇見了溫暖的春日，不需要，更是多餘了。於是反而想著乏味了，反而不舒服了。這麼大的「掉頭翻身」，著實沒有想到，於是在給小可愛吹乾毛髮的時候連帶著「小人長戚戚」了一下：會不會以後再也不喜歡吃的了呢？

呵呵，這個小擔憂也是有點嚇住了我。已經習慣了的東西，突然發現不喜歡了，這怎麼辦？生命，學業，婚姻，生活方式……都屬於是這一類的陰暗籠罩之內。（爲不誤導後患，預先披露：辟穀之後的事實是，沒有不喜歡食物，只是方向發生了變化，我一個食肉動物者，最喜歡牛、羊肉和各種大骨頭叼著啃來啃去，然而可能是辟穀之後出於心靈的調整，食欲不再偏向食肉了，基本上成爲食草動物，至今覺得最美味的，是各種青菜與豆腐。）但是隨即又有一點小歡喜躍然於心間：似乎有不少的一些什麼東西，在我自己並不十分清楚的狀況下正在改變，在自己悄悄地變換方向，悄悄地沒有透過我的思考和指令在自行調整，或者說痊癒。說痊癒一點錯也沒有，因爲那種感覺就是

「痊癒」，輕鬆的，舒暢的，擺脫了什麼的；但是在「痊癒」什麼，我實在搞不清楚，我找不出哪兒「病了」需要痊癒，或者說我已經病得像一個沒病的人一樣了？自己都不知道哪兒有病？我眞不知道，手裡忙忙地在給小可愛吹乾毛髮，心思就忽悠悠飄來蕩去。心思像手上原本濕重的毛髮一樣，越來越清爽，越來越乾鬆，越來越……沒有辭彙表達了！

一些什麼固有的、一直以來堅硬著我的東西，像銀幕上的冰川，正在無聲地化解，無形地消失。它們勉強可以被形容爲「欲求」、「思念」、「非此不可」等等，但又都不是。因爲心裡的感覺沒有這麼具象，是眞的說不出來。只是借用我們彼此都容易理解的人間辭彙，勉強比喻一下。但是我知道，我正在重生，這個念頭溫暖著我，像是一顆心被溫暖的一隻大手抱捧住了。心裡的震撼與感動，在平常的日子裡一定會因此涕淚長流，然而在辟穀本身就足以強大的震撼裡面，我只是感覺到了，一生不忘了；除此，聯想到了《道德經》的描述：「人之生也柔弱，其死也堅強。萬物草木之生也柔脆，其死也枯槁。故堅強者死之徒，柔弱者生之徒……強大處下，柔弱處上。」（大意：人活著與草木生長時都是柔軟的，死了以後都變得僵硬枯焦易碎。因此堅強的東西都是屬於死亡的一類，而柔軟的、柔弱的都屬於「生」的一類……因此強大的、堅強的，最終總是處於下位，而柔弱的，是具有生命的，處上。）

我正在被一股力量化解心中亙古已久之「強」，而重生生命深處之「柔弱」。這是一種痊癒嗎？渺小之我，與誰「強」？「強」什麼呢？我檢點歲月，曾經任何從我眼前、從我心裡經過的東西，我都要固執地留住它們，於是，空間越來越小了……我像一個傻傻的、非常沒有經驗的遊客，不是看山看水，而是將山邊、水邊、任何所到之處的旅遊紀念品都帶回來了，花費了時間、工夫，而占用的是自己非常可貴的空間！

「天下柔弱莫過於水，而攻堅強者莫之能勝」，我再次爲一直以來的「好強」，切切地自以爲珍貴、抓牢在手裡的堅持而深深驚訝、驚詫。人的不知覺，人的麻木，眞是日行萬里啊，一旦醒悟，看見的也是驚心動魄的往日風景。

一切都在被瓦解，被消融，被淡漠，帶著自我隔了岸的，小小的嘲諷笑意。心，在乾鬆、輕淨起來。身體的、思維的、與生相關的等等一切，像天空飛過了鳥，飄過了雲，但是天空依舊還是那麼遼闊、澄清。

我寧靜而驚異地看著我心裡的這些「溶解」、變化，太奇妙了。這些不是物質的、看不見也摸不著的東西，竟然可以這樣清晰地被觀察，像坐在電影院看銀幕……

人眞的只有七情六欲嗎？

世界眞的只是五顏六色嗎？

但是此刻我相信無論是人的感知，還是我們的世界，都完全不是只有這樣單調幾種。我不知道我的心裡正在被悄悄打開的門在哪裡。我看見生命寶貴的行程，在對於每一個人來說都是一去不回的歲月中，那些眞的完全沒有必要的東西，占據了那麼多的地方！鳥飛不走，船開不去，來過的人成了雕塑，經過的事情座成了山……

呵呵，我們有限的、無比無比寶貴的生命啊！它原本的清麗，輕盈，無比尊貴，卻被我們自己陳腐得越來越舊，越來越重。也許衰老就是在這樣的積累中提早開始的？再也沒有新鮮的精力，再也沒有空地（餘地）去迎接生命眞正需要滋養的內容。

我想我能不能重新騰出一片空地呢？沒有堆積物，也沒有四面的牆，也沒有留下來的人……全部都空出來，像一個全新的等待？也沒有了積怨，也沒有了什麼「成績」，也沒有了失敗，也沒有了慶幸，也沒有了……什麼也沒有。一塊空地。

爲自己的生命清理出一塊寶貴的空地。就像辟穀，爲生命整體做一次「格式化」的重新內容調整，花費十五天，將身體幾十年的積累清零。一切要重新開始。

小可愛乾鬆輕快、香噴噴地從桌子上跳到了椅子上，跳到了地上。牠還在疑疑惑惑地看我。我關上房門，以防牠在內心與我一般輾揣之間，再做出去泥地打滾的驚人之舉。

我像卸掉了一個大大包袱——平時我從來沒有知覺到的重負。此時只想到沙發上好好睡一覺，睡得就像回到很久很久的以前……

＊＊＊

小睡了一個小時，再站立到地面，感覺有種說不清的不同以往。反覆思忖，竟在出門去找胖子的時候才恍然大悟：今天我的背站直了！我自從辟穀以來一直勾著的身體，因爲氣力不足而弓腰彎背，今天不知道到從身體的哪裡跑出來了力量，站直了！

呵呵！一個人可以「站直了」的喜悅，在那一瞬心肝五臟全體收穫到了！「世界」的角度在我心裡發生了微調，人的信心，「直立動物」的尊嚴感，隨著這微妙的高度，調整出了「質」的變化。這個奇異的感受，可能沒有辟過穀的人難以體會！

我去看胖子。他正在看電視，滿螢幕花花綠綠，一男一女正傳授美食製作要訣。呵呵！上午兩個小時，我已經「輕舟已過萬重山」——小女子過了美食關了！

約胖子下樓，一起在樓下的廳裡稱了體重。我和兩天前一樣，依然是四十七公斤。胖子的體重也和兩天前一樣，八十五公斤。看來我們不會再消瘦了，不會像我們擔心的，「一直瘦到小學一年級的體重」，呵呵！「身量」是停在這個標準上了。

遇到了小男。今天是他辟穀的第六天，他終於有了反應，噁心，耳鳴，耳鳴到「就像耳朵裡面鼓鼓地堵滿了水」，聽不清聲音，於是道長安排他今天開始接受調整治療了。

我們在辟穀的過程中，只有等到身體有了反應，道長才安排有針對性的調理。我這才聯想起爲什麼不眠夜見我們各個調理來調理去的，甚是不平。他辟穀將近結束才以發一個小包包以示身體的「反應」，所以之前那麼多天他幾乎沒有接受什麼調理，只當了閒雲野鶴，滿山農家樂地巡視，遭人嫌疑……

我們一起溜達到了二樓玻璃房，果然道長他們都在。

一眼看到無話不說執拗地半歪著腦袋：

「爲什麼道家這麼好，或者說道醫這麼好——我的血糖數字就是一個例證，但是道家也罷，道醫也罷，它就是生存不……活躍，不興旺，其他的咱們不說，從一個最極端的根結來說，這說明它還是有問題……」

道長：「我們從文化的角度來看待。一種文化是否具有生命力，能夠生存與否，看兩個方面，一是否能夠滿足社會的需求？二是能否解決人的問題？道文化在醫學領域的應用、顯示，將近五千年了，是枯是榮，各有經歷，各有評說，但是無論如何，它都還是在生生不息。爲什麼不是你說的

『活躍』、『興旺』呢？一方面要看你站在哪個角度看，像俗話說的『河裡沒魚市場找』，可能連河裡都沒魚了，但是市場上一定有，而到沙漠裡面去找，就會以為魚只剩下化石了。第二個方面，我們之前談過的，道醫的成本太大，對於一個當今一般的醫生，一天可以看幾十個病人，他最累的是寫病歷的手，但是道醫只能夠看幾個，累的是心與神，是自己的功力，這樣的成本對於推廣當然不方便。現世的藥是批量生產的商品，追求速效，不管其他後果；而道家的藥，在我們自己的身體裡面，是需要花費時間、經過修煉達到的。我反覆在講，不能夠從西方醫學的『速效』——速效往往表現在看似變好的假象後面隱藏有更大問題的事實——而否定傳統醫學，也不要輕易從我們古老道醫的角度，全面推翻當代的西醫。整體來說，它們都是道在不同側面的體現，都是人類文明階段性的成果，無非西醫太短暫了。西醫到達的是人『形』層面上的診斷、治療結果，更大地注釋了『道』在形層面上、道醫無法立竿見影解決的一些問題；而道醫是博大的，是道的內證法在我們生命體的運用，它從三個方面，從一個更大的整體來把握我們的生命。

「這三個方面，就是我們一再一再說的，精、氣、神。其中『神』最為關鍵，道醫對於『神』的注重，說明了我們從來就是生命醫學。而現代醫學是生物醫學。現代醫學認識到生命是物質，還停留在『形』的層面。對於『形』，就是人體的物質方面，他們有辦法，可以現代科學和藥物的手段達到一定程度的速求。但是我們的生命是一個複合體啊，這樣表面的或者局部的速求，必然使我們生命的整體遭到破壞。現在西方終於有了能量醫學，開始用能量來描述我們的生命了，但是在這個層面上，依舊比我們的傳統醫學晚了兩千多年，就是說，我們的祖先，在兩千多年前就已經開始研究『氣』對於生命的影響了，而西方醫學對於人體『神』層面的把握，還遙遙無期……」

已經聽入了神的小男：「什麼是『神』的把握？」

道長：「就是對於生命意識的把握。中、西方文化的融合，就是西方的先進科學，有一天能夠參照到古老中國文化的古老文明，把我們在好幾千年以前就開始對於宇宙、對於天地人等等方面的整體研究——在人生命的過程中，就是對於人整體的認識，而不再是生物醫學的『形』的層面，或者現在終於意識到了的能量醫學『氣』的層面，還有我們人意識範圍的『神』的層面——重新回落到醫學領域。這是我粗略地以我們傳統文化的認知，對於當代醫學的簡單對位性解釋。」

人馬座：「『運動使人健康』好像是西方的理念吧？這個提法，道長你覺得是不是也有問題呢？呵呵，我現在已經是唯中國論了……」

道長笑：「對於一個從來不運動的人來說，運動當然是應該提倡的好事，就像對於一個健康有問題的人，健康就是首要的事情……」

不眠夜吸氣：「道長，這話怎麼聽著話外有話呢？道長，請你直白地說，我們這些人到了這裡才知道自己智商都不大夠用，雖然我健康目前還有點問題，但是我也要知道，有了健康，人生的目標又是怎樣……」

道長：「有兩個不同的概念。西方人提倡運動，說『生命在於運動』，有錯嗎？當然沒有錯，西方人是把生命的健康當成了人生的目標；而古老中國人的認爲呢？道家的認爲呢？我們一直說『築基功』，在一切的修煉過程中首先築屋補牆，什麼意思？就是我們道家認爲，健康是人生的一個基本，先有了健康，有了金剛不壞之身，才是開始修行的基礎。我說清楚差別了嗎？是不同層面對於生命的理解與看法。都沒有錯，但是程度是不一樣的。由此延伸第二個不同的概念，在『達到健康』

的過程中，西方人提倡的是健身，而我們傳統中國人呢？是幾千年以來一直融入了我們一代一代生命之中的最深理念：養生。可能有很多中國人不知道『健身』，但是即使是在大山深處，在現代文明渲染不到的任何一個角落，但凡只要是中國人，他都知道『養生』。怎麼養，因人、因條件而異。」

一人小聲：「養生好像比較愚昧，瓶瓶罐罐的，不像健康，很陽光……」

道長笑：「不是這樣的。養生與健身，一個是指生命，一個是指身體，哪個更陽光？哪個更健康？中國古語裡，健是『使之成爲』的意思，康是『安寧』、『寧靜』、『寧和』，『使我們成爲安寧、寧靜、寧和』，難道僅僅是指我們的身體嗎？與我們的身心都有關聯。養生與健身，兩者的差別太大了！如果健身、運動，眞的能夠使我們的生命長久健康，爲什麼運動員，尤其是獲得世界冠軍的運動員，沒有成爲我們長壽的楷模？我們生命長壽與否，究竟的要素是什麼？」

亞女小聲：「長壽起碼要健康，健康就是不生病……」

另一遲疑地：「我覺得，鍛鍊，肯定比不鍛鍊要好吧……」

道長笑：「對，這是一定的，我們討論問題不要極端化。但是，是什麼決定了一個人長壽與否？肯定是與健康相關。那健康的標準是什麼呢？是西方人健身的標準？還是我們古老中國文化養生的標準？如果健康的標準就是運動，那麼運動員爲什麼沒有在這一方面成爲我們生命的楷模呢？」

寂默，無人能夠回答……

道長：「我們認爲一個人生命的長短，取決於這個人內在機能是否強盛，元氣是否充足。這也是爲什麼運動員很少有眞正意義上的長壽……」

無話不說脫口而出：「他們傷了元氣了！」

道長：「大量的運動，容易使我們的身體在精力最盛期，逐漸走失元氣，導致內在機能衰退。西方人提倡的運動，沒有錯，但是可惜與西方的醫學一樣，他們還是僅僅停留在一個『形』的層面，還是沒有把人當做一個生命的複合體來看待。而我們中國人的養生呢？我們追求的是『精滿，氣足，神旺』，其中『精滿』是西方提倡的形體運動的層面，精是我們的形，是生命形體的運動；『氣足』呢？是我們生命體能量的運動；『神旺』呢？是我們生命體意識的運動。外形的動，氣的隨之而動，意念之動，透過這三個層面的共同運動——內三動，達到生命的整體整合，這是我們道家養生、修煉的講究。道家的修行是把生命、身體的健康當做一個基礎。我們的修煉、修行，從來都不是爲了健康，但是我們一定要有一個健康的身體作爲修行的先決條件。我們追求生命存在形式的更優化，追求生命形態的轉變。所以基礎的事情就是由一個健康的身體，從築基功，從我們對於自己身體的修屋補牆開始，逐步修煉到道家的丹功，最終達到生命的完美。」

不眠夜：「這個『理』是聽懂了，但還是太抽象……」

道長：「就是我們的功法，在你運行、練功的過程中，不僅強健了你的身體——但是這個不是目的——也調動了我們生命、身體的能量，運用了我們的意識，達到生命內在機能的配合。在『精滿』、『氣足』、『神旺』這三個方面，神旺是最爲重要的，因爲它關係到了我們生命的決斷力、容納力、魅力、魄力、注意力。這就是中國傳統文化的流傳，它的生命力不可估量，僅僅從功法上來說，就是一種非常高級的運動，而當下的運動，直白地說，還是比較低級的。

「道家的修煉、修行是非常個體的，理解到這些，並且能夠親身體驗，才能夠知道它眞正的意思是什麼。就像現在，你們都聽明白了，都同意我的說法，也知道了能夠使生命健康長久的方法，但是回到山下，你們又有幾個人能夠兢兢業業爲了生命的健康長久而修煉、練功呢？呵呵，畢竟速食的東西爽口、方便。這就是你剛才疑問『爲什麼道家不能夠大力流傳』的另一個原因。但是雖然我們的修行、修煉沒有速食的熱鬧與紅火，而這個精細的『美味之作』卻默默流傳了將近五千年了……」

＊　＊　＊

無話不說：「這麼說來，道長，運動就是比較低級的一種狀況，好像我們完全沒有必要運動、鍛鍊了……」

人馬座笑：「你這麼理解就太偏激了，道長沒有這麼說，是相比健身，我們中國人的養生觀念更爲全面和高級。都知道可口可樂沒有茶好，問題多多，但也不是說可口可樂就不能夠喝了，一個是解渴，一個是滋養生命……」

「對，是這樣，」道長點頭，「運動不是不好，是相比於我們道家的養生，還不夠好。運動的理念和效果，相比我們的功法，就差多了。適可而止的運動還是好的。道家的功法，產生的是身體的整合力，對於我們的生命來說，是一個全面的調整。比如簡單舉例，僅僅是一個樁功或者是走功，就可以調整、改變人的高血壓狀況。

「中國人向來提倡的是『柔性運動』，而平常我們大部分人涉及的都是『剛性運動』，激烈、剛硬，容易造成身體肌體的不同部位損傷。爲什麼『生命在於運動』，而運動的專家們、世界冠軍們，在生命長久這個問題上都沒有突破性的表率？直白地說就是他們都不那麼長壽，沒有成爲長壽冠軍。因爲在種種剛性的運動中，他們透支了生命的元氣。我們中國人是最看重元氣的，我們認爲這是支撐生命長久的源泉。運動可以使身體的肌肉與骨骼發達，但是過度的運動會透支我們生命的體能，由透支而產生衰竭……」

小男：「道長，是元氣在支撐我們的生命嗎？」

道長：「引申一步說，中國文化的核心，就是氣一元論。我們的祖先無論看待宇宙，還是看待生命個體，歸納到根本，都是氣一元論。氣構成萬物，氣爲一切生命之本。我們說對於生命的描述，說一個人『氣勢磅礴』、『氣貫長虹』，說某人『正氣凜然』、『浩氣長存』，還有一個人生命結束了，我們說『斷氣』了等等，這個氣，不是呼吸之氣。這個氣是生命的本質，我們每個人生命與生俱來的『先天之氣』，就是『元氣』。後天之氣，是『營氣』、『衛氣』、『榮氣』……」

「什麼什麼？道長，請你說慢點……」大家紛紛爲這幾個對於我們紅塵之人極爲冷僻的辭彙困擾。

道長大致解釋這幾個字的寫法與意味。

（資料：衛氣，主要由生命誕生之後，後天水穀之精氣所化生。衛氣主要有三個方面的作用：1.護衛肌表，防禦外邪的入侵；2.溫養臟腑、肌肉、皮毛等；3.調節控制腠理的開合、汗液的排泄，維持體溫相對恆定。「營氣」主要來源於脾胃所運化的水穀精氣，由水穀精氣中的精華部分所化生。營氣分布於血脈之中，成爲血液的重要組成部分，並能循脈上下，營運於全身。「營」意爲營養、營運。營氣的主要作用有營養全身和化生血液兩個方面。）

道長：「生命消失了，『斷氣』究竟是什麼意思呢？即元陽走失，生命完結。所以，『氣』是生命的本質，也是這個世界、宇宙的本質。西方提倡的『運動』、健身，是剛性運動，人體外在形體的運動；我們提倡的是柔性運動，是生命體的內在運動……」

胖子：「太極拳是柔性運動吧？」

道長：「當然是。太極拳是極高級的，並不是現在你們看到的猶如『舞蹈』一般的表演。爲什麼我說現在電視上看到的是『太極拳舞蹈』？因爲其中幾乎已經沒有了氣的運行。原太極拳是屬於道家內丹功的，是『以拳闡道』，以拳揭示生命的道理。這個內涵，以及對於生命的直接體驗，只有我們中國人是這樣來思考、看待、反映生命與宇宙關係的……」

小男：「道長，你的意思就是剛性運動並不能夠長壽，但是我們的柔性運動可以？」

道長：「簡單地說是這樣。柔性運動是我們修煉的一種，目的是結合修煉的其他方式，達到『後天返先天』，我們練的就是氣。中國人都知道這句話，『藥補不如氣補』。還有一句民俗：天有三寶……大家知道這句俗語嗎？三寶是什麼？」

我們這幫生活在俗世卻說不出民俗的修行人，目瞪口呆著，像頭幾日瞠目結舌得答不上辯證唯物主義的基本要素……

道長笑：「天有三寶，日月星；地有三寶，水火土；人有三寶，精氣神。我再問你們一遍，精氣神意味著什麼？我們人體的什麼？」

瞬間活躍了，大家終於長了記性，紛紛開口：「精是物質，是我們的身體；氣是能量；神是意識……」

道長笑：「對，精就是形之精華，是構成生命形體的精微物質；氣是我們能量系統，是生命的磁場，是產生我們的生物電、生物波的；神，簡單的可以說是我們的意識系統，從我們道家的認爲，有全方位的意思，意識只是它其中的一個方面，單意識就分有很多的層面。神也是心，所以有安心，也是安神的意思……」

無話不說：「道長，其實我剛才的疑問還沒有說完……」

大家笑。一人：「都說這麼遠了，還記得嗎……」

無話不說依舊保持嚴肅：「我的意思就是這樣，相比於運動，道家的功法更棒、更好。但是爲什麼這麼『高級的運動』知道的人有限，而所謂『低級運動』反而相當的普及？」

道長：「這和你剛才說的爲什麼西醫傳播面大，而道醫的傳播面卻那麼小，是一個道理——成本的問題。修行也是需要成本的，時間的成本，而且對於初始者來說，它沒有球類的、田徑的、游泳的等等運動那麼有趣。修煉在相當長一段時間內都是非常枯燥的。就像人們的簡單理解，對於『藥』的直接需求一樣，藥的效果越快越好，以後的問題以後再說。在修煉與運動的問題上，運動的快感、樂趣，相對於練功過程比較漫長的入靜、花費時間靜心、調整呼吸、調整身體狀況、調整心靈來說，運動更能夠讓當代的人接受。但是修煉所帶來的對於生命整體的好，卻不是任何一項運動能相提並論的。養生是中國人對於生命的認知，健身、健美是西方人對於生命的認知。」

無話不說點頭，並自言自語：「養生確實是好，但是修煉太耽誤事，半天站在那一動不動，是有點受不了……」

道長：「你沒有時間養生，就一定會花費更多時間去治病，這個道理懂不懂？我平時和人說『來參加一個養生班』，每天花多少時間練一個什麼功，大部分人的直接反應就是『我沒有時間』，或者問『什麼什麼班需要多長時間？要幾天？』而那些身體垮了的，由於積勞、積怨成疾的，得了大病的，他們見到我從來不問『這要花費多長時間』，他們關心的都是另一個問題：『我還能夠治好嗎？』是不是這樣？」

無話不說：「好吧，是這樣。不是我沒有良知，我現在是在討論問題，請道長答惑解疑。我的問題還沒有說清楚……」

笑……

無話不說：「那……這精華的、好的東西，人要是不生病，它就與世人無緣了？或者說，與大部分人無緣了？與健康的、還沒有生病的人就無緣了？」

道長笑：「我們這麼多人在這裡，難道不代表世人嗎？你們這些人中，也並不是每個人都因爲得病了才到這裡來的啊。這個世界上，有哪一個文明、文化，是能夠被這麼大的一個人群（指所有的中國人）保留了將近五千年而不斷的呢？每個時代都有自己的需求與特徵。所以我說，在這個世紀，現代的西方文化必定要與古老中國的東方文化、道文化產生結合，對生命產生全新的認識，共同推動……」

無話不說：「何以見得？」

道長：「二十一世紀世界科學組織提出了『預防醫學』，提出『人類醫學新成果不是用來治病，而是不讓疾病發生』的新概念，我們終於到達了『不治已病、治未病』的預防醫學世紀。而這一『不治已病、治未病』的理論依據在哪裡？我們中國人的『生命在於滋養』，這是中國人的生命概念。從某一個角度來說，生病是不可控的，而且疾病也已經『智慧轉型』，越來越聰明，產生抗體越來越快了，每年都有新的病種被命名，但是我們每天半個小時、一個小時的養生是可控的，每天花費半個小時、一個小時愛護自己、保護自己。」

18
愛上電療

不僅是我，幾乎所有的人，都喜歡上了道家這種用電的調理方式。當心裡克服了對電的恐懼，習慣了電流流經身體的微弱刺痛與酥麻，還有電流有點嚇人的「嗡嗡」聲，用電疏通經絡，緩解、疏通身體某一方面的淤積，真是一個非常享受的過程。

輕輕唱響了《清靜經》。午飯時間了。

在山上的生活每天都是幾乎一模一樣的。簡單、單調到如果不是親自「身入」，想一想都會害怕：我們的一日「三餐」是——辟穀功，劃分了上午、下午的練功，抄寫經文和晚上道長的講課。所有人們日常喜歡的、習慣的、不知不覺難以割捨的比如像逛街，看電影、電視，盡興地喝酒、聊天、歡聚、K歌等等一切城市的、鄉鎮的生活，都悄然隱遁在竹影山霧之外了。沒有人討論、疑慮「我們是不是應該這樣生活」，但是每一個人都在這樣看似單調的日子裡怡然自得，每一日都過得有滋有味。偶爾聽見有仙友打電話，都是「你們來感受一下，特好」，而不是「我都待不住了……儘快下山」之類。

在午飯的《清靜經》輕柔唱響的時候，我再一次看見了每一個人面容之上日益沉著的寧靜、安逸，生命自在的和諧。每一個人、每一張面容都是很美的，我才知道，「好看」、「難看」的，根本不是五官長相，是不同的人心裡洋溢出來的東西。就像動物的臉，小貓小狗的臉，沒有一張不是好看的、「美麗」的。人的臉其實也一樣，寧靜祥和的就美麗，充滿欲求的就比較醜陋，越離譜的欲求，可能越猙獰……以後要好好觀察，「看相」，呵呵！

大家跟隨道長下樓，途中多思多慮的無話不說又提問了——

無話不說：「道長，再怎麼著，我是俗人。俗人就得面對生死，面對生死我就無法克制喜怒哀樂，這個是情不自禁。雖然道理我們都懂，就是莊子說的那一套我們都明白，但是明白了也不管用。人死了是很正常的，但是我們的情感怎麼辦？」

道長：「你還是沒有真正明白莊子說的。在這個世界上，在這個宇宙中，資訊是不滅的，就是說，我們是不死的，無非生的形式發生了轉變。宇宙的大道理是一切都會創生，一切也會消亡，『天生天殺，道之理也』，我們之前講過。作爲一個修行的人，應該和道的顯現同步，否則就游離在這個道體以外了。我們在道的種種呈現方式中感受到的好、壞、是非，是因爲個體我與整體產生了排斥。像你說的一個人死了，其實我們都知道人死了是很正常的一件事，但是我們不喜歡，就像我們厭惡戰爭、厭惡疾病。我們從來沒有深深地思考，疾病和戰爭到底是怎麼一回事？所有發生的這些都是我們不能接受的，我們以自己的觀點，生出了很多情緒。我們不願意看見身邊的親人離去，儘管我知道這個離去的意義是非常積極的，但是我們因爲有情，而不能夠接受。這個有情就會生出很多的東西，會有貪求之心，總想得到自己想得到的東西，總想保留住本來該失去的東西。我們始終在一切正常應該有的現象、現實之中趨吉避凶，於是萬有的痛苦就產生了。」

道長停頓。傾耳聽著——

道長：「你們聽到了嗎？你們每天都在抄寫的《清靜經》，抄的時候明白了嗎？『眾生所以不得眞道者，爲有妄心；既有妄心，即驚其神；既驚其神，即著萬物；既著萬物，即生貪求；既生貪求，即是煩惱；煩惱妄想，憂苦身心，便遭濁辱，流浪生死』……」

道長以一種沒有抄寫過《清靜經》就根本無法跟上語速、無法聽懂的速度，道出了這一節。

道長：「說的就是這個。道的目的不是要幫助我們在我們的生命中去找回一個更好的東西——不是的，修道的目的不是爲了讓你能夠迴避苦難或者躲離死亡，讓道來救助我們，不是這個意思。修道的根本問題是要幫助我發現自己，認識我自己，認知到這個宇宙中個人也好，宇宙也好，生命也好，他的根本位置、根本價值、根本意義。於是我們在明白它的時候，就可以進入一個圓滿的幸福狀態。這個時候就是相比一般的人講，要自信一些，充實一些，踏實一些。我們不能夠、不可能去改變明天，或者下一分鐘會發生的事情，但是我們可以改變我們以什麼樣的心態去面對下一分鐘要發生的事情。修行不是改變我們的生存環境，而是改變我們面對依舊還是原來那個環境和還是依然要發生的那些事情時我們的心態，使我們能夠在生活的各種現象面前，各種特殊境遇面前，都保持一種幸福和愉悅的心情、平和的心態。因爲我們知道，爲什麼會出現這個狀態，爲什麼我要去做。讓我們明白本身的事情和我到底有什麼樣的關聯？一切發生的事情和我們都是有關聯的，無非我們有限的認知還不能夠知道罷了。人要明道、悟道。」

餐廳。坐下。

面對正在陸續飽滿的餐桌，小潔有所感悟：「道長，平時我們常說要惜福。珍惜，惜福，也是悟道吧？」

道長：「我們還經常說『要積德』。爲什麼說要惜福、要積德？我們常常以爲自己看了一本書，明白了一個道理，其實遠遠沒有。你眞的是你嗎？我眞的是我嗎？」

道長指著我們，也指問他自己。沒人回答。原先可能我們會張嘴就說「是啊」，但是這些天的一點點進步，是知道了事情好像都不是這麼表面、這麼簡單的……

道長：「都以爲我就是我，這是人很大的一個錯認，一個悲劇。你以爲這幾十公斤的身體就是自己的？這樣認爲是我們把自我狹隘住了，把自己變成了一個有限的我，與無限的我隔離開了，我們也把宇宙的能力割斷了。大部分人最關心的都是自己身體的健康，比如說我們得了病，我們不知道得的這個病是很渺小、很簡單的，如果說調動我們的潛能，或者與宇宙的能力比較起來，這個病太容易就解決了，但是我們把這種關係割斷了，然後我們被自己欺騙了，被我們第一個層面的有意識欺騙了，而無意識、潛意識和原意識，眞正相關說明實相的，卻無法顯現出來。在這種情景下，我們對自身由於缺乏認識，導致缺少了把握。我們常常覺得個體的我在獲得東西，在學習到東西，在思考到東西，這些都是假象。我們有那麼主動、那麼智慧嗎？比如說我們做成了一件事情，但是我們眞的認爲我們有能力做成一件事情嗎？我們可以去採訪成千上萬個成功人士，他們都會說，『要是當時錯過了那個機會，沒有見到那個人……』最大的客觀是：你不是你認識到的你，我也不是我自以爲的我。」

我：「那這個『我』到底是誰呢？」

道長：「這就是最重要的。認識自我是最關鍵的，這個『我』是誰？有一個簡單的道理，我們要明白：生命的認知還有一個漫長的路程。東方的實證科學是從生命的內部揭示生命的狀況，與西方慣常的從外部揭示身體的結構成爲相輔相成的文化互補。」

菜，上齊了，像一道無形的口令，封住了這個又一次被挑開的話題……

這幾日，大家從「無拘無束」的狀況，漸漸過渡到了有一些規矩了。比方吃飯，剛來幾日一直是山下的習慣，邊吃邊說，滔滔不絕。道長一直奉陪，他的修爲和發自內心的慈善，從來沒有當面呵斥，或者修正我們「不要這樣」，「不可以那樣」，只是他自己吃得非常非常少。不知不覺中，分不清是哪一天、哪一餐，好像大家恍然都意識到了、「悟到」了這個現象，吃飯的時候話語驟然少了，眞正開始「吃飯」。

但是每日餐後在飯桌邊再聊一會兒的習慣，依舊在那時自然而然地延續著。

大約四十分鐘之後，大家見吃得最悠緩、最規正的道長徹底放下了筷子（我們這些人，無論道長如何苦口婆心再三提示，還是改不了多年紅塵積習，最細嚼慢嚥的吃飯典範，也是道長吃飯速度的一倍之快！呵呵，這個計算法是要倒過來想的。其實應該說是道長吃飯速度的一半。說不清楚了），重拾話題：

「道長，我們從生命的內部揭示生命的狀況，與西方的文化互補之後，就能夠知道我是誰了嗎？」

道長沉思。

道長：「東方的證驗學、東方的文化，與西方的實證科學，兩者是陰陽互補、缺一不可的。但是從另一個宏大角度來看，眞理、眞相也罷，文化也罷，科學也罷，不存在眞正意義上的東方科學和西方科學，也不存在眞正意義上的東方文化和西方文化。可能這樣表述更加準確一點：文化在東方，或者文化在西方。任何東西只要一旦存在，就是世界共有的東西。這是一個原點。生命是一個複雜的巨系統，我們有兩個方式，一個是透過外在的努力去認知它，一個是透過內在的方式去了解它，兩者之間是同樣一個東西的體和用，是我們人爲地把它分開了。」

道長再次陷入沉思。

道長：「好好修行吧！最終你們自己都會知道，生命是什麼，你是誰，我是誰。」

像留下了一個科幻懸念，午餐結束了。

＊　＊　＊

我乖乖回房間練辟穀功，可能會早一點知道「我是誰」。之後又洗了好些衣服，有給狗狗洗澡弄濕了的衣服，有練功汗濕了的衣服……邊幹活邊想道長半吞半吐的話，完全忘記我已經十天什麼東西都沒有吃了。去三樓小露台曬衣服，看見飄灑了許多天雨的天空，似乎晴朗了，有了一線的陽光。

睡仙功之後，渾身通暢疏朗。瘦到了眞正地仙風道骨！一絲多餘的脂肪都沒有了，卻是頭腦清醒，充滿活力，內心愉悅。我像是裂變出了另一個自己。而另一方面，在洗手間的鏡子裡面，我看見了瘦原來是這麼難看的一個現實！

小男也彷彿瘦成了一個中學生，薄薄地成了「一片」！胖子也有明顯的變化，他完全成了瘦子，小腹平坦。

我問胖子感覺怎麼樣？他說：「幸福啊！」

胖子與小男的雙腳，原先的皮膚都是非常枯燥乾裂，現在都變得平滑紅潤了。道長說，雙腳這樣明顯的變化，證明的是內臟和循環系統得到了好的調整。那些調整和變化是我們自己看不到的，但是透過我們的手、足，可以看到悄悄改變的現象。

我手心、手背的紅斑點已經發展到了登峰造極。我心想，這是不是我身體內在的調整也應該是到了「登峰造極」的程度了吧？

窗外有蟲子啾啾地叫，秋天的感覺漸漸濃郁。

這十天過得眞快啊！快得遠遠超乎我的估量。我原先以爲會是「難熬」的……現在辟穀結束的日子還可以說「遠沒有到來」，我已經開始懷念辟穀的這些仙風道骨、不食五穀雜糧只飲白水的日子了！真乾淨啊！

真自豪！

＊　＊　＊

下午練功之後，常月在調理室等我。

不僅是我，幾乎所有的人，都喜歡上了道家這種用電的調理方式。當心裡克服了對電的恐懼，習慣了電流流經身體的微弱刺痛與酥麻，還有電流有點嚇人的「嗡嗡」聲，用電疏通經絡，緩解、疏通身體某一方面的淤積，真是一個非常享受的過程。常月與我，應該說是這裡所有的「醫生」與「病人」，都是息息相通，訊息相通，心靈相通，生死與共的：二二〇伏特的電，將兩個人完全地串聯在一起，彼此信任。「信任」與「享受」轉換到對於身體的病症治療、健康調理，沒有人估計過、測算過，這是不是也算是一種「藥」？一種更加至關重要的「藥」呢？

無話不說曾大聲宣布：一天兩個盼望，一個電療，一個吃飯！

有人反問：那道長的講課呢？

無話不說：那是必不可少。像「呼吸」，那是你盼望的事情嗎？沒了你就完了……

常月安排我在調理床上躺好，蓋上薄毯，她插上電源，用電錶測試電線，電錶紅燈閃亮。然後她捏住其中一根電線的銅絲，另一根交到我的手上，讓我用拇指與食指捏住另一根暴露在外的銅絲。我已經絲毫不害怕。常月用另一隻手的食指，開始輕輕滑動我腹部的皮膚。在她的手指與我皮膚接觸的同時，電流美妙的嗡嗡聲響起，腹部開始舒服地發麻發熱。電流傳導到捏著電線的手指，手指有尖尖的刺痛。

常月：「今天我們通電的力量大一點好嗎？」

我剛微笑示意，還來不及商量「大到多少、別太大」，這邊常月的意識已經像命令水庫開了閘，一股「洶湧」的力量貫穿腹部，由常月的指尖傳導而下，來不及辨別它們如何在我的身體內奔湧，我捏著電線的手指已經像有一根尖細的長針，深深地刺入……

常月看見了我驚懼的表情，微笑著瞬間止住了電的奔湧。一切的發生，都來不及用語言傳遞。語言來不及產生……

常月：「這樣大力一下，對你經絡的疏通會極好，再來一下好嗎？」

依舊是我還來不及表態，電流「放閘」了……

常月笑：「好了好了，可以了。你閉上眼睛睡一會兒吧，我慢慢調理了。」

常月坐到我的床頭邊，開始用電調整我的頭部。我和她說過，我經常頭疼……

很溫和。很舒服。

今天的奇異是，我的腿不知怎麼一跳一跳地痛。

常月說，我腿部的經絡有一些問題。

是，我想起中學的時候就有的狀況，只要一跑動，這個部位不知道爲什麼就很疼……

我迷迷糊糊睡著了。「帶電」調理睡著的享受，是平時的睡覺感受不到的。之後，我發現常月將調理的部位轉換到了我一跳一跳疼痛的腿部了……

眞是難以置信，凶若猛虎的電，可以這樣被人掌握使用……如果不是自己親身經歷，是絕對不可能想像的。我從小就害怕得不得了的電，現在感覺似乎是一種很親近、很和善，對人好得不得了的「親善之物」！我閉著眼睛，暗然驚笑！

三點半，我的調理結束。接下來是胖子、小男……

這個下午沒有再找到道長，聽說他有事去紹龍觀了，我就老老實實抄經。在毛筆與宣紙的一筆一畫之間，深深體味「夫道者有清有濁，有動有靜；天清地濁，天動地靜；男清女濁，男動女靜；降本流末，而生萬物。清者濁之源。動者靜之基。人能常清靜，天地悉皆歸……」

每天抄寫的感受都不一樣……

晚飯前道長回來了。他看見大家靜靜地抄經，只有胖子呆坐在窗邊椅子上，問「怎麼了？」

胖子說，心跳很厲害，有些擔憂。

其實我也是。與上午、昨天的輕鬆相比，今天下午的心臟跳動得特別快，簡直有點「驚心動魄」了。

道長：「沒什麼，正常的。你還會有一種心被掏空的感覺，那是在瓦解你心臟和血管裡的脂肪，心跳加速是正常的。你呢——」道長看向我，「還是你原先心臟的問題，它自己還在調整，不用擔心。」

胖子：「心跳得很快，血壓也一直很高。從我來到這裡到現在，血壓就沒有下來過。」

道長：「多少？」

胖子：「剛剛測量了，低壓一〇三，高壓一二八，高壓、低壓之間的壓差才二十。不會出什麼問題吧？」

道長呵呵笑：「不會出任何問題。辟穀期間，你的血壓如果沒有出現這麼高，那才有問題。你一直都沒有吃藥吧？」

胖子：「沒有。」

小男：「我的心跳也快，都在每分鐘一百上下。」

道長：「沒有關係，正常的。」

音樂響起，晚飯了……

我因爲白天的「驟然改變」，對食物的盼望截然與昨天完全不一樣了。我回房間斷了念地練功，自覺很用心。呵呵，不知道這「用心」是不是已經在方向上發生了錯誤……聯想到江湖的大俠，都是在不知不覺、無心無意之中功力大長的，而認眞較勁的歐陽鋒，正是因爲「用功」太猛而瘋掉的。當然，我還只是「小小」一個吃飯功，距離發瘋還相當遙遠……

約一個小時之後趕去餐廳，如我所料，他們已經吃完了，又在聽道長的侃侃而談——

道長：「……一個目的，這個目的的達成，沒有人會考慮爲什麼要去達成？我們沒有細想過。而這些達成或達不成的背後，都在告訴我們一個道理：一切的一切，都是爲了兩個字：明白。所有的事情都在幫助我們明白，明白這個世界，明白這個宇宙，幫助我們明白自己。」

道長停頓著，微笑：「我們最不明白的是我們自己。你們說我們人是什麼東西？」

大家顯然疑惑：「人是什麼？」

道長沉吟：「人實際上是天地的大盜。」

大家更爲不解：「怎麼是天地的大盜呢？人爲什麼是盜呢？」

道長：「人就是盜。我們人，做任何一件事情，都在斤斤計較。比如說如果我爲你做了什麼，那是我對你的付出，你要麼立刻付費給我，要麼就是欠了我的情，從此你就欠我了。你和我的關係，大部分人與人的關係，都在得到和付出之間。生命就在這樣的流轉之中，每天變得庸庸碌碌。但是我們每天都在呼吸宇宙的氣，我們把最骯髒的東西排泄出去，讓大地承受，我們獲取一年四季天地奉送的所有作物，我們一生都在享受空氣、陽光、水，都不可能離開空氣、陽光和水，但是我們無論從出生，還是到老，從來沒有一個人想到過：我們是不是也應該付費？我們有沒有欠天地的情？反倒是有人把空氣和水也做成了商品賣錢，自己獲利。從來沒有人覺得欠情天地，感恩天地。雨露滋養我們，陽光照耀我們，我們想到過要爲這些做些什麼嗎？要感恩嗎？沒有。所以天地之間的大盜就是人。這是天地、萬物、人三者的關係。人是天地的大盜。」

無話不說思索著：「生存使我們目光短淺。有盜人的嗎？」

道長沉吟：「光陰是怎麼流逝的？生命是怎麼消磨的？有沒有人想過是誰，使我們早生華髮？是誰，使我們朝成青絲暮成雪？時間，空間，是如何在消磨我們、消耗我們的？

「我們人本身可以活得瀟瀟灑灑，快快樂樂，但是人作用於萬物，寄情於萬物。如果說我們作爲一個個體的人能夠捨掉自己的貪欲，沒有了自己的欲念，我們會是宇宙中最剛強的。世界上任何一個東西出現了，你都可以破解。像那句話，『無招勝有招』，只要你用你的招數來面對這個世界和人，你都會遇到破解你的對手；你無招、無欲，就能夠破解這個世界上任何一個東西、一件事物。按照我們道家的話，就是『無欲則剛』。如果你要去騙一個人，你一定會去挑起他的欲望，這叫設局，你非常聰明，非常有辦法，你可以去騙世界上的任何一個人，但是你不能夠去騙一個沒有欲望的人。

我們正是因爲有了欲望，才有妄想，人才會有去占有、去擁有的想法，才有成功和失敗的感覺。當我無欲的時候，我可以說我的生命是灑脫的，我的生命是光輝的，我的生命是無拘無礙的，這個時候，我實際上是最剛強的，誰都不能控制我，都對我沒有辦法。當我們明白這個道理之後，就回答了你疑問的『有盜人的嗎』？有，萬物是人之盜。它挑起了人的貪欲，把人的生命耗遣在這些外在的、無意義的、對外的追求之中，失去了對自我的把握，失去了對自我的認識，失去了對自我最基本的原點。所以，這個萬物，是我們人的盜。」

無話不說：「無欲則剛雖然好，但是我估計，以我爲代表的大部分人，能夠懂，卻做不到。怎麼辦？這是實話……」

道長：「道家講的是平衡、和諧。什麼叫平衡？簡單地說，像吃，人總是要吃的，但是要吃得其時、吃得不要過量；事情是要做的，但是要做得有道。針對紅塵，簡單地說，就是要知道理，然後不要過度過分。把握住了這個方寸、度，就能夠和諧、平衡地做人做事了。往上，你或許可以成爲這個世界上最了不起的人；往下，你起碼能夠修身持家；往內，你可以使自己的心趨於一種平靜的狀態；往外，你可以建立不朽的功業，使自己數世以來的所有孽障隨緣而消。這就是君子得之固躬，小人得之輕命的盜機。」

人馬座：「如何能夠比較通俗地理解盜機呢？」

道長沉吟，選擇著一種通俗的表達：「比方說有人看見一個可以做大生意的良機，這就是一個盜機。如果這個人不顧一切地做了，小人也。君子在此，嚴格地修煉自己，嚴格地要求自己，成爲君子不恭。爲什麼這麼說？君子做事，講究內心的把握，關注內心，調心，然後如何去應物做事。」

小男：「什麼叫應物做事？」

道長：「我們俯察天下地理，把天地之間運行的基本道理通曉了，按照這個道理去做事情，天地一切的玄機都在裡面，沒有任何東西可以左右我們。這是宇宙大規律……」

有人起身去開燈。

與我們十天前的夜晚相比，天色明顯黑得早了。在道長與我們講述天地、萬物、人的盜機的時候，星星已經悄悄掛在了天空。天晴了。

八點又已經是近在眼前了，大家依依不捨，挪身，換地。

＊　＊　＊

瞬間練功房裡四周一圈已經坐滿了人，中間空出的地板泛著柔和的燈光。道長白衣白褲，飄飄灑灑坐在用蒲團築成的「講台」上。

道長：「今天開始，我想陸續地跟大家講一些實用又簡單的養生方法。」

大家鼓掌。

道長：「有一種非常古老的方式，叫『赤龍攪海』，大家聽說過沒有？」

沒有聽說過！

道長：「我們是不是從來沒有講過赤龍攪海？也沒有講過回龍湯？平時聊天的時候也沒有聊到過？」

大家：「沒有！你只跟我們講過導引術和站樁！」

道長笑：「好，聽起來你們很不滿意吶！那今天就講赤龍攪海和回龍湯的知識。赤是赤腳的赤。簡單地說，就是我們每天早晨醒來的時候，用我們的舌頭圍繞全部的牙齒，緩緩轉三十六圈，叫『赤龍攪海』，然後將嘴裡的唾液嚥下去——這是最關鍵的動作，這就是在告訴自己，我們的身體是怎麼一回事，有什麼問題沒有……」

小男：「哦，『赤龍』就是我們的舌頭，攪是攪動，海是我們嘴裡的唾液？」

道長：「對。赤龍攪海在每天早上起來的時候做……」

已經著急著用舌頭在嘗試「攪海」的仙友：「道長，順序是怎樣的？快還是慢呢？」

道長：「用我們的舌頭順著牙齒——我們的每一顆牙齒，舌頭從左到右，從上到下地攪動，一共三十六圈次，慢慢依次進行。人體是非常奇妙的，我們的牙，就像我們的腳底一樣，帶著全部內臟的消息。我看你們的牙齒就能夠知道你們身體的情況。攪動的時候從裡面開始，最後把口裡的唾液吞下去，唾液會通過胃的分解，幫助大腦識別身體的訊號，哪裡有病啊，哪裡有什麼問題啊，大腦就明白了。那個吞嚥下去的唾液，叫金津玉液。透過這種方式，認知我們自己的生命體。我們的身體可以說是什麼都具備了的，可惜的是很多人都不知道，還在求外援。」

一人笑：「我們一直以爲唾液只有在吃東西的時候有用，其他時候可能還不是什麼好東西，多了吐掉，所以有用唾液唾人的，呵呵……」

不眠夜感慨：「太不文明了！關鍵是把金條當磚頭使了啊……」

笑……

道長：「唾液是非常好、對我們身體而言非常重要的東西。首先它是主要訊息的傳遞者。現在大家都知道訊息通暢的重要，我們已經在資訊社會了。唾液還有許多小功能，比如我們被蚊子咬了，或者長了一個瘡，我們的唾液都能夠治癒，這個常識，農村的老太太比都市的人要通曉得多。」

一人：「是的，還可以消毒、止血。我小時候手割破了，外婆就讓我在傷口上吐（塗）點唾液，還挺疼的……一會兒就好。」

道長笑：「我們人體是自帶百寶箱的，就是可惜大部分人不知道，也不相信自己的身體。一般被蛇、蟲叮咬了，我們也是用唾液。聽好了，我們在練功時產生的唾液就更加重要了，那都是我們自身的寶貝。所以，早上我們用舌頭在嘴裡攪了三十六次，一定會有唾液，這都是好東西，緩慢地吞下去。」

「要先刷牙嗎？」無話不說突然開口問。

大家笑。無話不說總能夠問到「關鍵問題」。

道長：「一定是在剛醒來的時候，在刷牙前。」

小男：「回龍湯是什麼呢？」

道長：「回龍湯，直白地說就是喝尿，簡單通俗的叫法也叫尿療法……」

大家的臉上都顯露出一種難以控制的奇妙表情。這個技術，有點不可思議……

道長：「道教的一些養生運用的技術，後來傳到了朱熹他們也被運用，再後來又傳到了日本，回龍湯的叫法就是這樣演變形成的。」

不眠夜的五官像被一隻無形的手抓了一把並且還沒有放開：「這個……不到生命、生死的關鍵時刻，難以辦到……」

道長笑：「可見你們對於自己身體的成見。對自身都有這麼大的分別心，這麼深的不接受、不了解。其實這不用驚訝，也不必牴觸，我們古人傳下來很多用喝尿的方法來治療自己身體的疾病。」

無話不說自語般：「是，這個說來也奇怪，我們寧可接受生物化學，也不接受自己的尿。如果向來醫院都是用病人自己的尿治病，可能大家也都習慣了，再有科學說用那些抗生、抗菌、化療什麼的，可能我們就會覺得噁心了……這是教育導致。悲哀！」

大家被他的奇談怪論攪乎得不知道是應該笑，還是應該沉思。表情更爲複雜多樣。一直以來習慣了種種人生知識「接受」，不加多餘考慮的小腦袋瓜們，再次面臨「早已經習慣於常識」的被挑戰：喝尿還是不喝？到底哪一種更噁心？哪一樣更不可思議？

小男：「這個……喝自己的尿能夠怎麼治病呢？治所有的病？」

道長：「這種方式是從道家傳出去的。傳到日本之後，又傳回中國，最終風靡了全世界。正像你的疑問：它到底能不能治病？怎麼治病？有很多人問我。

「你們的反應並不奇怪，一般人是很難以接受喝自己的尿的，都會疑問這種方法好嗎？正常嗎？這個問題一直提給了當今的科學家們。有的科學家說好，有的科學家說這純粹是胡鬧，尿液是人體排泄的廢物，新陳代謝排出來的尿全是毒素，再喝回我們的身體，好在哪裡？」

大家紛紛點頭，像在汪洋大海裡撈住了一根救命稻草：可有理由說服自己不喝尿了……呵呵。

道長：「這種觀點認爲，身體的廢物才會從尿排出去，靠這個治病是不可能的。也有人引經據典地來問我，這個尿喝了，也沒有營養啊？」

笑……沒有人想過把尿當營養品來使用的……

道長：「我說尿是排泄物，裡面當然不可能有營養，這簡直是天方夜譚，只有糖尿病人的尿才可能有營養……」

不眠夜五官造反：「再有營養，咱們也輕易不使用……哎呀……」

道長：「但是尿能不能夠治病呢？怎麼治病呢？我想聽聽你們的想法。」

沒有人回答。大家都有想法，但是都不說——說了也白說，都是常規的認為。都想聽道長的說道。

道長緩緩地：「自己的尿，必須是早上的第一次晨尿，那是可以治病的……」

呵呵，道長話落，每張臉上都掛上了一幅奇怪的、像一顆壞牙咬著了酸梅的表情。

畢竟，這個是從幼稚園開始，無論小學、中學、大學……哪個學，都沒有提及過的。偶爾有人略知半點，也是從偏遠的鄉下鄰人零星的談論之間，當做笑談，被我們的知識系統處理為「迷信愚鈍」之類了的邊緣、再邊緣的資訊。

第一次如此堂而皇之地正面談論，其震撼，如同真的第一次直面了「靈魂」：膽戰之餘，心裡面還在質疑自己的所見所歷……

道長平靜而嚴肅：「採尿有講究，是非常關鍵的。在早上第一次晨尿的時候，只取其中間的一段，叫掐頭去尾取中段。你們可以嘗試一下。一般來說，味道一般。」

有小聲的、非常怪異的笑聲……

無話不說很嚴肅：「這確實要有一點科學的精神。」

道長：「如果說身體碰巧很勞累，尿味一定是很苦，甚至會臭不可擋。」

小男表情奇怪地：「道長，你說自己的晨尿可以治病？是怎麼一回事？是……以毒攻毒的意思嗎？」

道長：「不是，尿攻不了毒。我們的回龍湯，翻譯成為你們能夠接受的當代語言，實際上是一個中國的生物回饋技術。現在西方的生物回饋，以爲研究了很多成果，但是比起我們幾千年以前就形成的智慧，差得太遠了。我們身體是否出現了各種症狀，是以我們大腦總指揮的判斷來決定的，我們的大腦和身體整個的運轉是息息相關的，但是現在，我們的障礙和非常值得擔憂的問題是：我們大腦似乎越來越不能認識自己的身體了。它經常錯認身體的訊號，我們也經常給它製造複雜的、不準確的身體訊息。還是以簡單的打噴嚏來作比方，打噴嚏是身體自我的排毒，表示我們旺盛的機能正在主動地把多餘的病毒排出去；像發燒，很少有人知道發燒對身體的重要和作用，一些癌症的人透過一次發高燒後，如果能夠生存下來，癌症就會消失，因爲癌細胞挨不過人體的四十度。這就是爲什麼很多的癌症在病人高燒之後就好了。還有腹瀉，腹瀉本身不是病，它是在排病，是在幫助我們排除體內的毒素。這些都是身體自我免疫能力工作的體現。但是這一系列身體所表示出來的正常運轉訊號，卻經常被我們誤解，被現代的醫學誤導。一旦身體出現這些症狀，表現出來這樣的訊號，我們大多數人的第一反應是覺得我們生病了，得趕快去醫院，用各種的抗生素、抗菌素來抵制它。由此，我們的身體對自我的認知越來越差，差到混亂。再加上現在人生活的快節奏、欲望、生存壓力導致的長期失眠、長期焦慮、長期壓力，使大腦對身體訊號的識別越來越錯認，無法正常地解讀我們。於是它的自我調控能力越來越弱，越來越減少，就好像一個很混亂的企業，高層的領導很難了解眞實的情況。」

人馬座：「自己的晨尿就是讓自己的大腦知道、了解自己身體的基本狀況？」

道長：「對。準確一點說，就是我們以尿療法，即是以生物回饋的技術，讓大腦重新認識身體訊號，識別這個訊號的意思。西方發明的生物回饋技術是用電解——用電的插線使大腦認識身體體系。但是幾千年以前中國的尿療法已經用一種非常簡單、自然、樸實的方法，更加準確地達到了回饋的效果。」

靜默。聽，且琢磨……

道長：「尿療法的根本，就是幫助我們的生物回饋。平時我們人都是在邏輯思維狀態下，我們處於一種陽性的狀態，是不是？而這些最爲簡單、樸實的方式，包括我們透過練功和赤龍攪海來告訴自己，我們的身體狀況如何，我們的身體會自行調整，會好起來。這種時候，我們都是處於放鬆和入靜的狀態，是一種陰性的狀態。尤其是在你們辟穀期間，你們的狀態比練功時還要重要，接受到的訊息，身體都會自己儲存，所以在辟穀的時候，良性意識尤爲重要，心境的平和、超然，非常重要，絕對不能生氣之類的。這個以後有機會再談。簡單地總結，赤龍攪海和尿療法，對治療很多疾病都有我們自己所不知道的幫助，這個問題明白了嗎？」

大家點頭。雖然還是遲疑的表情，但是「那顆酸梅子」，像是從嘴裡消失了……

道長：「我再補充一點。我們的智慧，我們修煉的方法，如果不根之於放鬆和寧靜，那麼產生出來的任何一種功法都是邪術；如果不回到易學的體系，不回到陰陽的大道裡，一切都是旁門。這就是判斷什麼是旁門左道、什麼是邪術的一種方法。」

19

命即口令

道長：「命是什麼東西？我們把這個命字拆開，這個字，就是一個『口』和一個『令』。命，就是一個人的口令。生下來就是為了執行一個口令。一個人的命，是他無量的因緣運動到了今天這個狀態，他要去完成他的一個使命……」

小男：「那通靈呢？是邪術，還是正當的……什麼呢？」

道長：「通靈也必須要透過正途的、道家的、虛靜的修煉技術修煉才行。而那種瞬間的通靈，一瞬間進入任何狀態，你們都能夠辦得到，尤其是女子，是特別容易。因為女子的第六感都比男子好，第六感就是某種意義上的通靈。生命體之間存在微波通訊，翻譯成為我們的傳統語言，就叫通靈。我在一九九五年做過一個課題研究，研究生命過程的陰陽轉化，涉及如何看待人生的百樣狀態等等……」

一人：「這是什麼意思呢，道長？」

道長沉吟：「這個，涉及我們修行過程中遭遇的生命不同狀態。」

道長停止，大家紛紛要求他講講。道長沉吟，大家央求……

道長被請求不過，似下了決心，微笑著點了下頭：「好，那我簡單地說一點。」

大家整理坐姿、表情，種種期待難以掩飾……

道長：「在修行的過程中，生命的現象分為五種狀態。第一種狀態是鬼仙，第二是人仙，第三是地仙，第四是神仙，第五是天仙，這幾種是從天地陰陽之間變化開始的。我們用一個乾卦來形容天，用坤卦來形容地，我們的人在其中而生，做的是一個效天法地的事情。我們的肉體生命何其之短暫，但是天地萬物又是何其之長遠，所以有一個詞叫做『天長地久』。大部分人認為天地和我們之間是不一樣的，我們以為『我』與天地是有區別的，但是要看在哪個層面上來講。以道家的觀點，某種意義上我們和天地完全是一樣的。站在原子的角度和科學的語言上講，我們生命就是無限度的原子的堆積物，離開了原子，我們什麼也不是。那麼這樣來看待和認為的話——我們站在能量的層面上講，我們和整個宇宙完全是可以一樣的。還原到我們傳統認知，在這個宇宙之中，天和地之間的運動，實際上就是陰和陽、乾和坤之間的運動。乾和坤互相之間的變化，就可以效仿我們人的變化。而我們人是怎麼產生的呢？依照傳統的描述，人在自身形成之時，在母體裡面精血相交，而爲胎胞，三百日在母體裡面『形圓』。人是陰陽的結合，在父精母血交合的時候，我們就獲得了一個陽子；異靈入體，我們又獲得了陰子。陰陽交合是我們體內的一個核心。陰陽交合之後，生命誕生。成長的過程中，一直要長到十五歲，我們人的正常元陽就發揮到了極限。就是說，每個人年滿十五歲的時候，就達到了陰陽的最佳平衡。十五歲以後，諸位你們的陽氣就會日益減少；一般說到了六十幾歲，陽氣就衰退了；到了九十歲的時候，元陽基本上就消耗至盡；到了一百二十歲的時候，元陽就滅盡了。這是一個自然的過程。而另一方面，在生命的過程中還有很多事情會消耗我們的陽氣，比方說內心的憂鬱，相互的鉤心鬥角，整天思慮利和欲，這些都會導致人的折壽，所以大部分人都是在一百歲之內就元陽耗盡了。陽氣減少到最後直至完全喪失，用中醫描述一個人的死亡叫『陰陽離絕』。一旦這個人陰陽離絕，就表示這個人沒氣了，氣走了，我們叫『元陽走失』。一個人的死亡被我們描述就是這樣的。陽衰而陰盛，變成了元陽走失，成爲純陰之體……」

小潔哆嗦了一下：「說這些挺害怕的！」

道長：「不用怕，這是生命的正常規律，像一個人有童年、有少年，然後必然是中年、老年。生命更完整的規律就是我們現在說的這樣的。

「如果一個人希望能夠盜天地之機，希望能夠採得陽氣變成純陽之體，我們的生命形式就能夠轉換。『修仙』通俗地說就是這樣，就是希望以採氣修煉的方式，改變、轉換生命存在的形式。

「我們到了十五歲的時候，是生命的陽氣達到最旺盛的狀態，並且，大部分人都還沒有開始消耗。這個時候，道家的方式就是轉陰為陽，煉陰為陽，就是為了第一是保住這個陽，第二是把陰轉為陽。所以道家修煉、修道……叫純陽境界，或者叫紫陽境界。到了純陽的時候，我們就能夠達到長生久視；如果達到紫陽的狀態，我們的生命就可以達到一個更高層次的轉換。在這裡，陰陽的調節和變換，是一個最核心的環節。」

大家似懂非懂，但都是用心、用勁在聽……呵呵，可能「一用勁」，又錯大發了……我自己在修行、聽講的過程中，就常常落入在這種「辯證」的判斷裡面，既想用心、用力聽住、記住，又怕執著、執迷於「用心、用力」。救命的稻草是自我安慰：也可能就此錯、錯成對了……玩笑話。我尋找的真正方法是：以「過耳」，以「忘記」「不記」的方法，讓自己下意識地去聽，去「懂」。以不去記憶地融入感受，把「想法」變成為下意識……

道長：「你們能夠記得八卦圖嗎？它用三根堅強的陽，即三根直線，代表乾；用三根斷裂的虛線，代表陰，就是坤卦。陽和陰之間的交合，就生出了三男三女，三男就是震卦、坎卦和艮卦，三女是巽卦、離卦和兌卦，這八卦之間的交合，就變成了六十四卦，反映出了生命的無限多樣性……」

道長停住：「我們說得太遠了。而且這麼談論，說了和沒有說，也是差別不大的。這都是非常大的研究，實修的領域。還剩下一點時間，你們提一點具體的問題吧。」

一時沉默。是大家對於生命在修煉過程中的「好奇」，並沒有得到道長回答之後的滿足。

道長明察秋毫，笑：「你們是太好奇了……」

無話不說：「那我提一個問題。道長，你們怎麼看待同性戀？」

一時，是「炸鍋」一般的靜默……

＊＊＊

道長：「首先，這是一個很正常的現象。其次，我們更應該從一個更大的角度、更廣泛的空間來看待。這與陰、陽相關，同性戀是在陰陽交媾過程中一個特殊的配比狀態。那從更大的角度怎麼看待？某種意義上來講，我們今天這個時代，是一個巨大的文明復甦的前兆，在這個時候，反映出來的問題會特別多。像中國曾經歷百年的內戰……人們從來沒有像現在這麼多地出現信仰的危機、道德的危機，陰陽失衡了。在這種情況下，按照天地之間的道理來說，要經歷一個破世亂時的過程，這個過程反映到了人的身上，就會導致各種稀奇古怪的疾病和一些反常行爲的出現。整個世界都是這樣。這個現象是正常的，也是必需的，這個狀態會持續一段時間。這沒有好壞之分，只是陰陽的一個現象而已。應該說宇宙自然循轉的道，在轉的過程中出現的一個必然。我說明白沒有？」

其實道長疑問的是「你們聽明白了沒有？」

沒人敢輕易應對。將所有問題作爲「現象」，推放到一個根本的角度去看待，這樣的思維方式，並不是我們習慣了「透過現象看現象」，「爲塵世種種物象所迷惑」的紅塵中人，所能夠輕易把握的。老老實實地說，大家似懂非懂，或者自以爲懂。而對於不在當時語境氛圍之中的人，可能會內心更大疑惑，認爲道長似乎「望文生義」了，一種與「潮流」、「時尚」更爲接近的現象，推放到陰陽之道的宇宙循轉之中，似乎闡述得大發了……

道長：「現象的根本就是這樣。我們經常在說的這個『道』，好像很空泛，但是落實到生活中，我們會發現無所不在道中，一切的現象，一切的過程，一切的結果……我們的生命總是在顯現出各種各樣的規律性，我們做什麼都有一個規律性，我們都是默默地順著這個規律性在走，它都是由道所顯化出來的、各種各樣的規律性。我們身處在這個規律性之中，無時無刻不是在透過這個規律性，在找一個東西。」

有人著急：「找什麼東西？」

道長起身，在身邊的寫字板上寫下了一個大大的字：命。

道長：「大家都認識這個字吧？我們無時無刻地透過各種規律性一直在尋找的這個東西，就是命。」

所有人都全神貫注……

道長：「命是什麼東西？我們把這個命字拆開，這個字，就是一個『口』和一個『令』。命，就是一個人的口令。生下來就是爲了執行一個口令。一個人的命，是他無量的因緣運動到了今天這個狀態，他要去完成他的一個使命。就是說你今天在命定的程序中，將在這個時空、這個點上做這樣一件事情。這個狀態的體現，也正好是多姿多彩的宇宙中，道的一種呈現方式。」

全神貫注。我們都習慣了應對塵世的種種現象，從來未加思考只是「習慣」卻「不知其所以然」的慣性思維。在人「命」的問題上更加是隨俗了，一直以來，大部分大部分包括我們自己在內的，和我們能夠看到的、走在街上的、待在各種屋子裡面的人，都是把「命」等同於「生命」、「活著」來看待的，有幾個思維能夠分裂、提升到命是「口令」的角度來參道、悟道？

道長：「一個口，一個令，加在一起就是命。我們都是帶著一個口令來的，但是我們要找到這個口令很複雜。這是我們紅塵內、外的迷惑。孔子很大的成就是他說的，『三十而立，四十而不惑，五十而知天命。』人的一生都是在找這個口令，你要找到這個口令是非常困難的。也可以說，人就是爲了找這個口令而來的，在沒有找到口令之前，人都是在顛沛流離。所有人的前半生都是在找，到底什麼是屬於自己的？化作通俗的語言，這個『找』就是理想、職業、自己到底應該做什麼之類。有的人覺得自己過得不錯，其實是他不知道。不知道什麼？」

無人應答……

道長：「是他不知道自己到底應該做什麼，不知道自己的命，不知道自己人生的口令。比如說愛因斯坦，如果他做生意的話，憑他的聰明智慧，也許他做生意也是滿不錯的，起碼也是豐衣足食，他也許也會覺得『我過得還不錯』。但是這個『不錯』，如果和他在物理學上輝煌的成績相比，他做生意的那點『不錯』算得了什麼呢？就是做成了比爾．蓋茲的成就，離他在人類科學史上的貢獻也是相差太遠了。這裡面就有一個人怎麼去認識自己、找到自己口令的關鍵：我們，你，到底應該做什麼？」

人馬座：「這個太難了！這個我們怎麼能夠知道，怎麼能夠識辨呢……」

道長：「這是很困難的，但是你的心明白。如果你們能夠聽憑『心』的選擇，而不爲世俗的功名利欲所迷惑、所引誘。就像如珠走盤一樣，一把珠子撒下去的時候，每顆珠子都是隨著自己應有的軌跡在走。當我們偏離開的時候，我們會感覺到痛，這種痛是從肌膚之痛到心裡的痛，因爲當我們偏離了自己原本應該在的軌道時，挫折感和失敗感就出現了，挫折和失敗接踵而來，然後我們就有可能重新走向我們的口令所指向的方向。而走向它的過程，就是我們明白的過程。我們要借助於對各種各樣事物的規律來認知，就是說我們要知道，我們始終處在各種各樣的規律之中，不管我們是在交友、處事、待人，還是在做我們的事業，我們都在一個默定的規律之中。表面上，經商之道和爲官之道不一樣，但是本質上它們體現的都是一個規則，這個規則上升到最上面，都是一回事，都是一個大的規則。這個大的規則從物理學的角度來講，就是愛因斯坦終生追求的：統一場理論。到了李·約瑟，從他的思路來講，就是萬有定律的寶庫。用我們的話說，就是人在行『道』的過程中，始終是在不可逆轉地爲了兩個字在走，這兩個字就是：明白。明白我是誰。」

小男：「每個人的目標都一樣嗎？」

道長：「都是一樣的。從大的目標來講，只有一個；而從小的目標來說，個體的因緣都不一樣。就像有的人適合這個，有的人適合那個，包括我們個體對宗教的傾向。每個人都會發現，自己對有的宗教天生就能夠接受，對另一個就是沒有激情，即使有了激情，也沒有緣分。這是因爲每個人自己帶有的訊息不一樣，因緣不一樣，個體明白的方式是不一樣的。像我們講道，同樣給一百個人講道，講的同樣的語言、同樣的例子，有的人一聽就理解了，而另外一些人就是怎麼也理解不了。沒有關係，他們的理解是在另外的一個環節裡面。也許就在走路的時候、吃飯的時候、游泳的時候，一粒小石子，一個小水花，它們的跳躍、滾動、飛濺，讓有的人刹那間就明白了。有的人當雨從他的頭上澆下來的時候，他半輩子沒有明白的事情一下子就明白了。『明白』的狀態也是各有各的緣法的。『明白』的不一樣，是因緣不一樣，各人在這個時代要了悟的東西不一樣……」

小男：「我們怎麼能夠知道這些因緣啊什麼什麼的，哪些是能夠讓我們明白的呢？我們糊裡糊塗這麼久了，呵呵，這麼多年了，好像什麼也沒有明白……」

道長：「不是這樣的。生命是自己在醒悟、自己在積累的，它會讓你知道，也不會讓你知道，但是到了一定的時候，你一定會知道的。另一方面，當我們能夠放鬆自己的時候，我們用自己的生命去進行一個東西的時候，當我們能夠放開被所謂的知識控制的時候——要知道，這些控制著我們的知識實在太有限了，用生命本有的覺知能力去感知的時候，有很多東西會自己給我們創造條件——當我們放鬆自己的時候，所有的因緣會自己一起給我們做功。我們與無量因緣本來就是一起運動的，冥冥中與我們相關的所有因緣都會給我們做功，它會讓我們走一條屬於我們自己的路。」

小男很淳厚地笑了：「我們什麼時候能夠眞正地知道呢……」

人馬座：「道長，『當我們能夠放開被所謂的知識控制的時候』，是什麼意思？」

道長：「我說的意思是，我們太有限了。那些控制著我們的知識，是我們用生命本有的覺知能力去感知的，比如說牛頓在當時發現了萬有引力的定律，但是後來出現了相對論，用相對論來解釋的時候，才明白所謂萬有引力是不存在的，實際上是巨大的物體自然而然形成了一個螺旋的、對時空的壓力……」

無話不說：「等等，道長，萬有引力是不存在的？」

道長：「應該這樣說，在三維時空裡，萬有引力是存在的，因爲它決定了每一個物體與物體之間、星球與星球之間所產生的引力關係；但是在相對論的力學體系裡，萬有引力可以說是沒有意義的。爲什麼這樣說呢？物質爲什麼會吸引另外的一個物質？我們的地球在飛速地旋轉，但是爲什麼沒有把我們甩出去呢？我們解釋說這就是萬有引力在抓住我們。但是實際上不是這樣的，大的物質會扭曲這個時空，使這個時空進行收縮。我們是不是又離題太遠了？」道長笑，「這個還是我們養生的話題嗎？」

人馬座：「再問一個問題，道長，你剛才說生命體之間存在微波通訊？『我感覺到了什麼』算不算是微波通訊？」

道長：「不但是人的生命體之間存在微波通訊，在這個世界上，一切生命都是可以互相通訊的，包括我們和動物，我們和植物，以及我們和無限的宇宙。聽來不可思議嗎？但是這個確實是一個更爲客觀的事實。你說的『感覺到了什麼』，當然也是。當我們處在邏輯思維的狀態中，這個時候是我們的識神在起作用，而不是元神。識神是什麼？是我們後天的成見，或者說知識在統治我們的心靈、認知和我們的判斷。這個時候，我們最大的一個誤區就是我們認識不到生命的無限性。我們和宇宙之間本來就是一個全息的關係，可以說人就是一個巨大的細胞，我們就是整個宇宙的縮影。反過來理解也一樣。但是這種狀況，是我們生命的識神、我們的認知所意識不到的。比方說他得了糖尿病——」道長指著無話不說，「他能夠想到的絕對只是他的身體和糖尿病的關係，他一定是這樣去考慮的，他忘了他——我們人的這個身體，實際上只是我們有限的思維認識到的這個身體。而其實這只是無限的宇宙生命中，還有我們生命自己的無限性中很小的一部分。有點像我們現在描繪的DNA。我們發現了、使用了和描繪了的身體，實際上只是很小的一部分，另外的很大部分，是我們目前完全沒有辦法認知到的。那個未知的部分，就是我們的無限深遠性。」

無話不說凝神聽著，一動不動。

道長：「像糖尿病，在這個巨大的、無限的生命聯繫之中，算什麼呢？如果我們認識到了，怎麼可能難以治癒呢？所以你——」道長面對無話不說，「我第一次這麼肯定地對你說，你絲毫不用爲你的病擔憂。並不是你的糖尿病不需要擔憂，而是對自己的生命有了全新角度的認識之後，大部分的病都是不需要擔憂的。而另外的一種病，如果是源於因果、因緣，那就是一場感冒，也是很大的麻煩，是過不去的結。這個在我們出生的時辰八字裡面都有預言。」

一絲難以抑制的笑容，從無話不說嘴邊溢出，逐步盛開……

道長：「那麼『對自己的生命有了全新角度的認識』，換成比較務實的理解，就是說，當我們意識到生命並不是孤立的，當我們能夠透過道家的一些功法『喚醒』我們的身體、生命的時候，生命的另外一套系統就會自己做功，自己發揮作用了。像我們的生理時鐘，你們試一下，並不動用眞的時鐘，只是加一個『何時醒來』的意念，我們就能夠在需要醒來的時候醒來。這就是生命的另一套系統。當這個系統在做功、在發揮作用的時候，生命的另外一種力量被調動起來了，或者說生命的潛能被調動起來了。這個能量是極其巨大的，這個力量是可以和宇宙通訊的，這個力量也是當前人類極力想了解、想掌握的。你們所信仰的科學，正是在努力地往這個方面靠近。

「而我們完全地在一個邏輯思維的、有限的『我』的這個意識之中，我們是無法調動這個力量的，於是我們就悲觀地考慮到，這個病會要了我們的命。是這樣的，當一個疾病形成時，以我的身體現在所掌握的能力去應對這個病症，確實是很困難的，依靠我們邏輯思維的、有限的『我』，我們確實是很難，甚至大部分時候是無法戰勝疾病的，無法去抵禦、去超越這個疾病。但是有多少人知道，我們有一個龐大的軍隊在整裝待發？大部分人不知道，比大部分更多的人還在一再地否定它。這並不是抨擊當代醫學，當代醫學的年輕，眞的是以否定人體自身的能力爲前提的。」

無話不說不斷點頭，自言自語：「激動人心……」

道長：「還有五分鐘，也希望大家交流一下今天的身體或者心靈的感受。」

＊　＊　＊

激動之中的無話不說，立刻舉手：「我說兩句。這幾天聽得比較多，除了積極的提問，我的內心一直也是在不斷地思考和總結，現在不說不行。我覺得，一個是以前我們確實知道得太少了，簡直是一無所知，無論是對我們的生命，還是對自己的身體。所以幾十年來，在日常飲食起居方面，還有在面對身體疾病的情況下，我們都有和自己對著幹、擰著來的傾向。現在透過道長的苦口婆心，我終於知道了一點、明白了一點，不再強了。在這樣的前提之下，我覺得第二個首要重要的……」

有人笑：「第二個還『首要』重要……你說話太繞了，占地太大……」

無話不說依舊看著自己的膝蓋，認眞糾正：「就是並列第一重要的意思，並列冠軍。你不要丟本逐末、咬文嚼字的，直截了當那是速食文化。

「第二個首要重要的，是自己要有信心，相信自己的能力，相信自己有可被調動的潛能。但是我也得花些時間找找我的這支十萬軍隊現在在哪兒。這是自己以前認識不到的。來這裡這些天讓我長了見識，提高了認識，尤其是今天，我終於放心了，知道我這個糖尿病，在天人合一、浩瀚宇宙之間，算個狗屁，屬於是個小跳蚤，或者是小跳蚤身上的小跳蚤。（大家笑）

「第三個，在認識一個事情上，以前我的評判標準確實是眼見爲實，我的客觀性都是建立在五官驗證上。我太相信我的五官感受了。現在呢，這種複雜的辯證關係雖然讓我有點糊塗，但好處是，不輕信總是沒錯的，懷疑拓寬了我的認知，我能夠開始懷疑我原先認定『就是這樣的』事情了，我也有一定的能力來思考『很難說我眼見的是不是實』，也許『眼不見的，可能是實』。第三……」

又有人笑：「第四了……」

無話不說：「第三點的另一個方面，要相信天意。爲什麼這麼說，我是從我『究竟是怎麼到了這裡』開始考慮的。這個，我的心理活動就先不說了，截流了，隱藏了，依照道長的說法，基本上屬於是對所謂『緣分』的思考。我有到這裡來的緣分，不管是什麼方式，不管我當初是怎麼想，反正我是到這兒了，體現了這個緣分了。雖然沒有給我辟穀，但是我的血糖確實被控制住了，血壓也逐漸正常了，在我什麼都吃、什麼藥都不吃的情況下達到了這樣，我的內心是感激、是佩服的！所以在這樣的事實面前，我不再認爲道長是在忽悠我了……」

大笑……

無話不說：「不給我辟穀有不辟穀的道理，這個緣分可能是我還沒有完全意識到的，但是無論怎樣，我降血糖、降血壓的目的同樣達到了，而且經過我這些天的觀察和將心比心，辟穀好像眞的不適合我，它什麼都不能夠吃，我現在什麼都能夠吃，吃對於我是非常重要的一個生命、生活組成部分。所以在考慮了緣分之後，我也開始思考更大範圍之內天意與緣分組合的問題。

「在思考了諸多緣分之後，我清楚地意識到了，要相信因果。這可是一個大坑，看到了這個坑，我們就會老老實實好好走道。就是說，我們會在意自己的行爲了，因爲我們都會害怕不好的結果，害怕掉到那個坑裡，會不會有報應。從因果的角度來看，這個報應是一定有的。這樣思考問題有非常積極的一面，比任何的說教都有作用：人要多做好事、善事，好有好報，惡有惡報，善惡不報，日子未到，都在前面等著呢……（笑）

「這些就是我的感悟。對不對，道在證道，咱們走著瞧。但是我還有一點評論要發表。我這樣的人吧，除了想把工作做好，還有就是很願意發現類似這裡的這些新事物。在發現了這些新知識、新事物之後，就想把各種的理法術都找到。在理和法的高度都一時難以達到的狀況下，起碼也應該找到一些術。但是好歹我也懂了一些道理了啊，而術的問題還是依舊沒有解決。這個問題還請道長考慮，這是我的一點要求，也是道在證道的一點需求。（大家笑）

「總之，跟大家在一起，我學到了很多東西，現在發現身邊到處都有『道』，很簡單，像天天抄經、寫毛筆字，就需要平心靜氣，在清靜的狀態下做一些事情，才能夠感悟到一些事情。大的方面，我覺得在仰望道的高峰時，我們是在爬坡；小的地方呢，比方說跟大家相處，大家都很願意幫助我，都很值得我學習，從我們在這裡相處的第一天開始，大家都不遺餘力、不見外地批評我，我深表感謝。學無止境，道無止境，我們共同努力。我就簡單說這些，快十一點了，後面的仙友就盡量別說了。」

大家笑聲伴著掌聲……

小男：「我沒有想到在這裡看到、聽到的這麼多的知識，還有無話不說的改變，包括病情的改變。下山之後，我起碼可以跟大家宣揚一下……」

無話不說修正：「是弘道！」

小男笑：「對，是弘道。我的所見所聞，我的這種難得的經歷，可以讓更多的人珍愛生命，了解生命。」

人馬座：「道長，再延幾分鐘吧，我有一個很大的疑問，看無話不說的變化，我就想，是道在弘人，還是人在弘道？」

大家笑，鼓掌……

道長：「好，再延幾分鐘。我們有了弘道的經歷，弘道的成果，實際上也是道在弘人的一個過程。那麼我們也要考慮，是否我們已經走到了一個正道上去？

「從生命的角度說，生命科學在西方也有，不同的是他們是以基因科學為前提的，他們的研究走到一定程度必定會依舊走不下去，代之而起的將是進化醫學和能量醫學。而我們的生命科學是存在更久遠、也是當前更前端的，這是道文化對生命的理解在東方醫學的體現，也是以道家為特色的東方養生文化。將我們古老又前端的生命認知，與西方一直在努力的醫學、科學相結合，是我們未來的生命研究主流方向。二十一世紀是一個生命科學的世紀，最直接的對話莫過於與生命的直接對話，生命科學之間的對話。生命科學的代表，在中國融入幾千年之間的體驗和流傳，就是道家的養生。西方有非常璀璨的文明，但是這個文明遠沒有中國人的『科學』、『文明』來得悠久，經歷過漫長的時間驗證。拋開疾病，這個世紀的主題是生命的品質提升，生活的品質提高。所以我們必須要有一個東方的生命科學殿堂，能夠與西方目前已經開始的基因科學，以及即將進入的進化醫學和能量醫學對話。

「道在這個時代有自己的一個實證方向。所以，你的問題問得很好。一方面，是我們人為地在用心、去努力地做一些事情；另一方面，一旦我們有了這樣的一個心願以後，事情本身也在朝著一個方向發展。就是說很多時候，在各個方面，當我們朝著一個方向做著既定規劃時，事情自己也逐漸地在緣起了。我們相信在二十一世紀，從我們的生命之道開始，東方生命科學和西方生命科學兩種文明的交融，將使人類的文明產生一個突變式的變化。」

大家鼓掌。道長溫文爾雅的談論，蘊藏著一股平和卻巨大湧動的力量，每顆心都感覺到這股力量的湧動。「修行是積極的，絕不是消極的。」我不知道道長曾經的解釋，用在這天我們內心的感受上是不是合適，有沒有望文生義。而莊子說，「北冥有魚，其名爲鯤，鯤之大，不知其幾千里也。化而爲鳥，其名爲鵬，鵬之背，不知其幾千里也。怒而飛……」當這巨大無比的鵬，尚是一條巨大無比的魚、大至幾千里的「鯤」時，牠沉潛著，在一日「怒而飛」（怒不是生氣，是鼓脹起來，我覺得是一種蘊蓄到了時日、沉潛之後的蓬發），「其翼若垂天之雲……水擊三千里，摶扶搖而上者九萬里……」道長對中國文化的理解與闡述，在中國文化近幾百年以來相對而言的「沉潛」之後，蘊蓄的正是莊子描述的這樣一股趨勢。以無話不說的話來講，「激動人心」。

道長：「我做的工作其實是一種翻譯，將中國傳統的文化翻譯到今天，再翻譯到全世界。我一直在尋找像我這樣的『翻譯』，能夠讓更多的人了解中國了不起的道文化，了解生命的可貴，了解養生文化的可貴。這是我義不容辭的人生目標，也是責任。爲人治病的地方很多，治療糖尿病的方法也很多，爲什麼大家都會相聚到這裡來？這就是一種無量因緣的運動結果。

「爲此，我還要再講一講理法術。理法術的根本意味是什麼呢？它是『以理統法，以法統術』。我們看三國，看歷史，看待歷史上的無數勝與負，成與敗，這些已經沉澱爲人類歷史的每一個曾經的瞬息，導致出來我們今天某一種現實的瞬間，眞的是一支軍隊比另一支要差很多嗎？爲什麼反敗爲勝的例子更多呢？到底是誰決定了戰爭的勝與負？

「我反覆要講到的孫中山，在他的手上結束的絕對不是一個朝代，而是整個幾千年傳統的封建帝制。這麼一個在中國的歷史上、在全世界的歷史記載上最終要留名的人，卻是從他開始起義，到他最後戰爭指揮，從來沒有親自打贏過一場戰爭的人！按照中國傳統的說法，他是百敗將領，但是他依然建立了不朽的功業。這憑的是什麼呢？他掌握了這個東西——理。打贏、指揮一場勝仗，一個軍長也好，一個司令也罷，師長也罷，需要的只是術。在戰爭的當時，我們之能夠看到的是戰爭的輸和贏，但是當歷史翻頁，幾百年之後一切都蓋棺定論，我們看到的就是理。從軍事才能來看，孫中山這輩子從術上來說是糟糕到家了，一生都沒有打過勝仗，但是他找了這個理。他說：世界大事浩浩蕩蕩，順勢者昌，逆勢者亡。結束封建帝制走向共和，是那個時代的必須，他掌握了這個理，他最先喊出了這個口號。所以理法術三者之間，我們最應該了解、把握的是理。雖然最後把道弘揚起來，要有很多法、很多術，但是我們一定是從理開始的。我說明白了嗎，無話不說？謝謝大家。」

鼓掌，起立，一起抱拳「無量壽福」！

門口，穿著中式衣褲、懷抱小墊子的年輕小道士們，都安靜地站立在黑暗走廊的兩邊，沉默等待……

我們心生愧疚，輕手輕腳，紛紛低頭魚貫而出。讓位。

辟穀第十天似一列轟然而過的列車，振心震耳之後，化爲平靜，積攢爲記憶，伴隨終生……

20
會走的病

常月笑：「每調整一段時間，人的病灶會移動，就就像自己有生命，是會走動的。這點不曉得西醫知不知道。所以盯住一個地方治療是不對的，病也會欺騙你。」

辟穀第十一天。

上午如同前十天一般度過。起床獨自練功，洗冷水澡，下樓與大家一起練功，洗衣服，再練功，抄經，教育小淘氣們（我的小狗狗）……忘了人生還有「吃飯」這回事，以爲一天只要練功，洗澡洗衣服洗狗狗就可以了，呵呵！相當省心。幾乎沒有想到辟穀已經在悄然走向尾聲了，像一切的勢不可擋，像無論如何都抵擋不住的時光流逝。將近中午的時候，雙眼被光線一照，「後天的後天」，辟穀就結束了，這個念頭才在心裡一掠，一時倍感珍惜，心生留念！我依舊是那樣，「當一件衣服還沒有穿舊，我就開始懷念了」；當辟穀並沒有結束，我已經站在遠離這些日子的另一些日子裡面，懷念了。像現在……

我站在相比前些天明朗了許多的光線裡面，身輕若煙，飄飄欲仙，有些恍惚。人是這樣的，總是留戀眼前的，總是想抓住「已經」不放，毫無緣由地擔憂各種各樣前景的變化，捨不得離開紅塵，捨不得回到紅塵。進而想到，可能主導這些的，並不完全是悟性，更多是惰性。心裡正識辨，但是「留戀」還是在驟然間自顧自地產生了。我喜歡辟穀的這種狀態，神清氣爽，輕盈飄逸，一切都是透亮而清晰的。而想到吃食，想到平常日子，紅塵的倦風斜雨，混亂擁擠，人群，難以言狀，種種地球人的分分秒秒，荒誕之中依然有著熱熱鬧鬧的一團熱氣，那是我們人人都熟悉的，與身體、言行息息相關的生活。修行，眞的不是爲了讓我們遠離生活，遠離是非，而是讓我們更清晰生活，清晰是非，清晰紅塵的熱鬧與混亂。當我們的心純淨了，安寧了，紅塵之中的種種也都純淨了，安寧了，沒有分別了，一切都可以享受了……

而心裡，竟希望辟穀能夠再長久一些，再長久一些……

廚房的菜香，比任何一天都更加細膩，更加清晰，更加明確，「尖銳」地鑽入嗅覺。這種感覺，很像雙眼第一次看到電視的高清（高畫質）畫面。沒有辟過穀的人，一定很難以理解「高清的嗅覺」到底是怎麼一回事。眞是準確清晰！我隨「高清嗅覺」步入餐廳，記錄一下這日午餐的內容：紅燒鯽魚，香辣茄子，蔥油烏雞，排骨藕湯，清炒四季豆，韭黃炒豆腐乾，水煮魚，回鍋肉炒辣白菜，麻婆豆腐。

大家嘻嘻哈哈隨即而到，才知道這天恰巧是小男的生日，廚房善意，爲這個只能聞香、見色，卻不能入口識味的辟穀之人，調整了一些菜色。呵呵，這正是折磨他了！

這個辟著穀的人兩眼放光地盯著餐桌的花花綠綠、香香噴噴，一直自言自語：「你們吃得太好了！你們吃得太好了！」

亞女提來一個漂亮的大蛋糕盒：「這是他自己上午去北碚買的，不讓他去都不行……」

小男意猶未盡的樣子：「哎呀！買蛋糕也是一種巨大的幸福！北碚太繁華了，那麼多的店，什麼吃的都有……我看比北京西單的熱鬧和繁榮一點都不差……」

開盒，擺上餐桌。

這是一個優酪乳水果蛋糕，淡粉色的優酪乳，奶油裝飾，鵝黃、翠綠、豔紅的水果點綴其間。

小男目不轉睛，輕微地搖著頭由衷讚歎：「這個蛋糕太好了！是我有生以來見過最好的蛋糕！眞的，這麼香啊！我從來沒有聞到過這麼香的蛋糕！那比北京、上海的蛋糕要好多了，我辟完穀一定要再買一個，太香了！太誘人了！」

大家爆笑！小潔幾乎笑出眼淚：「親愛的，我能夠理解，這個蛋糕在你眼裡確實非常親切……」

小男依舊目不轉睛：「什麼親切啊！這是最好的蛋糕了！可惜我不能夠吃！你看看這些配著的水果，多好啊！」

亞女伸手揪了半粒草莓放到嘴裡，隨即又吐回到手心……

亞女：「什麼呀……」

小男由衷地惋惜：「你們太不知道好了，不用爲了照顧我而故意這麼做，這好和不好還看不出來嗎……」

還有一個一直不發一言、雙眼緊緊盯著蛋糕的人：無話不說。他一直保持站在距離蛋糕最近的位置，兩隻手緊緊抓著一個小盤子，隨時準備分切蛋糕。無話不說以前所未有展示過的耐心和謙虛的姿態，恭恭敬敬地站在一旁等待著。他專注認眞、不苟言笑、老老實實、端端正正的態度，終於引起了所有人的注意。但是無論大家怎麼笑、怎麼逗他，無話不說像是失語了，失聰了，只管一眼不發，死死盯著蛋糕。終於切開蛋糕的時候，他雙手舉著盤子站在我們這一小撮的最前面！

大家笑問道長：「這個糖尿病人是不是可以吃蛋糕啊？」

道長微笑不語。

無話不說終於分到了他期盼著的一大塊蛋糕。

＊　＊　＊

依照道長的計畫，這天下午要帶所有在白雲觀辟穀、養生的人，去五公里遠的紹龍觀放生。放生的烏龜和蛇，是沒有辟穀的仙友們幾天前就下山買好的。道長再三強調：一定要去買餐館的，因爲這些小生靈每天都在面臨生命的威脅。公園、花鳥市場提供的家裡養的觀賞魚類或者寵物、小龜，談不上放生，因爲本來牠們就沒有什麼生的危機。

這天就不練睡仙功了。吃完午飯，分完蛋糕，大家取來放生的龜與蛇，分派車輛，準備下紹龍觀。

辟穀了十二天的胖子和辟穀七天的小男，居然都強烈要求當司機。於是，胖子、小男、道長與另一位仙友開了四輛車，浩蕩出發。

一路山青樹秀風招搖。紹龍觀映襯在一片濃密樹蔭之間，幾分鐘之後拐出山路進入大門，豁然開闊：比白雲觀的外觀壯闊許多。

道長率領，敬香，許願眾生（一切的生靈）平安。然後率領一干善男善女，向下方的放生池進發。

放生池不近，還需要走大約一公里半的一段傾斜山路。

大家走走歇歇。主要是因爲我們辟穀的人，每天可以樓上樓下走走，可以當司機開車，也可以坐車下山去買蛋糕，但是在這麼多天沒有任何食物入口，還需要爬山的話，狀況一定是緩慢的了。

有人乘機問道長：放生是什麼意思？是來山上時放生，還是平時也應該放生？

道長一番深入淺出的回答，再次撼動我們對於人生、對於生命的了解程度與看法。

道長：「認眞地說，放生應該是伴隨我們的生活常常去做的事情。這個話題說來很悠長，因爲關係到我們對待生命的態度、我們人生的價值觀念等等。

「簡單地說，放生是我們如何面對生命的一個問題。尤其在修行辟穀的時候，放生非常重要。

「我們爲什麼要辟穀？道家認爲生命是不死的，核心是氣一元論，我們的人生，這個世界，整個宇宙，都是因爲氣而存在。辟穀就是依靠服氣，讓我們的生命在沒有任何食物支撐的情況下，啓用生命的另一套系統延續生命。辟穀以服氣法突破生命的極限，使我們相信：生命是不死的；或者說生命的本質是不死的。我們轉化的，生命變化的，是因果。因果在佛教，理解爲『個人因果』；在道教，則是『承負因果』。道教有一部重要的經典《太平經》中說道，『天地承負，因果相循』，生命的種種形態是因果相循造成的。

「組成我們生命的，是我們的精、氣、神，也可以說是身、心、靈。在我們的辟穀過程中，因爲辟穀服氣，我們清除的是身體中的毒素，但是並未有由此清除我們神裡面、心靈裡面附著的業力。身、心、靈之間是相互影響的，身對於心、靈，靈對於身、心，皆相互影響，如果在我們修行的過程中只去除了身體的毒素，而不顧及心的業力，修行終究不徹底。道家是講究性命雙修的，放生是我們修行的一個方面。釋放業力，簡單地說，可以透過做法事、行善、放生。

「做法事，我們簡單地講過，是尋找一種加持力。另一方面，對於我們自身來講，我們是要做一個很深的懺悔。無論我們是有意無意，在生命長長短短的過程中，我們總會傷害到一些生命。沒有一個人能夠做到從來不傷害，能夠做到有意不傷害就很好了，無意中『誰也沒有傷害』是不可能的。我們在做法事中深深地懺悔自己曾經有意無意的不良行爲，爲今世，也許也爲今世之前，然後把我們的心願經由這個儀式散發到宇宙天地之間。

「行善也是一樣。爲我們曾經、過往的一切不善，透過發願和行爲來做一些彌補，經由眞誠的善心善願幫助我們消除業力。

「那放生呢，直接地說就是『愛生』和『貴生』，重視一切的生命，愛惜一切的生命。也許以前經意、不經意間做了傷害生命的事情，透過放生，期望達到陰陽的平衡，因果的平衡，了斷一些因果，化解一些業力。就眼前來說，我們生活的遭遇、狀況、健康與否的呈現，都是遠遠近近、大大小小的一個個由因而導致的果。健康狀況最能夠說明。

「而透過放生，能夠由此讓我們尊重每一個生命，愛惜每一個生命，是我們每一個人都應該醒悟，能夠接受、意識到的。

「每一個到山上來的人都要參與放生。要了解因果，平衡因果，透過放生，思考生命的平等，積德，行善，消除不良業力……」

＊ ＊ ＊

我們都沉默而專注地聽，沒有人開玩笑。對於生命的了解，我們這些年來知道得太少了，少到甚至是無知、麻木的地步，會經常去傷害一些小動物、小生命。人好大的膽兒啊，眞是無知者無畏，因爲不了解後果，也不同情、珍愛生靈，什麼都敢做……

放生池在樹影婆娑之間，早已經隱約可望。只是小道彎曲，還有像山路一般的上下盤旋，我們辟穀的幾位就走得相當吃力，心慌，心狂跳，喘得很厲害。尤其是胖子，他這些天來都是狀況最好的，但是現在幾乎需要人攙扶。道長伴隨前後，始終鼓勵我們，告訴我們自己堅持行走的必要與重要。

在放生池的一池漣漪終於進入眼簾時，胖子和香港的兩位辟穀者無論如何也不走了，「走不動了！」

道長笑：「那坐一會兒，順便我再教給你們一個簡單的功法。在走山路氣喘、氣急的時候，有一個功法叫『神行太保』。這個功法很簡單，用『命門呼吸法』，確保你們的體能能夠一直支持你們登山爬坡。」

香港的朋友：「師父，命門在哪裡呢？」

道長：「大致在腰椎與皮帶交匯的地方，那個位置就是命門穴。它就像個風箱一樣，吸氣的時候氣就往命門進，呼氣的時候就從命門出，呼吸全在命門。用這樣的命門呼吸法，走不了多久，你們的雙腿就會感覺像按了彈簧一樣，自己會彈起來，會自然產生一股熱流，一股彷彿取之不盡的力量。」

我們嘗試如道長所說的呼吸方法，努力體驗，然後又開始在小道上行進。

胖子居然不需要旁人的扶持，可以自己上下行走了，眞是立竿見影的效果。

放生池終於如同一張平靜的笑臉，輕波逶迤著，陽光微撒著……

池中有不少的龜，大大小小的魚，見我們過去，都搖搖擺擺游曳過來，毫不見生。

本來這些小動物就是對人毫無戒心、友好喜悅的。我們都養過小動物，無論是兔子、小魚小龜，還是大一些的貓、狗狗，或者是山野路上偶遇的鳥、松鼠、小兔子等等，如果我們不傷害牠們，牠們從來對我們人是充滿好奇和友善的，但是牠們往往卻爲對陌生人的好奇與友善所傷。人居然會因爲有和善的小動物看了我們一眼，近了我們一點，而生起殺心……

這是我第一次眞正意義上的放生，目的與行爲都是如此明確的放生。

我相信萬物皆有情，無論花草、樹木，更不用說和人一樣長有四肢、頭腦、五臟六腑的各種動物了。大家陸續到放生池邊，將帶來的龜、蛇小心地送回到水裡，有的仙友還與牠們說著話……

奇妙的事情發生了：那些被放生的龜，大多回到水中都會回頭看一下；有不少的還又游回來仰頭看放歸牠們的人。我清楚地看到不止一個人眼裡隱隱、盈盈的淚光。同是生命，這一刻我們都感受到了生命之間友好、平和的信任，難以言說的情感交流。

很難說此刻的放生眞的是略強一點的人，放生了顯得弱小的牠們，還是也許更有靈性的牠們，放生了我們的心，人的心靈……

何時我們才能夠眞正體會到生命之間一切的理應平等、和善？什麼時候我們才能夠像對待自己的生命、我們的親朋好友一般，理所當然、不需思辨地就有生命之間的相互照應、寬容？不再有可鄙、可憐的「吃了牠們」的殺心？天上飛的，地上跑的，水裡游的，都生命自在，各活一方……如果人能夠善待比人弱小的生命，能夠寬闊容納天地之間的生命萬物，容納一切的生靈，容納一棵樹、一池水、一蓬野草的存在，人與人，國與國，民族與民族之間，才有可能眞正地消失敵視與隱患，眞正地友善，和平共處，戰爭、殘忍才眞的可能離開我們，生命才有神聖的昇華、進化……

我一通的望魚、望龜生義，竟也熱淚盈眶。我放入水中、手掌大的小龜，入水後又回過身來兩次，划水到岸邊，長長地凝望我，然後返身深深地潛入到水裡，瞬間不見了小身影……

＊　＊　＊

一個多小時後，放生結束。

往回走，小道上坡的過程更多。辟穀的人因爲有了道長臨時傳授的「神行太保」，整體狀況好了許多，我似乎都不覺得心慌氣喘了。但是胖子依舊不舒服，大口喘氣，說心臟跳動太快。道長給他把脈，確實每分鐘有一百多跳，於是我們停下來，道長就在山道上給胖子點了穴。

這也是我第一次親歷「點穴」。完全沒有電影、電視裡面那種伸手、揚眉的誇張狀態，手指的動作也完全不一樣。我所眼見的點穴，樸實很多，幾乎不見「刀光劍影」，但是能夠看出來，道長用力很狠。胖子瞬間就覺得好多了，呼吸平緩下來。

胖子：「是不是和我的血壓有關？這麼多天了，我的血壓從沒有低過，最高的時候低壓有一二〇，高壓一五八。今天早晨測是低壓一二〇，高壓一四四。」

道長：「我還是要問你：你的感覺呢？」

胖子：「還行。如果是在平時，在北京，這樣的血壓我已經很難受了，會頭疼得受不了。只有今天爬坡有些難受，喘不過氣了。眞的沒有問題嗎？」

道長：「沒有問題。你也沒有平時的難受、頭疼的狀況。不讓你吃藥不是在放任你的狀況，是給你的身體機會讓它自己調整，那比你吃的那些藥要好、要有用得多！你的心血管裡積累的脂肪太多了，辟穀的時候就是依靠你自身的力量在消解這些問題。今天爬坡走路感覺困難、不舒服是正常的。其實你如果每天都能夠這樣走一些山路，都不舒服一陣子，才是對你更好的……」

胖子當即搖頭：「別……還是老老實實待著妥當些……」

道長笑：「你們都是不相信自己，都怕難受、怕累。身體與生命一樣，都應該主動迎向困難與困境。我們的修行，其實就是一種主動的迎向，而不是逃避……」

不眠夜慷慨展臂：「看我，一迎迎了二十一天！」

旁邊人笑：「現在又勇敢地迎向了蛋塔……」

不眠夜笑：「一點都沒錯，我以一個糖尿病人的身分，這眞是向死而生的膽略與勇氣……」

人馬座笑：「膽略與勇氣，說一個就行了，差不多的意思……」

不眠夜極快反應：「這怎麼一樣，膽略還有智慧的那點意思，我不是出於無知才這麼做的，我是出於弘道……」

道長：「你的狀況雖然沒有辟穀結束時那麼好，但也是在好起來，不要太拘泥於測量的數字……」

不眠夜以一種一言難盡的悲情：「道長，我就是被那些數字弄得夜不能寐了，一開始還是個位數，5啊，6啊，7啊，9啊什麼的，頂多加個『點幾』，後來好了，迅速飆升啊，哥們兒扛不住了……我自己倒眞的覺得沒什麼感覺，完全被數字恐嚇住了……」

道長：「一個血壓表的測量，一個血糖數字，我不是說它們不好，這些只是一些數據，頂多作爲參考，說明身體當時的狀況，卻被你們完全依賴了。不對的是這種依賴。這些數據說明的狀況只是表明『天晴著』，或者『在下雨』，是『下雨』好還是『天晴』好呢？是健康著還是『得病』了呢？你們的身體知道。即使是正常人，隔幾十分鐘測一次血糖，尤其是飯前和飯後，都會有不同的數據，而每一個人的數據顯示又互不相似，人與人的身體結構有很大的不同。我總是不懂你們怎麼都會相信一個被命名爲『標準』的數字呢？哪有什麼標準？只有參考。像高血壓，如果是有家族史的，這個人血壓的數字就會比一般人的數字高，如果血壓顯示正常，甚至比常規的正常再低一些，反而會有危險，反而不好。這和你身體的歷史、家族史、你的水平線相關，不能同一而論。」

小男：「不去測就是了。」

道長：「可以測，針對自己身體的感受作爲一個數據的對比和參考，但是不要依賴，最重要的是顧及身體的感受。你們一定要習慣相信自己的身體。」

是的，越來越多的人眞是不顧自己身體的感受，也不給自己身體感受的機會了，比如說季節變換時的穿衣服。我常常奇怪身邊朋友衣服「層度」突然的轉變，得到的解釋基本上都是「天氣預報說了，今天降溫（或高溫）了，所以……」。據我的觀察，天氣預報也許是對的，但是反映到我們身體的感受，一般都在預報「今天」氣溫變化之後的第二天，身體才有感覺，衣服的「層度」才需要相應變化。

還有不是依據身體的冷熱感知開空調，而是依據牆上的溫度顯示開空調……

生活之中的種種數據，早已經越來越多地不再是爲我們參考所用，而是直接指揮、控制了我們。我們就是被這些本來服務於我們的感官需求，現在實則反過來制約了我們的種種「常規」，束縛、控制住了。從生活進入到了思維，進入到了心靈，人生變得拘謹、僵硬，不再靈動活潑，不再會「感同身受」……

我有點野蠻地想：這與我們對待小動物，對待一切生靈的現象，都是有牽連，有相關的。人因爲不靈動，而麻木，而無動於衷了……

確實「文明」的界定應該先有「文化」的一席之地，應該參考中國古人的心靈境界。中國傳統文化對於生命，對於世界、宇宙的認識，也許才是眞正接近人類文明的，能夠挽救世界、挽救人心的……

紹龍觀比縉雲山頂常常被濃濃雲霧遮蔽的白雲觀，寬大許多。在離開養生池之後，道長居然還帶領我們去了小道斜伸向的另一端，一個古樸、製制、隱藏在一片樹影之中的彎彎水榭，臨樹觀景。放生池的魚兒可以一直游到水榭。

＊＊＊

我們在水榭裡喝茶，聊天。辟穀的人不能夠喝茶，依舊是白開水。白開水一杯在手，輕輕嗅去，似有清香。山青水靜魚兒搖曳，微風緩緩，樹影卓卓，眞是逍遙。如莊子《逍遙遊》所示，人心能夠解脫了，放下了，通順了，人才是能夠逍遙，能夠在逍遙中修行求道。這是如此美妙的一件事，這個片刻，我們也感受到了。雖然只是片刻的逍遙，但是人生眞正的追求和願望，不就是將這片刻感受到的自在、逍遙、身心的解脫、與天地萬物的相容，連接成爲生命的實相嗎？

片刻逍遙讓人神情恍惚，心醉神迷，轉眼即逝，卻也注入了記憶之中——生命的一個重要瞬間。

喝著茶（白開水）隨意聊天。我們依舊是纏著道長說那幾件翻來覆去的事情：緣分，情分，因緣，面相，命運……每個人都恨不得自己是一只布袋子，能夠在道長的「緣分」、「命運」、「因緣」、「相術」之間，把自己翻個底朝天，一目了然。然後也不知道會不會由此「頓悟」了呢？還是看破了？還是看透了？

呵呵……我們仍是在以紅塵之心看待世間萬物。不過這也對，倒是實事求是的。

小男的一聲嘆息，瞬間扭轉了話題：「哎呀！我小時候經常跑出學校，到外面去吃東西，什麼牛肉麵啊、蘭州拉麵啊，還有涼粉、涼麵、涼皮……」

讓辟穀之人不談吃的，不想吃的，那是萬萬不可能，也是萬萬不人道的！我雖然昨天以來對「吃」豁然了許多，但是與吃相關的彼情彼景，一切「吃」的記憶，依舊打動我心！「民以食爲天」絕不是文人的空穴來風，是性命相關的眞理！

道長笑：「聽說你們已經把辟穀結束以後幾個月的美食都安排好了？」

我們大笑！沒有幾個月的美食安排，不過確實是安排了一些吃飯的地方，列了一張「首吃、二吃、三吃……十吃」之表，打算按照計畫滿足一下辟穀之後心裡對於人間美味的願望！

道長笑：「你們這是修行嗎？倒算是反攻了……」

＊　＊　＊

回到養生中心已經是下午四點，大家按部就班，練功的練功，抄經的抄經，我呢，依舊是第一個去接受調理。

常月笑吟吟已經等候在調理室。

我注意到了每次調理，常月都是從我肚臍周圍的地方緩緩開始，聯想到「剛才」道長給胖子「點穴」，我問常月：「肚臍周圍有穴位嗎？」

常月：「是，有穴位的。這個穴位叫神闕穴，和腎是在一條平行線上。」

我：「爲什麼每次都要從這裡開始調理呢？」

常月：「腎是人體的生命之根，這裡是生命動力的源泉，這個穴位有著人體需要補充的生命動力，所以我每次都會從這兒開始。我刺激這個穴位，就是把人天生的精氣神調動出來。」

我：「然後呢？」

常月：「像我前幾天和你們說的，我給你們調理，實際上並不是我在給你們治病。如果說治療的話，還是你們自己占主導的地位，我只是一個外因，你們自己是內因。我做的種種努力、種種方法，都是爲了調動你們內在的潛力，內在的免疫能力。」

我：「經過這樣就能夠調動出來嗎？」

常月：「我這麼多年都在嘗試，從效果上來看，應該說是的，挺好的。所有的疾病，到了我們這裡，其實我們都沒有給他們醫治什麼，我們做的最重要事情，就是透過穴位與經絡，調動每個人身體具有的潛力，讓身體自己調整和自治，這是任何的外力、藥物不能夠達到的。」

我：「所以你們會問，『有沒有動過手術』，『有沒有經過化療』？」

常月：「是的，因爲這些西醫的治療方法，短時間內看好像『解決』了問題，其實很快就證明大部分問題根本就沒有解決，所以有『轉移』、『惡化』，而更糟糕的問題是，這些治療方式完全破壞了身體自身的機能、身體自身的環境。身體因爲經歷了大手術，或者放療、化療，而元氣大傷，沒有能力短時間內培植起自身的力量來面對病症、解決可能原本並不可怕的病症了。」

我：「所有的病人其實都是這一個道理嗎？」

常月：「你們如果在這裡待的時間長一些，就會看到各種各樣的病人，而我們採取的方法基本上是一樣的，部位也是一樣，就是以我們的能力調動不同人身體的能量。」

我：「完全不一樣的病，用同樣的方式也都能夠治好嗎？」

常月笑：「怎麼叫不一樣的病呢？其實是我們看待疾病的角度不太一樣。西醫把人體和病症區分得很精密，什麼胃病啊、心臟病、肝病，西醫治病把人分得這麼細，每一項每一個器官每一個病症地分，但是再怎麼細緻地分，他們也做不到把每一個人再細分一遍吧？然後西醫就按照這一類的相同器官來統一地治病。他們是分器官、身體的部位，而我們是面對不同的人。因爲我們人，有哪兩個是完全一樣的？這是西醫與我們道醫不同的地方。」

我同意我同意我同意……

常月：「我們個體沒有相同的人，就像沒有兩棵相同的樹一樣。西醫卻在劃分得那麼細微之後，對每一個人都是相同的治療。西醫忽略了人的個體差異，他們在對待、認識人的身體這個問題上，眞的太簡單了。生命應該自己做主，我們的觀點就是這樣，人爲地干預應該盡量的少。治療只是針對外傷，內在的問題應該調動每一個人自己的內在潛能，他自己就能夠充分發揮作用，解決自己的問題。這樣的效果要好得多，也不會傷害身體的其他部位。」

太對了！我們隱隱約約感覺到的問題，說不清的問題，小小常月簡簡單單就說明了。

我：「你怎麼這麼明白？」

常月笑：「我們跟師父（道長）十幾年了，他不斷地說，不斷地告訴我們道理。我們也懷疑，但是我們在不斷地實踐，透過自己的修煉實踐，也透過病人的治療實踐。這麼多年了，我才眞正清楚，師父說的都是對的，還有很多我還做不到的，但是我完全相信了。」

我：「這麼清晰的道理，你一說我就知道是對的。」

常月笑：「那是你悟性好。我們來的時候是一無所知，慢慢修煉，才慢慢懂的。」

我瞬間臉紅。原本沒有這麼輕浮的意思的，原本只是想讚美這個簡樸的道理的……

我：「就靠刺激穴位和經絡，調動自己的身體嗎？那個自己身體的『藥』，到底是什麼呢？」

常月：「是氣啊，人是由氣構成的，氣聚而生，氣散而亡。在我們只有這個簡單的道理。我們的健康也好，疾病也好，也都是由氣造成的，只要我們把自己的氣調整順暢以後，疾病就會消除。」

太清晰了！大道至簡，也是這個徵象吧！

我：「你們的調理，就是調動了每個人自己的氣？」

常月：「對，籠統地說，就是氣。也可以說……每個人生命本身帶來的訊息不一樣，所以每個人的天賦也不一樣。」

我：「每一個不一樣身體狀況的人，你能夠感覺出來嗎？」

常月笑：「幾年前我還不能，現在能夠感覺出來了。而且很有意思，也很重要，每調整一段時間，人的病灶會移動，就就像自己有生命，是會走動的。這點不曉得西醫知不知道。所以盯住一個地方治療是不對的，病也會欺騙你。」

我大為驚訝。我們只聽說了被切除的癌症會轉移，哪怕西醫手術為了「保險」，將當時還沒有病染的部分也多多地切除了，癌症似有自己的「智慧」，但是從來不知道一般的身體毛病也會遊走！

我：「眞的？你能夠感覺到？那是什麼意思呢？什麼樣的感覺？」

常月笑：「我說不清楚了，人體的一切，包括病症，其實都是我們生命、身體的一部分，我只能這樣說。病會遊走，我和病人接觸，幫助調理一陣子之後，我的身體能夠感覺到。像我們練功人都有這樣的感應。我只要把手放在你們身上，基本上就能夠知道你們有什麼問題，是大的問題還是沒有什麼問題。」

我俗性大發：「我呢？我現在呢？」

常月笑：「你現在很好，眞的，像我現在把手放在你的肚子上，我能夠感覺到的……」

我：「我常常肚子這裡疼……」

常月：「我知道，你剛開始調理的時候，我能夠感覺出來……」

我：「什麼感覺？和現在不一樣？」

常月：「給你調理的頭兩天，我的手掌有微微刺手的感覺。那不是痛，是那種輕微的刺刺感覺。而現在感覺很柔順，我們的氣息交流很融合，我沒有在治病的感覺，像我自己在打坐、練功。這是很好的狀態。」

我心裡大爲鬆快！呵呵，也値得原諒：誰不關心自己的未知之事呢？尤其這個「未知」還是自己小小的、唯一的身體……

我看著常月手上的電線：「你們對這電線，對二二〇伏特的電壓從來沒有害怕過嗎？」

常月笑：「以前也會害怕。人的習慣嘛，對自己不熟悉的東西，如果大家認爲是可怕的，我也會認爲是可怕的。我們也經過練功、訓練，最終達到可以依靠功力，用意念控制電流了。那並不是你們平時以爲的那種意念，應該說是我們長年累月的練功，使得現在一個念頭就可以了。」

我：「很神奇……」

常月：「也不神奇。只是我們人知道的東西太少了，所以覺得神奇。眞的是……」

常月凝神想著該怎麼表達。對我們常人來說，瞬間斃命的二二〇伏特的電流，流過她的手指，溫順輕柔地流淌到我的皮膚上，融暖酥麻。電流在我的腹部皮膚上，發出輕柔的「嗡嗡」鳴響……

常月沉思著：「眞的是我們知道的太有限太有限了……」

像個遊戲，常月與我捏著二二〇伏特的電線，一個地線，一個火線，讓電流串通我們，依靠「回路」產生的電力，喚醒著身體蘊藏的能力。

若是寫在類似「武俠」的小說裡面，一定也是不會讓人相信的……

調理結束，我看著常月極認眞的練功、收功，我心裡無限感激。這裡的小道長們都是這樣，以自己身體修煉出來的眞氣，換取他人的「病氣」，然後自己再練功，再修行……再幫助需要的人……

＊　＊　＊

走出調理室的時候，感覺到自己充滿力量，像只注滿了氣的皮球，雙腳充滿彈性，彷彿能夠「蹦躂」起來。下午去放生、走山道時的有氣無力，瞬間已經成爲非常遙遠的記憶。

黃昏了，光線逐漸暗淡，卻依然帶著燦爛的金色。廚房炒菜的香味夾雜在樹香、草香之間，有一種很寧靜的美好，滿山遍地，讓心沉醉……

大家散坐在草地上，望著黃昏沉醉的安寧，沉浸在黃昏沉醉的安寧，有一句無一句地閒聊，心裡彼此親近。讓心離開「世俗」，就是離開利、欲的紛爭，離開由此產生的猜忌，種種細碎如波紋、完全可以連成汪洋的「琢磨」。這「汪洋」可以把人與人之間最爲尊貴的「親」與「情」吞噬淹沒，讓人嗅不到空氣的芳香，看不見陽光的燦爛，一天之間沒有清晨也沒有黃昏，昏昏然然，清楚的只有算計、設局，或者疲於應付，伺機反戈相向，庸庸碌碌，疲頓奔波，沒有相互的讚賞，看不到生命的美麗，沒有相互尊敬的心地坦蕩……

而此刻，夕陽西沉，鳥兒「唧唧啾啾」鳴叫著，與風兒輕輕穿越竹林、竹葉的「沙沙」顫動響成了一片。這是黃昏才會有的響聲，帶著一日將暮、沉甸甸的歲月輪轉……

甚至連空氣中飄浮的微塵，都渲染了天地自然的芳香，人心回到了自己的本分，看見、聽見、嗅見了天地之間呈現的美麗、美好。

我幼稚、可憐的內心，禁不住感慨：爲什麼這些人不能成爲所有人？這些日子不能夠成爲所有日子？這些安寧與沉醉，不能夠散發成爲橫貫天地歲月之中的所有安寧與沉醉？

中國人講究的、追求的「修行」，與西方文明帶來的追求「自由」與「個人的權力」，太不一樣了！當世人以西方文明的標準追求著「自由」與「自己的權利」時，其實我們已經在以自身利益爲前提，以另一種限定在限制另一些人的「自由」與「權利」了。而我們中國人追求的「自在」，是向內走的心的自在，解決的是自己的問題，由此給他人方便與自由，各人因果自負，開闊的是自己內心的世界，運通的是自己身心的「宇宙」。

如果中國的文化能夠成爲人類共用、共同、共識的文化，這個世界將會從利欲橫流、充滿爭端與殺機，轉向一個人心柔軟、自在、相互寬容、互爲欣賞的世界。修行能夠讓所有的人看到天地宇宙自然所自有的美好與充足，能夠讓我們的身與心，自在愉悅……

正浮想聯翩，盧先生調理結束，喜形於色出現在我們面前：「我今天要封頂啦！」

一片道喜聲。盧先生清瘦飄逸，面色出奇的好，已經辟穀到了第二十一天！

大家紛紛表示要在午夜陪他喝果汁，「歡迎回到紅塵！」

盧先生：「我就等著這杯果汁啊！它意味著我這第二次的二十一天辟穀，圓滿結束！太好了！美妙！」

我：「明年還來嗎？」

盧先生：「明年還來，明年就是二十八天了！」

盧先生容光煥發，彷彿四十年齡剛過的模樣，完全不像他事實上的六十多歲……

盧先生笑：「太好了！我也不大有出息，也是想了很多很多吃的，我回到香港第一件事情，就是要吃一碗米粉！太想念平時的這些吃食了！奇怪啊，就是想念那些最普通的，完全不是那些山珍海味，就是越小時候愛吃的，越是青菜豆腐，越想吃！太美味了！辟穀讓我珍惜最簡單樸素的生活！」

《清靜經》的音樂悠悠唱響……晚飯了！

＊　＊　＊

這天晚上因爲道長有事難以脫身，所以晚飯以後沒有了練功房的講座，大家一時都顯得有點無所適從，小院子裡面望望月亮，清閒逛逛之後，又三三兩兩聚在餐廳，繼續抄寫《清靜經》。

近子夜，距離十一點還有十分鐘，道長出現了。他微笑著示意一臉幸福樣的盧先生與他一起上樓。盧先生要封頂了。

我們回到二樓的小茶座，茶桌上已經擺放好廚房的蔣師兄爲盧先生準備好的兩杯果汁，紅的一杯是西瓜汁，綠的一杯是黃瓜汁。

還有四天，我也將封頂，也將辟穀結束。今天這「再一次」想到辟穀結束即在眼前，是「具體多了、明確多了」的想到，心裡的不捨與留戀，也是更加分明與具體了。這般的感懷，是我自己怎麼也沒有想到的。我原本是從辟穀開始的第一天，就在盼望最好「明天就結束」的，但是一天一天辟穀的繼續，每一時、每一刻道長的講道，沉思冥想，身體的日漸輕盈，心靈的日夜感悟與純淨，我收穫到的，是我身在紅塵無論如何也揣摩不到的平常與普通。一切，回到了一切原來的樣子，我又看到了天的藍，雨的細柔，草木的芳香，時光流逝的輕緩與珍貴……我留戀辟穀時分、分外敏覺的身體與心的所感所知，我希望辟穀能夠再延續一段時間，山下的世界，已經似乎遙遠成了一個隱約……

我眞沒有想到我會這麼留戀這些天不食人間煙火的辟穀！我想到，世間不可能消除欲望，本身欲望也沒有好與壞，重要的是我們內心能否把持住對待萬事萬物、對待自己與他人的「分寸」與「尺度」。保留欲望，比達到欲望本身要好；就像看吃飯，想像吃飯，比眞正吃到嘴裡的眞的要美妙！欲望可以延伸出來一切的美好……

子夜11：10，盧先生回來了。

他滿面喜色，一言不發，在我們的眾目睽睽之下，微笑著端起黃瓜汁、西瓜汁，分別小口品嚐著，彷彿是在品嚐人世間從來沒有的瓊漿……

21
辟穀第十二天

熨衣服的時候常常忘了我是一個已經十二天沒有進食的人，轉身取衣服、收放衣服的時候，會有一些暈眩和氣喘。但是我已經非常非常為自己滿意了，在辟穀十二天之後，我不但能夠身體自己疏通經絡，還能夠做這些事情！

辟穀進入第十二天，凌晨似乎剛剛睡著，就被右腿的疼痛驚醒了，疼得很「深入」，用手觸碰，皮膚麻木木的，幾乎沒有感覺。

這事要是發生在平常日子的深夜，估計我早已經驚嚇得睜大眼睛在黑暗中胡思亂想了，可以由腿疼、皮膚麻木、一直驚恐到諸如癱瘓此類的……我是這樣常常放縱思慮的人。但是在辟穀的這些日子，總是在經歷「夜」之後出現一些症狀，比如大量地流淚、出紅色疹子、醬油色的尿液等等沒有想到的事情，內心已經鎮定、「有數」多了：一定又是身體在自己工作。很多發生過的事情我都不記得了，我們都不記得了，但是身體一定記得。

果然，上午見到道長，我急迫地說了夜裡被腿疼醒的事情，道長說：「是因爲你腿這個部位的經絡，曾經出現過麻痺和阻塞。你的腿部一定是發生過一些事情。」

是的，細想起來，夜裡腿的疼痛部位確實多年來一直都有麻木和彆扭的現象，於是今天凌晨我自身的眞氣自己透過經絡疏導、疏通它了。

辟穀的時候身體眞氣旺盛，道長一直在說的。原來有這樣身體自己疏通、「修復」的作用……感覺自己好像長了很大的本事，睡個覺都能夠長功力了，呵呵^^

生活越發似平常的日子了。像早晨起來後洗冷水澡，一個接一個地練功什麼的，都不需要去下決心或者思考一下，身體自己就連貫著做了。

天氣晴好。上午所有的功練完之後，上到三樓洗了好多的衣服，然後向蔣師兄借了熨衣板，將前幾日洗過的衣服統統熨了。狗寶寶們趴在床上，依舊是顯得很奇怪地看著我，偶爾還朝我吼幾聲。呵呵，一定是我身上越來越明顯的、雨後「植物」一般的陌生氣味讓牠們迷惑了：爲什麼這個人的氣味不一樣了？呵呵，我也不便於多說什麼，哈，由牠們迷惑去好了。

熨衣服的時候常常忘了我是一個已經十二天沒有進食的人，做著做著動作麻利起來，尤其是轉身取衣服、收放衣服的時候，於是就會有一些暈眩和氣喘。但是我已經非常非常爲自己滿意了，在辟穀十二天之後，我不但能夠身體自己疏通經絡，還能夠做這些事情！

之後，在樓下門廳見到了小男。他有些無奈的樣子，說夜裡失眠得非常厲害，已經每晚連兩個小時都睡不到了！

我和他開玩笑：「那就觀察身體自己通經絡……」

他苦笑：「不知道睡眠有沒有經絡？以前睡眠不夠老是幻想，如果人一天只需要睡一兩個小時就好了！眞沒想到現在眞這樣了還很不習慣，看書啊，想事情啊，都感覺怪怪的……以後是不是都這樣了？」

我們又抓住道長問。道長笑：

「你們每個人遇到自己身體的情況都不一樣。這是身體眞氣旺盛的原因，每個身體修補的都是自己曾經遇到的問題。辟穀結束以後，睡眠時間會增加回來的。」

小男將道長勸坐到沙發上。

小男：「道長，我一直有個疑問沒好意思當眾問：我們辟穀之後眞的就不會得癌症了嗎？現在得癌症的人太多了，身邊的人、家裡的人……」

道長：「任何像癌症一樣這般具有摧毀性的疾病，都不是偶然性爆發的，病症都是由小到多積累起來的。如果一個人能夠連續三次辟穀，就能夠把人體內積累的毒素耗散掉，把不該停留在體內的垃圾排除，好多東西就不會再『厚積薄發』，不會有一個積累的過程了……」

小男：「那我們連續三次辟穀之後，就不會有後患了？」

道長阻止他：「不完全是這樣，重要的是一種生活態度、生活狀態的改變。連續兩年三次辟穀之後，只是重新還給身體一個潔淨的環境罷了，如果什麼都不注意，還是像原來一樣的生活，再好的環境也是會同樣被破壞的。一個是改變生活的態度，好好吃飯，細嚼慢嚥，好好睡覺，不要熬夜，讓身體有一個充分化解、處理身體垃圾的能力與時間，然後每年如果能夠再有三天的小小辟穀，或者每週空腹一次，讓身體有時機隨時地把小小積累的毒素排走，當然會一生健康。」

道長停頓，非常認眞地看著我們，這是他的強調了——

道長：「其中，我覺得最爲重要的是透過連續的辟穀，能夠給你們帶來的心理調整和變化。辟穀是一個手段，一種術，而由此帶來對生活態度的轉變，是能夠伴隨我們健康一生的。」

小男笑：「一定會改變的。道長，你擔心我們辟穀之後就回到原來生活的樣態了？應該不會的……」

道長沉思：「修煉和讀書一樣，同樣的時間，讀了同樣的書，有的人悟性高，程度高，有的人就程度低；有的修出來了，有的沒有修出來。所以大家看到的這個世界是完全不一樣的。這個感受又難以傳遞，難以分享。看到的不同世界，又導致了不同的內心感受，導致了不同的心靈……同樣的辟穀之後，每個人雖然身體收穫都很大，但是因爲內心的醒悟不同，最終能夠使自己的生活、生命發生怎樣的變化，都不一樣。」

我覺出了道長的擔憂：「有不少人還是會回到原先自己生活的樣子？」

道長：「是，這是我很大的擔憂和遺憾……人往往是在面臨絕境，覺得自己『過不去』了的時候，才會有改變，才會痛下決心；但是一旦險境過去，生活、生命的慣性又會重蹈覆轍。大部分人第一次辟穀之後，都會回到原來生活的樣態，甚至變本加厲……」

小男：「那你就不要第二次再給他們辟穀了，辟了也是白辟，瞎耽誤工夫……」

道長笑而不答。

（四年以來的短淺歷史證明，道長的擔憂是有普適性的，大部分辟穀之後的人，確實都是「好了傷疤忘了疼」，又是照舊抽菸、喝酒、深夜不睡……但是好的改變也很普遍：雖然因爲種種的理由「依舊這樣」，關注自己身體、關注生命健康的種子是被道長埋下去了，只待時機的自然成熟，每一粒種子的自行發芽……）

盧先生面色紅潤地從門外進來。昨夜的辟穀一結束，今天他的面貌就大不一樣。他看見我們，喜洋洋地：「我散步去了！充滿力量！」

盧先生今天早餐已經可以吃粥。只是大茶盅一般的碗，半碗的粥，盧先生依照道長的要求，慢慢、慢慢地吃了四十多分鐘，他也是滿足的、喜悅的：「我已經很滿足了！這粥，是天下的美味！」

盧先生已經完全不是昨天以前我一直看見的那樣蒼白和消瘦了。道長笑問他的變化，盧先生：「小小一夜，那麼少的一點粥，我居然已經長回了一斤！」

小男：「道長，我什麼也沒有吃，今天早晨量體重，怎麼也長回了一公斤呢？還比盧先生多長了一斤！」

道長笑：「體重是一個參考，體重減輕只是第一個階段，瓦解了你們體內的脂肪。你們不會總是減輕身體重量的，要是那樣，辟穀一年的人怎麼辦，不是都沒有了嗎？」

早晨我也量了體重，我的體重已經停止在四十七公斤，不再減輕，也沒有回長。

道長：「在辟穀期間，所有的人都一樣，首先被瓦解的是身體需要以外的那些滋生物，像脂肪、結石、腫瘤、血管裡的油垢等等，這些東西會先被減下來。我們的身體有一種自我機體保護機制，被減去的東西都是身體多餘的、不需要的，像堆積的脂肪、過多的蛋白，還有囤積在血管裡的油脂等所有的毒素。」

我：「這些毒素，像血管裡的油脂，怎麼排出來呢？」

道長：「多數是從尿液。身體所有的毛孔也都在排泄，讓你們每天洗冷水澡的用意就在這裡。如果沒有條件洗冷水澡，也要自己乾搓一遍。」

我：「道長，我現在的體重停留在四十七公斤，說明什麼呢？」

道長：「這就是你身體需要的一個體重了——」道長指著我們，「這個階段可能會保持幾天，不會有改變，但是一旦開始又往下走，說明身體開始第二階段的工作，開始瓦解內臟裡面多餘的油。再往裡面動一動，第三步，就是徹底地瓦解血管裡面的油了。」

小男：「像道長你說的，就算我們顯得沒有病，其實也是一個亞健康狀態，透過辟穀就改變了吧？」

道長：「對，我們透過練功、辟穀，就是改變看似健康的亞健康狀態。這只是一個基礎……人是萬物之靈，健康只是其中最基礎、最起碼的一個部分。」

《清靜經》的唱響……又到午飯了。

香噴噴的餐廳。在極其衝擊視覺、琳琅滿目的紅燒、水煮、香菇、芽菜、苦瓜、豆芽、豆腐湯……之後，昨天晚上沒有見著道長、沒有聽道長「講道」的期待，「潰壩」了……

一人：「道長，眞的有人活到好幾百歲嗎？」

另一人：「道長，你有沒有見到過活了好幾百歲的？」

將將放下大圓盤子的無話不說：「你們這些問題都太幼稚，像沒上過學，就是說有，見過，怎麼著？你們就相信了嗎？關鍵是你們還沒有見著！道長難以回答。道長，你回答我的問題，我是在他們的基礎之上，又加強了的：極樂世界眞的存在嗎？」

笑……

道長笑：「看來我只有老老實實回答這個問題了。

「這個問題一直以來並不是問題，是我們的理解有問題。就像我們對於仙的理解、靈魂的理解，是我們對『仙』與『靈魂』的理解出了問題。極樂世界當然是存在的，它是一定存在的，它是一個高的歸宿，怎麼描繪呢？」

道長思索，無話不說著急：「道長，你就用我們都能夠聽懂的話，直截了當地說，個人怎麼理解，是個人的事……」

道長思忖著：「簡單描述，你們所謂的極樂世界，就是人類在我們這個紅塵裡面消滅一切的痛苦。其實在這個過程中，我們明白、不明白，它都得走。生命的進化是什麼意思？用我們的理解，是道在證道的過程，我們是走也得走，不走也得走，這是天尊的法杖，打著我們走，拉著我們走……」

大家臉上有迷惑。

無話不說：「但是我們感受不到……」

人馬座：「怎麼感受不到，道長不是說了嗎，生病就是一種緣分，可能就是打著我們、拉著我們在走的表現吧？」

道長未置可否：「有的時候，它又是用兩根繩索來牽著人類走，一根繩索牽著的叫名，一根繩索牽著的叫利……」

所有人的脖子都像被提了一把，神情吃驚地往前湊了一下……

道長：「有一個成語叫『名韁利鎖』，就是這個意思。這個名、利可不是你們想要的名和利，這個名、利太神奇了，它就是在成道的路途中的……這麼說太不清楚了，非常容易造成誤會……」

胖子：「不是說修行的人要淡泊名利、放下名利嗎？」

道長：「從終極的那個點來看，是這樣，但是你能夠說，上得山來、進得廟去的人，真的就是淡泊名利、放下名利了嗎？還是因爲得不到名利、由此自以爲放下了的人多呢？我們很多都是因爲『經過』了、擁有過了，而覺悟了的……」

胖子點頭：「佛陀如果不是一位養尊處優的王子，可能也難以成爲佛陀……」

道長：「我的話會有侷限性，任何一種發出的聲音，都是具有侷限的。我只能籠統地說，任何一個社會上的人，都會被自我的欲望、欲求牽引，這個欲望，我們所欲求的名和利，是天尊的繩索、佛祖的繩索，也是天尊的法杖；它既是萬惡之源，人生的牢籠，也是近道的階梯，成道的階梯，是天尊給我們的加持。這不是我們的東西，是佛祖也好、天尊也好，透過這兩根繩索拉著我們往前面走。」

無話不說：「這麼說，名和利反而成了激勵我們的了？」

道長笑：「你們還記得我們講課時，我給你們畫的陰陽魚嗎？我們的太極圖？這是我們祖先創造的文化：辯證地看待任何一切的現象和問題，而不是極端地看待現象和問題。我同樣也說到過，無論哪一件事情，都沒有絕對的壞或者好，區別它們的是我們的人心，是我們人的片面與看待。就名與利來說，雖然它們可以說是幾乎每一個人生的牢籠，是這個世界的一切罪惡之源，但是如果我們人類從來沒有這些，沒有欲望、欲求和夢想，人類將沒有任何的進步，可能還會停留在原始社會。你們想是不是這樣？」

無話不說：「像『為名為利』這樣的……描述，它的終極意義也是積極的了？」

道長：「一切的存在都是道的化現，名和利當然也不例外，名和利的功用是道的指路明燈，一個是拉著我們往前面走，另外就是用法杖打著我們走。如果借用一個比喻，名和利就是拴在驢前面的胡蘿蔔，而天尊的法杖在後面推著你往前面走，它化顯為人生各種各樣的痛苦經歷、幸福追求，逼著我們往前面走。」

小男笑：「只有驢一樣的人生，才是盯著眼前的胡蘿蔔轉圈的。我記住了，呵呵。」

道長：「當我們受到名和利的驅使，被各種各樣的折磨和痛苦驅趕著往前面走的時候，這時，世界實際上就在發生很大的變化，用我們能夠理解的，文明躍進了，文化演進了，歷史變遷了，生存狀態改變了，這就是一種『與生俱來』的辯證現象。這是不是太神奇了？在這裡面，在這個過程中，對於我們來說，是如何應對它，應對自己人生過程中的名和利，思考和修煉：如何才能成全我們自己。」

不眠夜幾乎哀號：「道長，這沒法兒思考啊！這一思考，人生就索然無味了！眞像你說的，我們就還在原始社會了，比原始社會還沒勁了，原始社會還母系社會呢……」

大家笑……

不眠夜隆重地一個、一個豎起手指：

「名和利，和美女，都是令無數英雄盡折腰的事兒，只能跟著這胡蘿蔔轉圈了，我不知道怎麼個應對法呢？完全放棄？你也說了，不是上山了、進廟了，就是眞的放棄了，還有『得不到』這一說呢……」

道長沒有笑，嚴肅地：「如果我們和天道相合的話，我們會知道，原來我們是可以順應它的。但是我們不知道，我們不是這樣，我們知道的是自我的存在，我們有這個『角色』的意識，我們以為我們的這個肉身是屬於我們的，於是我們的喜怒哀樂完全被物欲、被各種的名與利所控制了，我們歡喜的是『物與利與欲』的歡喜，悲傷也是它們帶來的悲傷，一切都附著在這些名、利之上了，失去了內心的眞我。比如說我現在告訴你意外得到一筆從來沒有想到過的財富，有上百萬、上千萬，你們眞的馬上就會高興得發狂……」

被道長隨手指到的女孩當桌哈哈大笑起來，彷彿一個眞的喜訊降臨！

道長笑：「你們看，想想都快樂啊！我只是假設這麼一說……」

無話不說：「辯證地看是，起碼是一個良性意識……」

女孩快樂地頻頻點頭。

不眠夜：「不對，這點悟性我還是有的：你的這個良性意識也是附著在欲望之上，還是一個不實的假設欲望……」

道長看著不眠夜：「人的興奮點不一樣，沒有笑的人，自己似乎覺得有一點悟道的人，絕不是不好橫財，很可能是隱藏得好一點，或者反應慢一點，想像力薄一點……」

不眠夜大笑：「道長，我有想像力，只是不敢隨便亂想，如果我真的能夠得到一筆從來沒有想到過的財富，上百萬、上千萬，我高興死了，起碼沖喜了，我可能都不會生病，哈哈……」

大家被不眠夜天眞的胡思亂想逗得大笑……

道長正色：「可能你沒有錯。有的人好財，有的人好色，有的人好利，有的人好名。我們總是受到外在的牽連，老是以爲自己是主人，其實我們從來沒有做過自己的主人！自己眞正做了自己的主人是什麼呢？莊子的著作裡面有很多的描述。其中有一個老頭，常年背駝得都直不起來，見人都是勾著的，鬍子都拖到地上去了，但是他整天都快樂歡喜得不得了，他覺得這種狀態有多好啊，『除了我，誰能夠享受到這樣的感覺呢？』他就是自己的主人了，他不會也不可能被客觀的現實所苦惱。」

人馬座：「但是我也可以認爲那是魯迅說的阿Q精神啊，他們在任何的境遇之下都能有這樣快樂的精神！」

道長：「精神病患者和偉人只有一線之隔。一個眞正的領袖，肯定思考過『我要成爲領袖』；精神病醫院的病人也會思考『我要成爲領袖』，而且想得更多、更久，並且信以爲眞了。」

笑……

道長：「但是領袖和精神病人畢竟是不一樣的。阿Q和莊子所描述的人也是一線之隔，就是說我自主和我不自主。阿Q是一種『吃不到葡萄說葡萄酸』的心理，而莊子描繪的老頭是一種完全發自內心的愉悅，它們的感召力是不一樣的。在阿Q們的周圍，是一群瞧不起他的人；而在莊子所描述的這個老人身邊，連孔子都要去禮拜他。我們如果和這樣的人在一起，我們會快樂無比，他周身洋溢著的、散發出來的，是磁場一樣的力量，這樣的人會成爲人類的一盞明燈。這兩種人怎麼會一樣呢？《道德經》裡面講，『執大象，天下往。往而不害，安平太。』」

＊　＊　＊

午飯的話題並沒有再繼續下去。在山上的十多天都是這樣，想到哪兒，說到哪兒，下一個時間點到了，話題就自然而然停止了。

午飯桌上的話題是被睡仙功的「時間到了」打斷的。道長老話一句：「我們這樣談論下去，就是不吃不睡，談論三個月也是談不完的，所以練功去吧……」

所以練功去了。才發現，即便是修行、練功，心裡也是有所欲求的：希望……如果……眞的是一個如何駕馭、如何把持的問題。欲求是那麼多的煩惱、罪惡之源；欲求使那麼多的歷朝歷代今生今世的「英雄」們作繭自縛，難以掙脫；欲求也可以是動力，可以是一個通往光明的途徑。看「我」如何自主了，看是「我」轉動了欲求，還是一直被欲求轉動著……

正如道長說的，「在這個過程中，對於我們來說，是如何應對它，應對自己人生過程中的名和利，思考和修煉如何才能成全我們自己……」

所以靜靜地呼吸，深深地呼吸，讓思緒飄散，讓心沉沉落定……

兩點睡功結束，開始站樁、導引術。三點，與常月在一樓的調理室相會。

我們總在調理的時候聊天。聊各種話題，修行，書籍，生活中的種種，也聊常月的理想，她練功的感受，她有的困惑，她怎麼應對困難……有時候聊著聊著，我就睡著了。醒來的時候，常月也是雙目微合，雙手懸空「俯」在我的腹部。腹部有微熱、發麻的感覺，每次調理完，都是精力充沛、內心充滿力量的感覺。

＊　＊　＊

這天的黃昏，因爲「健康步道」的話題，與胖子有了小小爭議，內心有點「小心潮起伏」，之後，這點「起伏」居然自己開始波動，波及了表情，被過來草地上的道長一眼識破。

道長：「辟穀的時候不可以生氣。」

亞女笑：「平時也不可以生氣，生氣有損美容！」

道長較嚴肅：「我說的是眞的，辟穀時任何情緒的波動，尤其是生氣，會影響經絡的疏通。」

無話不說穿著大浴袍，渾身散發著中藥味，認眞地看著我，幫忙「闡述」：

「你把氣都聚起來，一把惱火『生』了，確實再沒有氣來通經絡了，所以要合理分配，氣有限，所需之處很多，『生氣』有點錢多了沒處使的意思，比較『暴發』，與你不利，要學會計劃經濟……」

旁邊人哄然大笑！

小男：「沒有想到啊，歪理也能夠被你說成這般，不過也有點道理……」轉而看道長：「道長，擔憂算不算生氣？我想到一些事還會有擔憂……」

無話不說看著小男：「擔憂問題不大，那是小事，頂多屬於飯後水果，生氣是大餐……」

道長呵呵笑：「你要是成爲我的發言人，我就慘了，基本上被定調爲歪門邪道了……」

無話不說：「咱們使用的語言方式不同，但意思還是一個意思。你們生氣就不對，辟穀的就是氣多，這麼使，浪費！也夠氣人的。我不說了……」

笑……

道長：「辟穀時一定不能夠生氣，因爲這個時候身體是全天候二十四小時處於功態，是一個毒素清除、經絡疏通的過程。如果在這個時候生氣，在心裡積鬱了，毒素一下子就會毒入我們的身體，因爲我們的經絡是開著的。我們生氣時，大腦會分泌出一種物質，這個『物質』是有毒有害的，透過腦電波傳遞到身體，對身體會有毒害。所以我控制你們的電話使用，不讓你們打電話，也是害怕意料之外的情緒波動。你們還沒有把握自己的能力，還不能夠以自身一個較爲恆定的狀態，來看待、衡量這個『我』之外的世界所發生的種種狀況，就是『寵辱不驚，富貴不淫』的意思。」

小男：「我有時候的擔憂就是想到北京的一些事。你不讓我們打電話，我就會瞎想，也許這，也許那……有的時候就擔憂了。」

無話不說：「給你電話就不是擔憂的問題了，是頓頓大餐！你扛得住嗎？」

道長：「從你們上山來這裡，我們就一直在說，生命是很美的，宇宙也是很美的，還有我們每一天的一晝一夜，我們的一年四季春夏秋冬，哪一個季節、哪一時都美，每一片落葉都落在它該落的地方。但是我們人能夠領悟、能夠理解這年年月月、每時每刻都存在著的美嗎？我們能夠看到嗎？我們常常看到的，都是與『我』的衝突或不利，都是『不美』，常常懷疑『這個世界爲什麼是這樣』。這個世界就是這樣的，你如果隨時打電話回北京，會發現世界並沒有因爲你在這裡辟穀了，就會順應一些。可能這個世界不但『這樣』，還更加的『那樣』了，你能夠從容面對、坦然處之嗎？你能夠做到無論發生什麼，你都是欣賞的、善待的心態嗎？你不能夠，所以你在這裡修行，我們一起在這裡『悟道』。我們要回到宇宙的原點上去審視宇宙中的萬物，調節我們看待事物的方式，調節自己，從而從我們的內在改變『我』與他人、『我』與世界、『我』與萬事萬物之間的關係。好、壞、喜、怨，只是我們自己一個非常狹小的判斷。重新審視之後把審視的結果告訴我自己，用我的顯在意識透過一種特殊的方法，使這個訊息傳遞到我的潛在意識裡，從而修改我們對世界和他人的看法。其實是修正了我們自己的內心。就像我們的生命體一樣，通過DNA告訴我們的細胞，我們的身體要執行的是什麼口令。將我們的顯在意識進入到我們的身體，會產生一種身體自身的、非常精密、非常高級的微波通訊。所以，練功狀態下的意念比我們平時的意念狀態更重要。

「而辟穀，就是我們十幾天以來身、心一直都處在練功的狀態。這個時候的狀態，我們大腦接收到的訊息，與身體之間的關係是非常非常重要的。我們平時憂愁也罷，生氣也罷，關係都不大，但是在練功態的時候生氣和憂愁，那就太糟糕了。練功態的時候，我們整個人的大腦在潛意識狀態中，它的接受程度比平時要強多了。在平時，我們有什麼要告訴自己，需要一種特殊的狀態，我們的身體會聽得懂，這就是生理時鐘的概念。生理時鐘就是在我們沒有鐘錶的情況下，如果我們想要早晨六點鐘起來，只要這麼想了，就一定會在六點鐘起來。這就是生理時鐘，這就是我們的身體聽懂了我們的意識要求。身體與意識是一直有交流的，所以有80%的病，無論大病小病，其實都是心病，是意識影響到了身體。

「我們在練功狀態下不像平時，練功狀態下接受的東西要強烈得多。如果我們堅信『我的病一定會好』，這樣告訴我們的身體，就像生理時鐘一樣，在一瞬間就會好起來，在一段時間之後，你的身體就聽懂了，眞的就好了。但是一定要堅信，就像要在六點鐘醒來一樣，你認定了，到時候你一定會自己醒來的。不堅定的人就不踏實了，老是不斷不斷地醒來。你要告訴身體，每天早上的赤龍攪海後把唾液嚥下去，就是在告訴自己，我們的身體是怎麼一回事……又說離題了，就是說，辟穀時心情要平靜，千萬不要生氣，明白嗎？」

我點頭。

無話不說又被叫回去泡藥浴。

無話不說：「道長，能不能把我治療的時間擱在半夜，或者我治療的時候你們少說一點，最好不說……我總是失去得太多……」

道長笑：「剛說完我們的一年四季春夏秋冬哪一個季節、哪一時都美，每一片落葉都落在它該落的地方……你又在選擇下雨好還是太陽好……」

不眠夜：「現在對你而言就是澡盆最好，你快去你的澡盆，你泡著藥浴悟到的，可是我們怎麼也想不到的——道長，我辟穀的時候怎麼沒人給我泡藥浴啊？什麼時候我也泡泡……」

「你都辟穀了，還泡藥浴……」

無話不說嘟嘟囔囔著，被拉去了藥浴室……

小男：「道長，你說身體與意識的關係，很對。但是我們在這個社會生存，靠的都是我們的邏輯思維，不可能靠意識來生活，我們的身體是不是聽不懂我們的邏輯思維，所以總是配合得不好？還會鬧病？」

不眠夜：「那屬於是系統罷工。道長，我覺得如果我們不要邏輯思維、不依靠識神的話——自從你講到一點識神，我一直沒有放棄思考——如果我們『我行我素』，不顧社會現狀，不要邏輯思維的話，是不是我們大多都會進精神病醫院啊？或者眞的都應該出家了……」

道長思索著：「正是這種習慣性的認爲與恐懼，使得我們的生命很草率地從一個極端，走向了另一個極端。身心爲什麼不能合一？你們認爲人活著眞正需要的是什麼？難道只是生存的能力嗎？」

沉默。

此時又是夕陽西下。地球的第多少億個黃昏，又降臨、又經過了？從今開始回述，有多少的生命在如此這般金燦燦的夕照之下，祈禱？企盼？扶鋤晚歸？圈鴨拴牛全家晚餐？夕陽西下、夕陽西下、夕陽西下……千千萬萬、億萬次之後，直到現在坐在轎車裡面的人，待在高大辦公室裡面的人，再也不看夕陽，不知黃昏了……

道長：「我認爲我們作爲一個人來到這個世界上，第一步應該認識到我們的整個生命，有陰和陽兩者；第二步是要整合的觀念，陰、陽實際上就是一個整體。兩者如果再昇華一步，實際上陰就是陽，陽就是陰。就像我們說的，我們認識到的能量和物質，實際上這兩者是一個，一個同樣的事物表現出來的兩種不同形態。

「每一個事物都有很多不同層次的表現狀態。當我們站在全意識、用全息的思維來看待周身的遇見、我們的種種經歷，我們就能夠感知到事物的很多不同層面。沒有好或者不好，只有同一個事物的種種不同層面，然後因人而異，生出了各種的自認爲『好』或『不好』。

「小男你剛才說的，還有不眠夜說的，是什麼意思呢？身心分離本身就是一個很大的問題，而你們還要堅持這種分離，認爲否則就要進精神病院？這就是本末倒置了。而另一方面，你們的極端理解是，我不是站在顯在的陽性思維，就是站在潛在的陰性思維。這種極端，是很對立的一種態度。我們尋找解決問題的方法，就是自己身、心，自身與我們世界之間的『和諧』，就是一種全息的角度和觀點來看待人生、看待世界，這就不會是像你說的送去精神病院了……」

＊＊＊

道長：「這就是道教說的，充氣以爲和。」

不眠夜：「也對……」

小潔笑：「你太狂了！這是我聽到最好聽的話，你居然這麼輕薄的兩字評語……」

不眠夜：「不是，這兩字是溜出來的，內心心理活動，我正在思考呢，我們現在的不和諧，完全是因爲我們習慣了陽性思維，我們也太陽性思維了——這是帶有批判性的認爲——陰性思維呢，因爲不大使用，而慢慢無用，而被擱置，而面臨荒廢，而逐漸淡忘，所以它太弱了。它是不是自己都忘了它應該幹什麼了呢？」

不眠夜最後一句話的自問式，引起一片笑聲。他的語氣太逗了……

小男：「既然我們意識到了人體、人生、世界，直至整個宇宙的陰陽關係，我們是不是應該加強陰性思維的訓練？」

道長：「是啊。並不是說陽性思維是錯誤的，我的表述，有的時候爲了說明一點長期被我們忽略或者否定的事實存在的重要，而會顯得似乎特別強調這一點被忽略的好……」

道長看著我們，笑了：「成了繞口令了！什麼時候我們的大腦能夠進化到只發一個音，只說一個字，就能夠讓大家都明白……我的意思是說，又是我只是透過一種比較極端的語言來讓大家知道，我們長期以來對於邏輯思維已經挖掘很多了，已經太過、太依賴我們的邏輯、理性思維了，我們確實忘了我們另外還有一個巨大的寶藏。這個寶藏的挖掘，將使我們達到一個狀態，叫『陰陽平衡』。一旦陰陽平衡，我們的生命將展現出一種非常和諧的狀態，在這種和諧的狀態中，生命就是一種圓滿的幸福。一個修道的人，他的修道方向，就是爲了陰、陽的結合，最後走向一個太極思維。」

不眠夜：「像孔子啊，老子啊，釋迦牟尼他們，是不是都是陰陽平衡的高手？都是通宇宙的……」

笑……

道長也笑：「現代語言的表述方式是非常奇妙的，你是掌握這種語言的高手……他們的思維當然已經達到一種全息思維的狀態了，是一種太極思維的狀態……」

不眠夜：「關鍵是我們怎樣才能夠達到？他們那麼偉大，而我們這麼……太不偉大，我們也有機會能夠達到嗎？這麼一想，我是相當的沒有自信……」

道長：「靜功。僅僅是靜功，就能夠讓我們達到。」

22
靜　功

靜功不僅僅是開啓我們的心智，也是針對、救治我們當下現代人的城市疾病。現在典型的城市疾病就是焦慮、亞健康、偏激，一觸即發，由此互相不能夠寬容，感受不到生命自在美好的本性，感受不到生活的種種賞心悅目，等等這般。

小潔：「那今晚就跟我們講講靜功吧！上次只講了一點點……」

小男：「別晚上了，現在就講吧，到了晚上又忘了……」

道長：「我們對於生命的把握，是不斷地透過性與命的平衡進行修持的，就是我常常提到的性命雙修。所以道家在靜功的修煉過程中，有一個丹道的修持方法，在靜坐中反映出來……」

小潔：「等等，道長，請你再解釋一下，性和命不是一回事啊？」

小男點頭：「我們常常把性命當作生命來理解……」

道長：「古漢語的豐富性，很多兩個字的片語，是一種非常複雜關係的組合之後再表達的更深一層意思，比如性命、健康、消息、命運、因緣等等。這個以後再說，這同樣是一個龐大的話題。

「性和命是一個問題的兩個方面。命是指生命肉身的一個方面，修命是在於經過修行，達到肉身的轉換，比如最簡單的，是從身體有病的狀態轉化到健康的狀態。這往往又是被無量因緣所決定的，莊子有講，『死生命也』。這個話題也不展開了——其實中國傳統文化中所包含的任何一個話題，都可以展開成為我們現在幾個月、幾年、甚至幾十年的研究。但是在中國古人的表述裡面，往往兩個字，一句話，就說完了！

「性是我們的心性，是不生不滅的那個。佛教有講『見性開悟』，悟的就是那個性及性與命的關係。佛教的追求是見性開悟，而我們道家認為，見性開悟了之後，又要馬上轉入到命的修持中，因為道家修的是『仙』——我暫且指代一下，是必須健康，然後導致的生命的另一種狀況、另一種境界，所以僅僅開了心性還是不行的，必須要透過性和命的聯合修煉。在這裡，第一個入手的方式是靜功的靜坐方法，這是性命雙修的一個方式。」

身材苗條、柔軟的小潔，立刻在椅子上坐了盤腿：「道長，是這樣嗎？」

道長看了：「背還要再直，脖子的姿態要含，『埂』一些，往後靠一些。靜功靜坐的基本要訣就是調身、調心、調息。第一首要就是調身，調整身體的姿勢。我們的身體要處於幾個狀態：1.真氣益於生長的狀態；2.便於經絡打通的狀態；3.最容易入靜的狀態。這是我們的身體在修行中最基本要把握的。其次是手印。靜功的時候，我們要保持一些特殊的手印。」

不眠夜：「手印是什麼？」

道長：「一種手勢，手的姿勢。」

小男點頭：「我在電影裡看過，佛教打坐也有。不過這樣或者那樣的手印，都是什麼意思呢？」

道長：「手印在修煉中代表了三樣東西：第一，它代表了特殊的經絡通道，特殊的經絡透過手印的方式連通，可以幫助我們的氣血運行；第二，特殊的手印代表特殊的訊號狀態，幫助接受很多的訊息和能量；第三，特殊的手印可以避除各種體內的魔障，可以讓你不再入魔。所以練不同的功法，我們都有不同的手印。」

不眠夜：「『入魔』是什麼呢？是指生病嗎？像我，莫名其妙得了這病，也是被魔障了是不是？」

小潔笑：「你不要找藉口，是你自己魔障了，你原來那樣，沒有不生病的……」

道長：「入魔是指在修行過程中出現的一種偏差。很多人其實不是很明白，我們在修行的過程中，實際上在改變我們的運程、改變我們的命。一個人得病了，我們會想是誰造成了他的疾病？我們會找出一個罪魁禍首，說那天吃東西不小心腹瀉了，還有說連續幾天睡覺沒有睡好，或者說著涼了。其實這些都不是原因，不是眞正的罪魁禍首。

「任何一個現象都是無量的因緣在運動過程的結果，包括你們今天能夠坐在這裡，並不完全是一個很偶然的因素，每個人都透過了自己因緣的方式。再仔細想想你們現在正在做的事情，有多少人、有多大程度，這些事情是你們一直以來的理想？是你們願望中想做的？基本上都有偏差，彷彿就是因爲一個偶然的原因，你們到了今天的崗位上，做了今天在做的事情。一個更大的、我們目前還難以認定的客觀事實是：我們都是無量的因緣在推動著我們做事情。我們決定不了我們自己，但是我們也在決定我們自己，否則修行、修煉就沒有意義了！在這個過程中，會出現很多的事情，包括你剛才說的得病。你們敢於延伸一步去想嗎？

「究竟爲什麼會得病？眞的是風吹一吹就發燒了？那爲什麼不是每一個被冷風吹到的人都會發燒呢？再仔細觀察，也不是那個身體最弱的人被風吹到了發燒。這種看似無形之中的『被選擇』，其實隱藏了相當深刻的緣由，這就是因緣。而治病也是如此，個人命運的因緣也是這樣。把所有這些生命的現象，放到一個大的系統裡面去思考、去觀察，就是另外的一回事了。」

我：「我記得有一句話，『世間享千金之產者，定是千金人物；享百金之產者，定是百金人物……』」

道長笑：「後面那句話更狠：應餓死者，定是餓死人物。這是明代禪宗大師雲谷禪師說的話。這個話並沒有分別之見，也沒有消極的意思，他說的是這個世界的規律、因果，是『天作孽猶可違，自作孽不可活』。就是如果是自然的災難，天降的災難，也許你是可以躲避的，但是如果是你自己的作孽，這個因果是你無論如何也是逃脫不了的。所以這個『千金人物、百金人物、餓死人物』，是告誡人們因果循環的道理，一切善心、善願、善為都會修來福報，大修為是大福報，小修為是小福報，而造業深重的，一定是自作自受。無論是福報還是造業，都是會積累，它的因果循環，它的世態顯現，從來都不會有錯。可是我們人太渺小了，往往感受不到這種大的規律，以至於有人就敢於胡作非為，揮霍浪費，殘害生靈，使用陷害、污蔑種種的雕蟲小技。這些人的膽子眞大……」

大家聽得都怔住了……

不知何時調理完畢、加入了我們的胖子，不斷搖頭嘆息：「人要有所敬畏，世界才會太平。」

小男：「但是……這個世界這麼大、這麼多人，一個都不會錯嗎？一切的現象，都是因為沾染了因果？」

道長：「這個世界並不大……主導這個世界的，就是種種的因果。你們仔細去看看，個人命運，國家命運，民族命運，哪一個失落在因果鏈之外了？中國民族幾千年不散，難道是一個偶然嗎？」

不眠夜：「道長，你這樣的觀察和理解，太迷人了，以至於我不得不再質疑：難道這個世界，它再不大，相對我們人的個體感受來說，還是相當大的吧？這樣一個複雜世界，就沒有其他原因的巧合嗎？」

道長：「哪裡有什麼巧合？世界的種種現象，人生的種種境遇，皆是一切因緣、一切因果彼此推動運動的結果。」

亞女驚訝：「這個太抽象了！怎麼理解這個『種種的現象和境遇都是一切因緣推動的結果』？」

道長：「比方說你的運理上要做這個事情，它自會創造出機緣來讓你感受。」

亞女：「就是說我必然是要嫁給這個人的，因為我們有自己所不知道的種種因緣關係，所以無論我們相距有多麼的遙遠，無論是如何不相關的兩個人，自然會有機緣出現，直到導致這兩個人在一起了？」

道長點頭：「我們透過修行要了解的就是這個因與果，所以有命運、有三世輪迴。但是現在說這些，非但說不明白，往往還會造成很大的誤會。」

不眠夜：「就像你倒退幾百年，和人說有一種能夠裝幾百人的大鐵玩意兒，能夠飛到天上去，可以飛到地球的另一面，有的還可以飛到月亮上……」

小潔笑：「輕的，拿你當幻想家、文學家；重的，用鏈條鎖住關在精神病院，兩者的差別完全取決於你是以什麼方式說的……」

不眠夜：「不對！取決於我有什麼樣的因緣，我積的是德，還是業，是不是，道長？」

小男：「幾百年前人哪知道飛機、飛船啊，你要和他說科學，你都像瘋子……」

我：「但是莊子在那麼早以前，就有大鵬鳥『水擊三千里，摶扶搖而上者九萬里』的『千里』、『萬里』的用詞……」

道長微笑傾聽，好像他不是話題的主導者，也是一個感興趣的旁聽者……

胖子：「我們這樣都是蜻蜓了，什麼話題都是點一下水，聽道長說下去……」

道長「回來」了：「其實因果，在我們這一世的很多現象裡面，都在演繹。而基因學的研究和發展，也是逐步會接近我們中國人傳統認知裡對於命運的解釋。有一個實驗，我們對小的植物進行切片，然後用電腦來計算描繪，就可以把它在幾十年以後長成的形狀描繪出來。這又是個大話題，我們還是回到剛才的問題吧。我們的身體在修行中最基本的一個狀態，就是我們要保持一些特殊的手印。」

小男：「對，說到這裡，是爲什麼？」

道長：「剛剛說了，這些手印的作用是爲了接通我們的經絡，在我們的經絡與經絡之間，透過手印簡單的結合，可以馬上產生氣感。一個特殊的手印可以幫助我們迅速產生眞氣的流通。因此在我們調身的過程中，手印能夠幫助我們，使我們的氣血旺盛之後，能夠自始至終保持上虛下實，眞氣上浮，濁氣下沉，這個前幾天我已經說過了。那麼，爲什麼靜功是需要我們盤腿坐的呢？」

道長將雙腿盤住。

道長：「注意我坐的姿勢，脊椎要垂直。爲什麼我們在靜坐的時候要盤腿呢？這是爲了幫助我們下盤充實。我再說一遍，我們經常會看見有的人走路是一躥一躥的，叫頭重腳輕，這是不好的現象。而我們的修煉是要達到頭輕腳重，這樣才能使大腦清氣上升在頭，濁氣下沉在腿，幫助我們開發潛能。」

大家都紛紛試圖將雙腿盤起。但是這樣一個簡單的動作，也讓我們做得相當艱難吃力！

道長：「注意呼吸。一定要注意，呼吸是一個很重要的方式，它是能夠幫助我們健康、幫助我們長壽的。最能夠達到健康的方式，就是正確的呼吸方式。深長勻緩，盡量深呼吸，不要很急促，要很勻稱……」

我們再一次嘗試跟隨道長的提示呼吸、深深呼吸——

這個呼吸，道長已經說很多、很多遍了，但是即便記得，自己做，和道長在一旁提示著呼吸，狀況和感受都是完全不一樣的……

道長：「呼吸要綿綿不絕。吸氣的時候要很緩慢地把氣吸進去，到一個程度它自然而然地會到達一個極限，自然而然地會緩下來。而我們平時很多時候呼吸用力太大、太急促。要勻緩，一呼一吸之間像車輪的轉動。這種呼吸的方法帶給我們的，將是氣息的綿綿不絕。善於呼吸的人，一定是長壽之人。古人說，『眞人之息在踵』，踵是我們的腳後跟，說眞人的呼吸，一口氣可以呼吸到腳後跟，意思就是一口氣很長。我們一般人是胸式呼吸，很慢；再遠一點的，吸到了腹部，叫腹式呼吸；而還有更多的人，我們現在一般的人，呼吸只到喉嚨就止住了。」

小男停止練習：「呼吸到腳後跟是一種形容吧？」

道長：「不是形容。能夠有這樣呼吸方法的人，可以活到很長、很久。如果你修煉呼吸的話，呼吸是可以下去的，經絡是通的。但是我們做不了，我們可以做到呼吸盡量悠長。」

道長雙眼微閉，深深地、無聲地、無任何端倪地呼吸……

道長：「你們注意到沒有？呼吸到了極限的時候，那股氣自然會向外滑出來，滑到極限之後又會往回走，這樣形成了一個圓圈自然地進行……」

大家效仿、嘗試著……

道長：「學會了呼吸的方法，就會少生很多病。其實所有的亞健康狀態都離不開一個原因：慢性缺氧。」

小潔：「道長，你說的靜功中的調心又是怎樣的呢？」

道長：「調心是要我們高度放鬆，高度入靜。入靜是很難辦到的，越想靜，心裡面亂七八糟的事情偏偏越來越多地湧現。也有時候我們覺得『我入靜了』，不幸那是假的。你再入靜，也不可能讓

『我入靜了』的這個念頭去入靜，所以就是要調心。眞正在入靜的時候，我們第一步需要的是集中，把呼吸和思想集中到我們的丹田，眼觀鼻，鼻觀心，雙目輕輕地垂簾，眼皮耷拉下來，留有微微的餘光，能夠看見自己的鼻尖，再從鼻尖看到我們的肚臍。如果我們是正座盤腿，眼睛的餘光順著鼻尖看到兩個膝蓋，這個地方稱爲臥牛之地。」

大家又將剛才堅持不住、放開了的雙腿重新盤坐，依照道長說的一一嘗試……

道長的語調輕柔下來：「坐直了，不要依靠在椅背上。不能雙腳盤住的，可以單盤、散盤，或者先將雙腳平開，兩腳一定要放平。雙盤就是把兩隻腳同時交盤在一起，兩腳心向上。單盤不分左右，上下交錯一隻腳，腳心向上。散盤是兩腳交叉就行了。然後頭正，身直，舌抵上顎，雙手結印。

「靜功的開始，雙手結印的方式很簡單，男的左手放在右手上，女的反過來，掌心朝上，兩個大拇指相接。注意，雙手不要碰到雙腿，雙手托空，提起來，不能和身體的任何部位相碰著。不用收腹，全身放鬆。這個姿勢的意思是什麼？你們覺得自己的雙手是什麼圖形？」

胖子：「太極圖。」

道長：「對。這個叫注通天地，把太極接通。輕輕地、若有若無地把雙手掌分開一點點，留下一條肉眼看不見的

靜功姿勢：
頭正，身直，舌抵上顎，雙手結印，雙腳盤住。

縫，大拇指之間氣路相通了……」

小男：「哦，有氣了，一下子就有了，很熱。」

道長：「是吧？這個氣是波動的，會慢慢向全身擴散，細細去感受。」

大家依次：「對，有……」

道長：「感覺到有灼熱的氣流沒有？」

大家紛紛：「有。」「感覺到了……」

道長：「這個灼熱的氣流會越來越強，由雙手波動著向兩個前臂、兩個肩頭、全身湧動。大拇指之間有氣在竄動，雙手之間開始有微微發熱發麻的感覺。」

大家安靜地做。我也感覺到了雙手之間的氣流越來越熱，向全身蔓延……

道長：「你們吸氣的時候體會一下似乎整個手掌也可以呼吸一樣，感覺到整個雙手的毛孔在進氣，呼氣的時候感覺到雙手之間的沉脹，呼吸了三口氣之後可以感覺到皮膚的自然呼吸。有這種感覺的，下一步就可以練習爲皮膚呼吸了。」

我有一種想要睡著的感覺……

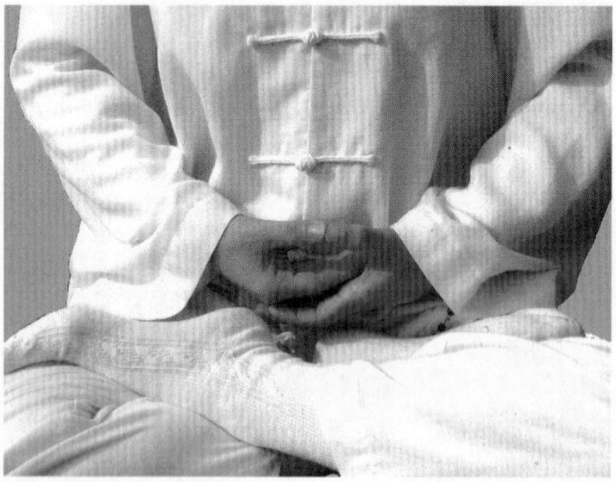

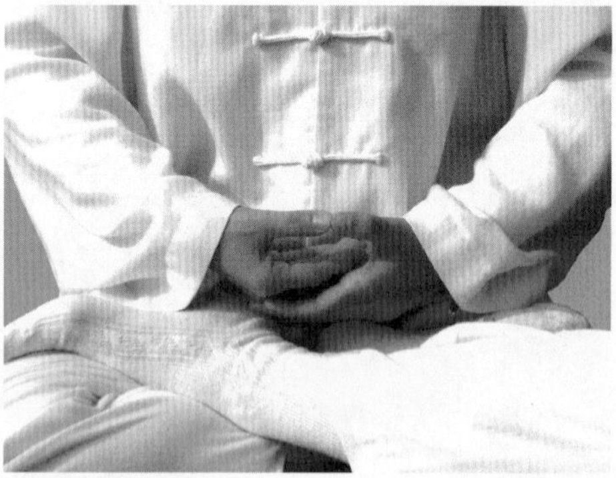

靜功姿勢之雙手結印：

男的左手放在右手上，女的反過來，掌心朝上，兩個大拇指相接。

注意，雙手不要碰到雙腿，雙手托空，提起來，不能和身體的任何部位相碰著。不用收腹，全身放鬆。

道長：「慢慢地呼吸，感覺兩個手掌之間和皮膚的毛孔都打開了，都在呼吸……你們再感覺手掌，現在你們的手心是不是很熱？這就是生命的磁場啊，身體的磁場。如果你們能夠堅持靜坐四十分鐘之後，會感覺越來越熱。而在平時，你們就是把手無論怎麼握著，也不會這麼熱的。這個功最後的收功過程，和其他功一樣。」

小男：「道長，靜功的作用確實能夠開發潛能嗎？」

道長沉吟。道長一沉吟，就是在快速地翻譯，將千年以前的「祖傳」，翻譯成爲當今我們這班更容易理解「麥當勞」式思維方式的「小子們」能夠聽懂的語言：

「靜功不僅僅是開啓我們的心智，也是針對、救治我們當下現代人的城市疾病。現在典型的城市疾病就是焦慮、亞健康、偏激，一觸即發，由此互相不能夠寬容，感受不到生命自在美好的本性，感受不到生活的種種賞心悅目，等等這般。靜功能夠緩解我們內心的壓力，改變人生的態度。一個修煉靜功的人，是不會得到憂鬱症的。即便是有憂鬱症，也會在靜功的修煉中，讓生命重新變得完好。」

「這麼好嗎？爲什麼這麼好呢？什麼道理呢？每個人都能夠達到嗎？像我這樣沒功夫的人也行嗎？」

不眠夜聽得眼冒金光，一連五個「爲什麼呢」，可見社會生活的壓力，已經頂到他小小的脊樑，小小的腎臟——呵呵，我一時胡思亂想，純屬個人「望人生義」滴……

道長：「我說了，樁功是命功，針對的是身體的健康；而靜功屬於性功，是包含身、心、靈三個方面的，屬於道家強調的眞正的丹功。靜功是性命雙修。性功針對的是什麼呢？是我們的心靈，它要解決的，就是要開發我們的心性。我們的『心性』與頭腦的『思維』，有很大的差異。要知道頭腦的思維有很大的侷限，它是局部的，它所形成的知見大多來自生活經驗、人生經歷積累之下的結果，而我們所有的障礙，都是頭腦的這個局部思維，對於生命整體理解的偏差造成的。局部對於整體的理解始終有偏差。而生命是整體的，面對生命整體的複雜與偉大，我們頭腦思維的局部性非常弱小而且常常不管用。怎麼辦？

「靜功，這是我們祖先找到的方法，留下的寶貝。有一句話評價靜功，『一靜能開百障』。靜功不僅是對於身體的調整，更是『獨與天地精神相往來』，它能夠讓我們的心靈、心智，與宇宙貫聯。靜功，實際上擺脫了頭腦思維與記憶的極限，突破了我們經驗與感覺的壁壘，它表現出了生命全知全能的獲得。靜功能夠讓我們達到『無我』的境界。在靜功的狀態中，我們身體的感覺也是這樣，從有我，到無我。我們的內心同樣是這樣。靜功開解身體與思維對於我們歷來的束縛。經由靜功，一旦消解了我們頭腦的知見，打開了我們經驗與感覺的壁壘，我們就逐步達到全知全覺了，是我們人、心性的大解放。所以，靜功是開啓我們智慧的。我說清楚了嗎？」

大家充滿感激地點頭！很清楚，道理都明白了，剩下的就是我們自己的修煉了。火字邊的煉啊，是要有火煉一般的決心與意志的！其實非常簡單，只要做到兩個字：堅持……

道長：「我再講一點方法上的細節。要注意我們兩隻手掌之間的縫隙。如果沒有縫隙，你們練得就不對了，會沒有效果。說點題外話，你們都知道動畫《一休和尚》裡面一休的手印，那個動作最早也是道家的。道家對整個東方人的影響都很大，佛教進入中國後，諸多方面受到中國本土道教的影響，從而產生出文化相容之後的很多變化。靜功有很多種手印，從我們道家的祖先開始，到今天有四千多年歷史了。這個手印表現的是道家太極圖，一陰，一陽，用大拇指的連接，把陰陽接通的意思。

「練習靜功最忌諱的是有人打擾，所以在晚上練比較好。修煉的時候，我們的內心一定要空靈，空了才靈啊！我們說『身能改病，心能改運，靈能改命』，靜功是可以改命的靈能開發，身心靈的靈修部分。練習到後來，意識會越來越完整。」

大家的臉上都有可愛的癡迷樣。半晌，小男憨呼呼地：「這是眞的嗎？」

道長笑起來：「你認爲這不是眞的嗎？你練一陣子就知道了。這個功能夠達到的作用，不僅影響我們的心能，也影響我們的靈能，它訓練的是我們的靈能，這個靈能到一定程度可以改變我們的很多東西。我只能夠說到這樣。」

我：「這個改變是潛移默化的，還是要有意識地去想才能夠改變？」

道長：「不要去想什麼。在練這個功的時候，我們不能想任何東西。靈能自然會得到開發，把我們身上的潛意識和元意識源源不斷地調動出來，那麼對我們的改變就很大了。在練功的時候，我們感覺到有氣，手一會兒就熱了，全身的氣會自己轉，我們不要去感覺好或不好，也不要去引導它，就由著它自己，看它怎麼樣。在這種狀態中，我們的身體就會隨著自身的功力，慢慢地回到我們的自我。

「現在你們感受到的『自我』，並不是眞正的自我，我們現在的自我是一種角色的印記，是心裡斷片的角色痕跡，並不是眞正的自我。以爲我們這個有意識的我就是我，這是錯誤的。根本的那個自我、本我，不是這樣的。這個先不說了……」

小男：「道長，我們要修練多久的靜功，才能夠達到你說的這種心性、靈性大開的狀態呢？」

道長：「這個功法不像其他功法那麼快，每個人感受到的程度、時間都不大一樣。這個功練到後來，身體會被我們的意念磁化。在練習的時候什麼都不要想，全身放鬆。還有很重要的一點，練功的時候一定要保持很高興、很愉悅的狀態，因爲這個時候我們的身體對任何一個暗示都很重要。現在的話題是由生氣引起的，我說了爲什麼辟穀時不能生氣，練功時也同樣不能有一點點壞的情緒或者意識。因爲在正常情況下，我們心裡如果有一個什麼不好的念頭，我們生命的潛意識並不會很快去接受；而在練功的時候，我們全部的意識都是打開的，我們和潛意識之間是可以互相轉化的，這個時候如果有不良意識進入我們的身體，對我們身體的毒化作用是非常厲害的。明白沒有？要切記！」

無話不說再次披著大浴袍，滿身中藥味地混跡於我們之間，他立刻發問：

「那不良意識自己來了呢？你不是說不要控制念頭嗎？有的時候稍一想，『不要……』它反而來了！越不要它來，它越往外冒！怎麼辦？這個時候是不是就先不要練功了？馬上收功？」

大家哄笑！他的話讓我們想起「打不過的來了，立馬就跑」……

小男笑得語不成句：「那你，忙壞了，練一個靜功，一分鐘一收功……」

無話不說沒有笑，認眞地看著小男，一板一眼地：「以我的體質，可能得二十秒就一收功，生活給我的惡性記憶很多，以致病重。」轉向道長：

「那我就光練收功就好了，有沒有一種功法是專門針對這種惡性意識弊端的？就是收功的功？惡性意識一來，直接收功三十分鐘……」

大笑……

道長呵呵笑：「你真是太有想像力了，我研究一下，專門針對你的問題……」

另一人：「道長，我曾經聽到佛家的師父說過，如果專門練習樁功和靜功，可能老來以後腿會出問題，是這樣嗎？」

道長：「只有你們把這兩種功當做一種運動的方式，你們的腿才會出問題，而且一定會出問題。如果是依照我說的道家方式練的樁功和靜功，是眞氣的注入，不但絕對沒有問題，對你們的老年還是最好的健康保證與智慧的提升。」

人馬座：「道長，無話不說雖然極端，但是他提到的這個問題確實我們都會遇到，如果有不良意識不斷出現，怎麼辦？」

道長：「不良意識的出現，在每個人練功的過程中都會經歷。我覺得當這個不良意識出現的時候，首先要轉換這個不良意識，要轉換到愉悅的意識狀態。練功進入功態之後，整個身體自然會被愉悅所磁化，它自己就不一樣了。如果經常出現不良的狀況，就要經常地去轉化成爲愉悅，慢慢的，這個人的氣質就改變了，行動、走路、待人、處事都會非常和諧，這種變化不會是一種讓人感覺到好和壞的差異，它會讓人感覺到一種油然而生的自在、包容、昇華。整個過程並不是刻意去做，而是有一點這個意識，它自己就有轉換了。」

無話不說：「那好，我看看我會不會練功的時候就忙於轉換了……」

笑……

無話不說：「道長，這個手勢——」無話不說用胖胖的雙手做了一個電影中我們常常看到的出家人常做的手勢，「這也是一個手印吧？」

道長：「是。但是如果用這個手印，對你們並不好。用來拍拍戲、表演一個人物是沒有關係的。」

小潔：「爲什麼不好？」

道長：「所以，這就牽扯到我們開頭提到的話題了⋯心魔⋯⋯」

* * *

無話不說：「你是說，這個手勢會招來心魔嗎？道長？」

道長搖頭：「不是這麼理解。手印是一個層次一個手印的。如果我們做這個姿勢，心魔來的時候你就沒有辦法招架，因爲你們還沒有力量來斬魔。」

我：「什麼是心魔？眞的有心魔嗎？」

道長：「有心魔，心魔是非常厲害的。怎麼說呢⋯⋯」

道長沉吟，又開始尋找「翻譯」⋯⋯

無話不說似自言自語：「那⋯⋯這個心魔一出現，我們就知道是魔來了嗎？還是以『美女』的形式出現，讓我們以爲是好事呢？」

道長：「這麼解釋吧，牛頓發現了所有的力都有一個反作用力，因此任何一個東西、一件事物，從物理學的角度來講，都有正、反兩種力量。所以當我們有一個轉變生命形態的力的時候，一定會有相同或者更大的反作用力會拉住你，就像我們有一個什麼思想要昇華的時候，有一個人生的飛躍的時候，一定同時是在面臨痛苦的時候，因爲往往是痛苦使我們昇華。所以當我們在了斷、在超越自己的時候，當我們出現一次思想上的飛躍之前，也都會有一個很痛苦的抉擇。這個抉擇是一個痛苦的思維狀態，最後我們戰勝了自己，超越了，走過去就是一個新的天地。」

小男點著頭：「道長，阻礙我們前行的那個力量，就是心魔嗎？」道長還來不及回答，無話不說：「都阻撓我們了，還能不是嗎？就像公路坍方了，前方能夠看見，卻行不過去了。問題是怎麼搬走這個障礙……」

道長微笑：「不完全是這樣。心魔並不是外在的，之所以叫心魔，它是我們生命中與生俱來的東西，是一個根本。心魔帶給我們的是自己內心的一個阻撓，也是一個生命的高度，像鯉魚跳龍門一樣……」

亞女：「每個人都有心魔嗎？爲什麼會有心魔呢？」

道長：「每個人的心裡都會有心魔。我無始以來，就是命定的要去走這麼一個命運的過程，就是該去痛苦，該去流離失所，該去顛沛波折。每個人的所有這些過程，皆是自己因緣的一個過程，這個因緣的過程進入到一定狀態時，它就是一個口令了，讓我們的生命去完成我們應該完成的。

「那麼當我們開始修行，我們在這裡要了脫自己的時候，首先要擺脫的是自身各種各樣的命運對我們的束縛。擺脫了這些被稱爲『命運』的程序束縛，我們自己才有可能超越。所以我們的身體、我們的思想，在超越的過程中都是一個非常痛苦的經過，在這個過程中所有引誘我們的東西，都是我們的心魔。比方說有人過不了『色』這個關，有人過不了『財』這個關，還有人很難過『名』這個關等等很多，因人而異。每個人的生命中都要過自己這一世的關……」

小潔：「爲什麼是『這一世』的關？這是什麼意思？」

道長：「比如說，我們前世過了錢的關，到了這一世就不會有錢的束縛，所以在另一個很難被你們察覺的客觀上，會導致有比如天生的『視錢財如糞土』的人，不管他是富有，還是不富有，他不可能在這一世再在乎這些了，但是他自己並不知道，這是因爲他已經過了這一關了。但是這些人在名上又過不了關，所以這一世對他來說，過的是這個讓他痛苦、折磨他一輩子的『名關』。因此在我們的面前，會出現有人好名，有人好色，有人好勢……這時候，我們需要有一個斬斷自我的力量，戰勝心魔的力量，這就是一個作用力和反作用力的關係。這個力量來自修煉……」

無話不說晃悠悠坐在那兒，一直在微微點著頭，這時發問：

「道長，我覺得我什麼關也過不了，這是怎麼一回事呢？我上輩子都在忙些什麼了，弄得我這輩子這麼累？」

大笑……

無話不說看大家一眼：「甭笑！可能你們比我還厲害，悶在心裡不說，裝文化人，有什麼啊，我有困難我說。我覺得我什麼關都過不了，怎麼辦？是順其自然呢……」

人馬座笑：「那是將計就計……」

無話不說並不搭腔：「還是嚴防重守，做一個眞正意義上的共產黨人？不過後者很難……」

道長笑畢：「我們道家認爲，一般來說，一個人在爲人的一生中，有五十個關要修。從中國古代歷史上來說，修道的人一般最後到了了命的時候……」

亞女：「等等，道長，什麼叫了命？」

道長：「有些人的前世是修佛的，所以他的性是過了，這一世就要來過命這一關，命是最後的一關。所以修道的人一般最後到了了命的時候，欠缺哪些東西，就一定要去圓滿；如果這世圓不了，下一世也要圓。因此不管我們是否了解生命的大道，我們都是按照生命的規律在走，我們這一世的使命就是幫助我們把前一世裡面沒有過了的東西，過了。」

無話不說：「那我上輩子什麼也沒過了（liăo），這輩子是重新來過……不過，我怎麼確定我這一世的使命呢？就像那天你說我們的命就是我們的口令，我怎麼知道我的口令是什麼？怎麼知道我上輩子確實是什麼東西沒有過？」

道長笑：「如果我告訴你，你能夠相信嗎？你最能夠讓自己相信的，就是好好練功。只要放鬆了，入靜了，堅持練功，你自己一切都能夠知道。」

小男琢磨著：「道長，是不是看我這輩子對哪件事情特別上心，老是去想，怎麼也扔不開，就有可能是我這一世的使命了？」

道長：「我們講過命運吧？命運是怎麼一回事？」

小男：「你只講過命與運是兩件事情。」

道長：「打個比喻。我們在學校裡是不是同樣的教育、同樣的課本、同樣的老師、甚至同樣的生活景遇？但是過了三十年、五十年，大家在同學會上又相見了，你會發現彼此互相之間的差別是這麼大，完全不像是一個學校、一個老師教出來的，完全不一樣！而當年大家都還是同學的時候，都是懷著一樣的理想，爲什麼結局都大不一樣呢？

「每個人憑意志去奮鬥，但是你做的事情和你想的事情往往會完全不一樣。大家都在往一個方向走，你就能夠在這個時候遇到這樣一個人，就能走到這條路上去。不明白的，還在那裡上下起伏，於是許多的磨難，讓他被動地終於有一天明白了：此路是不通的。如果我們能夠主動地修行，讓自己明白，這是我們主動地在了脫。所以在道教中認爲，命者，此生之大事，只能了，不能逃。逃是逃不脫的……」

小潔：「那……怎麼看待有些事情的成與不成的必然後果呢？」

道長：「人是有不同來歷的，這個『來歷』決定了這個人這一世大部分的成敗因果。另外，每個人的五行都有『生他的』、『剋他的』，還有『我生的』和『我剋的』四個關係。你們記得有這樣的感受嗎？與某個人打交道、做事情，就是順心，他理解我，我想說的、不想說的，他都能夠知道，少了很多憂慮與操心，還相處愉快，這是『生我的』。而與另一種人相處，我做得不好的，他批評我，做得好的，他也說我，我做什麼，在他面前都不對，什麼事情都成不了，這就是『剋我的』；還有是『我生的』，就是我與這個人合作，這個人做事就是好，我是他的貴人，我可以補他；還有『我剋的』，這個人在別人面前很好，到了我這裡就不行了。處理好這四種關係，一定明白相互之間誰與誰是『我生的、我剋的、生我的和剋我的』，這在一個小範圍內，也聯繫到成與敗。」

無話不說：「我一定要找到這四種關係嗎？我過好自己的生活不行嗎？」

道長：「行，但是你不可能自己一個人生活，你總要和各種各樣的人打交道、共事。如果你能夠明察一切，起碼你懂道理了，少走彎路。我的認爲是，人總會在主動或者被動的狀況下，無論成功與否，最終都將悟到自己人生的眞相。而『悟到』的這個過程，越往前提，越對我們的人生有益。」

人馬座：「道長，你常常說世人的成功都不是眞正人生的成功，那你認爲如何能夠達到眞正的成功呢？」

道長：「幾個方面。第一，對於修行的人來講，成功體現在戰勝自己、自強不息的程度。最大限度的成功就是明道。

「第二種，對於世俗來說，一個人的成功有兩個條件，一個是我自己有能力，另外我還要有機遇，就是說我自己的場要順，外面的場也要有利於我，如果自己順了而外環境依舊於我不利，我再了不起也沒有用。

「第三種，一個偉人的成功，他的條件之一就是要生在一個偉大的國度。一個再了不起的人，如果出生在一個像在馬爾他這樣一個小國家，能夠對世界有什麼巨大的影響力嗎？就是做了總統也沒什麼，因爲他的一切所作所爲，基本上對世界不能夠造成很大的影響。但是這個偉大的人要是出生在美國、中國呢？很可能芝麻大一點的事情都會影響世界。條件之二就是他必須要生在一個偉大的時代。比如在我們中國，上上下下五千年，這麼多的歷朝歷代，這麼多的皇帝，被歷史留名的，我們能夠記得的有多少？美國建國以來也有過這麼多歷任的總統，我們又能夠知道多少？能夠被我們記住的，全是非凡時期的，像華盛頓啊，林肯啊，羅斯福啊，都是在一個特殊時期出現的總統。所以這就是需要恰好降生在一個偉大的時代，而如同我們剛才所說的，這個『偉大的時代』，往往是與痛苦、困難成正比的，就是痛苦與困難都是巨大到超越平常時代的。第三是需要有一個偉大的素質。個人能力的發揮必須有自身場和外場這兩個場的組合，才能夠產生作用……」

小男：「自身場和外場是什麼意思？自身場是指個人的素養、修養、性格、知識含量、受到的教育等等這些嗎？外場就是身處的環境？」

道長：「我講的側重面，更多的是我們傳統文化中對於成功、失敗的剖析。比方說這個人是屬土命的，正好這一年是火年，那就對這個人的運勢非常好，因爲火生土，這就叫外場很好、很旺。如果你本身的運勢又好，在這個時候做事，就是既有外在的機遇，又有自己內在的運勢，自身的修爲、素質也不錯，這最好了。同樣是火年，如果是一個木命的人，你就要明白，這一年最好就是休整了，養精蓄銳，小心謹慎……」

我：「如果是水命呢？」

道長：「水命是剋火的，這就成了『囚』，這個時候，這一年，凡是屬水命的人，做什麼事情都不會如意，就像被關在牢籠裡一樣；火剋的是金，屬金命的人，或者做金屬行業的人，這個火年就相當不好，外場就剋他，個人的素質再好，也發揮不好。類似於這些，是我們更應該掌握，起碼要了解的一些知識，我們的古人都爲我們摸索出來、研究出來了，知道自己的命，就知道了自己的狀態。命是一個根本的口令，要聽得懂這個口令。道的文化，說白了就是分析在各種狀態下，你的外場力量和內場力量的協調關係。有『時運』，又懂得安時處順，以厚德載物，才能達則兼善天下，把功業做大。」

23
人是基因的奴隸

道長：「從基因的角度來講，人是基因的奴隸，而不是像我們想像的，以為人是主宰。我們主宰不了基因和生命所有的功能，我們的生命實際上是由被命名為『基因』的在控制的。」

小男聽得直是搖頭嘆息……

小潔笑：「你怎麼了？是道長說得不對嗎？還是你已經在深刻反省了？」

小男嘆息：「都不是，道長，你太牛了！你把種種人生不順利、失敗的可能，歸納分析得這麼清晰，像你說的，要把握好外場力量和內場力量的關係……這個點撥太重要！你太牛了！」

道長呵呵樂：「不是我牛，是我們的傳統文化很牛，我們幾千年以來看待世界，分析人生，看透、看懂了的生命，就是這樣的。上善若水，厚德載物，君子自強不息，這都是幾千年前的話，不是我們今天沉溺於物欲、利欲之中恍恍惚惚的人能夠看到、想到的……」

無話不說：「能夠聽到，能夠聽懂，都是福分。」

亞女：「呦，無話不說，你開悟了……」

無話不說：「開不開悟是一回事，我人生還要面臨美女關、金錢觀、權力觀，種種什麼什麼關，怎麼過，是另一回事。所以，我從來不沾沾自喜。我知道我身處的險境。我這道口令，比你們都下得大發了……」

笑……

人馬座：「無話不說，你以後說話，不許超過十五個字。剛才只有兩個能夠，一個都是，十二個字還比較靠譜……」

小男還在搖頭嘆息：「道教，裡面的玄奧太多、太玄妙了……」

道長：「其實大家認爲很玄妙的東西，是很簡單的。像《易經》，取名『易』，其中也有簡單的意思，把橫貫天地之間的諸多規律、道理，非常簡單地說出來了。還有像火，最初掌握到火的人是很少的，火要生起來要有很多條件，那在當時同樣是一件非常神聖的事情，而我們現在被普及了，簡單得不能夠再簡單。你們認為玄妙的東西也是一樣，只是因為接觸少，或者從來沒有接觸過，尤其這個東西這麼好，像『火』，一接觸到，就覺得玄妙了。道是一個動態的、包含了生命以及宇宙之間一切的規律，它是一層一層顯現出來的。像我們探索生命的潛力、生命的眞相、三世輪迴、生命不死究竟是不是一個更大的客觀與事實，這些在現在看來都是相當神祕，甚至相當不可思議的。但是在很長一段時間之後，也許幾百年，也許上千年，也許只要幾十年之後，這個『生命眞相』的把握，穿越時空，生命輪迴，就會像火的掌握一樣，是會被很多人掌握到的一個技術。就像以前的人也無法理解現代的科學用量子力學來描述生命的狀態。一旦人類到了能夠普遍地掌握、了解這些在我們現在看來還很神祕的東西時，生命、宇宙又會有更深層次的奧祕與現象了。」

無話不說一直搖晃著點頭：「要多久我才能夠也掌握生命穿梭、三世輪迴這個術呢……一百年太長，我只爭朝夕了，道長，幫幫忙……」

笑……

道長正色：「我們人類有很多的、太多的知識，或者說術，開始都是被少數人掌握的，後來自然就被普及了，後來又有新的奧祕出現，又被普及……道的現象就是這樣。建議大家一定要去看看老子的《道德經》，《道德經》中有一句『夫物芸芸各復歸其根』，萬事萬物最後都是回到它的本源上去，都是為了讓你去明白。『歸根曰靜，是謂復命；復命曰常，知常曰明』，必定讓你去知常，必定讓你去復命，復命就是讓你去找到自己的命，回到自己命的根本上去。人類從無史以來到今天，一切的文化，只有一個主題，人類的文明也只關心一個主題，這個主題就是關愛我們的生命。離開這個主題，一切文化無意義，一切科學無意義，一切社會生活行爲無意義。一切都是爲了關愛我們的生命，關愛我們的存在狀態而展開的。這個關愛的目的，就是一個層次一個層次地解放自我。」

歸鳥「嘰嘰咕咕」鳴叫著，微風飄飄蕩蕩巡遊著，道長從來沒有讓我們失望過地娓娓道來著……這個黃昏，即便被看慣了幾千年以來縉雲山諸修行的青山、晚霞、微風視爲平常，也會被我們這些來自西元二〇〇五年的人兒銘記。一刻就是永遠，永遠就是一瞬……

無話不說：「道長，請你接著往下說，因爲我到現在，哪一個層次都沒有被解放。我也不相信他們被解放了什麼，他們不好意思問，或者悟性比我差好幾個等級，都以爲自己挺自在的呢……」

道長笑：「我們說的解放，既是一個人一生中的感悟，也是放之於人類歷史的整個經歷。我們第一個層次的被解放，是從生產關係和生產力的狀態中解放我們自己，這就是奴隸社會的被解放；第二個層次的解放，是我們個體的精神被解放了，這是在文藝復興時期完成的一個使命；第三次的被解放，就是在本世紀，在我們這個時代，要解放的一個更深層次的狀態，我們生命的狀態，人類的文明將由此而轉變成爲一個更高的程度。這是道在這個時代的顯現，這也是我們每一個人在這個時代的使命。一切的文明都是走向一個層次接一個層次的明白，你的成功是讓你明白，你的失敗也是讓你明白，你的痛苦是讓你明白，你的幸福也是讓你明白，它都是爲了讓你透過你的因緣展現出酸甜苦辣的人生生活百態，最終讓我們明白人生是怎麼一回事，生活又到底是怎麼一回事。如果在種種的人生經歷中我們明白了生活到底是怎麼一回事，最後就明白了我們自己是怎麼一回事了。層層地去理解自己，認識自己，找到自己。是不是這樣？」

胖子：「所以我覺得人們說道教、佛教有消極的意義，並不是指道與佛本身的消極，而是我們人在逐步了解了道與佛所講的東西之後，會提高我們對人生、對世界的眼界，越深入了解，越對身邊沉沉浮浮的利、欲、名、權，聲色犬馬的生活失去興趣。所以這個消極，又是更大意義上被提升了的人生的積極。」

人馬座：「是這樣。」沉默，「有點一言難盡，但是這個意思。」

道長：「無論我們的文化修養，還是我們身上所有的東西，都不能孤立地來看待。我們用三個字可以一言以蔽之：世間智。我們把世間智稱爲聰明機巧。所有我們運用在社會、人際上的聰明機智，都是世間智，而世間智的獲得本身，也是道在行道的過程中讓你獲得的。」

小男：「那……這種『世間智』是好還是不好啊？是不是看似順利的應用，實則妨礙了我們什麼……」

道長：「對，你說得好。我們有很大的問題是我們的知障，是如何突破我們的世間智。這個障礙是很大的。我們往往希望透過一個手指的指引，能夠指向我們嚮往的光明與目標，這是我們人生的方向、人生的目的，但是我們往往錯把這個手指當作了我們的目標，以至於我們逐漸、完全地忘記了我們眞正想要的，其實是手指指向的那個方向了。這個時候，這個手指就反而成爲我們到達眞正目標的障礙了。因爲這個手指，反而使我們始終不可能接近我們的目標，於是我們看到這個手指的『有限性』，就會成爲我們的知障。這是一個很可怕的事情，因爲這種現象處處皆是。」

小男點頭：「我看過金庸的《俠客行》，印象深刻。書裡說當時全天下的武林高手都被掠到了一個島上——實際上是他們自己願意待在那個島上不願意走，因爲那個島上有一個山洞，在山洞的岩壁上據說刻著絕世的武功機密。島主邀請了世間各種的人才，想來破譯這個山洞絕世武功的祕密。

大家在這個小島上都待了有十多年、幾十年了，沒有一個人能夠認出岩壁上究竟刻寫的是什麼意思的東西。這時小說裡面的一個人物『石破天』也到來了，石破天是一個傻小子，他什麼字也不識。他進入山洞以後，竟然一眼識破。人家幾十年苦思冥想，讓走也不願意走，識不破的山洞絕世武功祕密，被一字不識的石破天一眼看透，說『這不就是一套劍法嗎？哪是什麼字？』那麼多學識高的、識字的人，那麼多年了都沒有識破的東西，被這個不識字的人一語道破，一眼就看明白了。這是不是就是因為石破天沒有知障的約束？有的時候確實是知識反而障礙了我們，因為識字，反而看不懂幾副簡單的圖繪了，因為好像我們有不少的『知識』，反而讓我們看不到其實很簡單的一些真相了！」

道長點頭：「我們傳統文學中的很多東西、很多故事，其實也都是在講著這個道理。我們的道家文化把這個叫做『至古』和『至樸』。至古和至樸的東西往往都是這樣被反映出來的，和我們掌握的學識其實沒有什麼直接的關係。佛教的六祖慧能大師，就是一個字都不認識，卻成了佛教的第六代祖師。因為他的不識字，使得他沒有一切的知障，那首著名的『菩提本無樹，明鏡亦非台，本來無一物，何處惹塵埃』，是他對應神秀『身是菩提樹，心如明鏡台，時時勤拂拭，莫使惹塵埃』而作的。之間的差別，你們自己都能夠體悟。」

人馬座：「但是……」

道長：「我並不是說知識不好，而是說有的時候我們掌握的東西反而會障礙了我們。我們越依靠我們掌握的知識、我們有的本事，我們的知障可能就越大。那根原本是為我們指方向的手指，卻完全遮蔽了我們心靈與視野的前方，甚至替代了手指的方向，這是問題。手指本身是沒有錯的，錯的是我們的認知和依賴。」

* * *

《清靜經》唱響，晚餐的時刻到了……

大家幾乎是「一團」站起，「一團」走向餐廳，「一團」繼續著種種疑問，「一團」聆聽著道長的解釋。因爲起身走動，話題變得活潑、「隨意」了許多。

一人：「道長，你老說『三十六重天』是什麼意思？」

道長：「三十六重天並不高遠，指的是我們生命存在的三十六種狀態的不斷轉化。無論是修道還是修佛，在性上開悟了，遠不是終結，還要在命上來轉化自身。這個轉化有三十六個階梯，一層次、一層次地變。」

小男：「三十六重天有一個最高的層次嗎？那是什麼呢？」

道長：「如果眞到了這一天，我們叫『無量天尊』的世界，佛教稱爲『極樂世界』。」

人馬座：「元始天尊是什麼？是能量嗎？」

道長：「我們說的元始天尊是道祖太上老君的化身，道祖所代表的就是道，在道教裡面是道聚形爲太上老君，散形爲氣，大道已入眾生心。《道德經》中有『聖人無常心。以百姓心爲心』。道氣已入百姓心，每個人爲什麼都能修成道呢？因爲每個人都有道氣，每個人都有道。其實從某個意義上來講，每個人都是道的化身，只不過我們現在有很多東西沒有修成而已。」

亞女：「道長，我們現在已經開始在第三次的解放了嗎？」

道長：「我們現在這個狀況，我們人，已經把自身從肉體的人到精神的人解放兩次了。現在我們面臨的是第三次解放，這次解放是非常偉大的解放，將不同於生產力和生產關係的解放，也將不同於精神自我和肉體自我之間的解放，它將是一次更徹底的解放……」

餐廳，圓桌，坐下，上菜……

不眠夜：「道長，你說的用皮膚呼吸，是一種感覺呢，還是眞的在用皮膚呼吸呢？」

道長：「靜坐練到後來鼻息閉住之後，就是我們的皮膚呼吸了。實際上我們的每一個毛孔都是可以呼吸的，肺不是唯一的呼吸器官，就像我們可以辟穀一樣，食物不是唯一的生命能量，不是一定要靠吃東西、靠胃吸收食物來供養身體生存。功法練習到後來，我們的皮膚就替代我們的鼻息呼吸，改變用肺來呼吸這樣的一貫事實……」

* * *

他們正式開始晚餐之後，我回到房間練習晚飯功。之後，大家又聚集到了小小草地上。因爲道長今天晚上還有事，不能夠正式地講座了，大家似「約定」一般，都想盡量地拉住道長一會兒，盡量地多聽聽道長的見解。因爲可以理解的心情迫切、時間有限，所以，呵呵，提出的問題直白得沒有一點遮攔了，我們的頭腦已經幾乎完全沒有「知障」了……

小男：「人類是怎麼來的？必須要有人類嗎？這個道家有解釋嗎？」

道長：「我們已經講過創生。人是因爲我們的宇宙、一個大的陰陽變化變遷而來的，這個也符合我們用科學的語言解釋的，生命的產生最早從單細胞而來。人由於一次很美麗的誤會，從水裡跑到了陸地上來，然後生命就失去了太多的機會了……人上到了陸地之後，我們的生命透過單細胞的演變，一步一步變成爲今天的人。在這個過程中，達爾文有兩個問題沒有辦法解決，今天的猴子爲什麼就沒有變成人？它缺乏一個巨大的環節，這是第一個；第二是DNA的發現……」

小男：「據說每一個人的基因99.999%都是一樣的，只有那麼微小的一點不一樣，就決定了我們每一個人的不一樣……」

道長：「我要說的是另一個問題：從基因的角度來講，人是基因的奴隸，而不是像我們想像的，以爲人是主宰。我們主宰不了基因和生命所有的功能，基因有一個無限的傳遞意識和生存意識，我們的生命實際上是由被命名爲『基因』的在控制的。」

大家臉上有明顯的驚愕，借沒有完全黑徹的天色，紛紛展露。我們都想過「如何與疾病鬥爭」，「戰勝疾病」，諸如此類，卻從來沒有主動意識到，我們有可能被疾病、被細胞、被基因控制著……

道長：「比方說，我們什麼時候死？什麼人長壽？什麼人在哪一年會得什麼病？僅僅從現在科學的角度去解讀，這些答案在每一個人的『基因』裡都有——命運，因緣，三世因果，是更大、更廣泛範圍的理解與解釋。從你們認可的科學角度，每個物種都有自己的天敵，每個物種都有趨同的命定壽限，白老鼠都只能活四年。你們仔細了解過類似白老鼠的這個『四年』命限是什麼意思嗎？只能活四年的原因是什麼？不是牠的所有機能都壞了，而是基因設置了限定。這是一個很大的醒示，提醒了當前生物學界一個大的問題：怎樣去處理、處置我們生命中關於基因的核心存在狀態。人的生命完全可以繼續延續很多很多年，但是控制它的是基因，基因誘使你不斷地去生育，生育之後就開始要完結你的生命……」

一人：「有很多昆蟲之類的動物，在交配之後馬上就死掉……」

道長：「從當前科學的認知上，我們甚至可以這麼認爲，每一個人都是基因的寄生部落，每一個生命都是基因的寄生部落，是它爲了不斷地表現它的生長力，而我們是附庸它而活著的，我們被迫地活著只是爲了適應它不竭的生長意志和它的繁衍。」

道長沉吟了一下：

「我們說遠了。很多問題可以去想，但是眞正認識世界，認識、了解我們自己，是要借助方法的。練功，改變我們生命體的狀況，從而接近生命、世界的眞相，是我們當下立刻可以著手做的。放開基因不說，回到訊息不滅、生命不死的角度來講，我們歷代祖師所有的願心，普度一切眾生的願望是一代一代屢次增加的，這個願望匯成一個巨大的訊息場，這個訊息場就像電波，不斷地疊加，發散到無處不在。我們練功即是爲了要進入這種狀態，爲了讓我們的生命和它結合起來。這個力量是非常強大的，透過這個加持力就可以幫助我們改變很多東西，提高生命覺悟，不斷地擺脫各個層次的因果鏈對我們的約束。如果僅僅是靠我們自己，僅僅相信我們的有限對於世界的理解，想改變一點點幾乎都是不可能的，因爲這涉及我們所存在的整個世界——生命界的一個巨大因果場的變化。」

停頓。一半是因爲似乎沒怎麼聽懂，一半是因爲不知道該怎麼接話了……

小潔小心翼翼地：「改變自己——不是從生命形態的角度，而是，我也不知道該該怎麼說了，籠統地說就是有意識地改變自己，很難嗎？還是不可能呢？」

道長思忖：「我只能說想改變自己，無論是外場還是內場，都是很不容易的，改變自己一點就需要整個宇宙的因果場發生變化。比如說你一定要做這個行爲，不管這個行爲帶來的是好報也好、惡報也好，它都是一個巨大的因果鏈——因爲我們不是今世才發生的，我們都是若干若干世過來的，我們的今世已經處於『由一個巨大的因果鏈中所形成』的之中，但是從最早最早的第一次因果開始之前，『有物混成，先天地生』，天地還沒有之前，還沒有我之前，先天地生……」

小男：「所以我一直想問，是先有這麼一個人，他有一天突然悟到了道，說『原來還有這麼一回事』？還是你剛才的意思，其實在世界『有』之前，就已經有大道的存在了？」

道長：「『有物混成，先天地生』，道是早就存在了，獨立而不改。你們天天在抄的《清靜經》，『大道無形乃生育了天地』，天地有了之後才有了我們，我們人是效天法地的，是首先大道生成了天地，運行了日月，長養了萬物。」

無話不說：「但是我看到書上說，道教產生於……漢代？」

眾人：「那是教，不是道！」

道長笑：「對，好像大家都進步了！」

無話不說：「好，第二個問題，道長，你說的這個元始天尊，他是怎麼同人和人類接軌的呢？」

道長：「宇宙萬事萬物的所有生命，都是存在著波態和能量態，這兩者就是一個東西。道不是別人給我們什麼，或者你們以爲我給你們什麼，不可能的，我永遠不可能給你們什麼東西，我只有可能幫助你去發現什麼，例如去發現你們自己，去認識你們自己。所以不是元始天尊怎麼和人接軌，你自己本身就是最和諧、最完美的道的體現。這個東西你達到了之後，就像一顆種子到了土地裡一樣，我們可以不去管它，它也許就在某一刻的一瞬間，一下子就自己發芽了……」

不眠夜：「那得等多久啊……」

道長：「一切都是你們自己因緣的問題。你們都是有這些因緣的，你們今世就是來了悟這些因緣的，就是說我們都具有成道的可能性。但是我們每一個人在前世、等等世，卡的關口不一樣，比如說你是因爲名，你是因爲利，你又是因爲什麼什麼，總之是因爲一個什麼原因卡住了，所以我去領悟道的原因不一樣，方式也不一樣。在這裡，我知道缺了這個東西，我去修我的因緣。」

不眠夜：「太深奧了……那『加持』究竟是什麼意思呢？是幫助你了的一個力量嗎？它非常重要嗎？」

道長：「加持力當然是非常重要的。這個世界存在著兩個力量，一個是陽，一個是陰；一個是正，一個是反；一個是增強我們的力量，一種就是妨礙我們的力量，就是作用力與反作用力。爲什麼道家和佛家都講祖師呢？祖師所代表的就是這個力量，就是加持力。『師』不是一個人的代表，所有的師父，實際上代表的是一個東西，這個東西是我們經常在說文化時用到的兩個字，叫『傳承』。傳承是指一個文明的傳遞，也是指一個符號的傳遞，或者就是一個訊息波的傳遞。歷代的祖師們把他們所有的閱歷，透過一種方式傳承下來。如果透過的是血緣方式，就是寄存在我們的DNA裡面；如果透過的是訊息的方式，就會儲存在我們的生命、感悟裡面；如果是透過詩、文的方式，就會儲存、傳遞在我們的文化裡面。那是巨大的場，無窮無盡的場。每一個修行者在修行的過程中都會發下大願，這些願，他們或多或少地都完成了一部分，還要繼續完成。他們即便是在能量態的狀態中，也是在繼續修。當我們放鬆自己的時候，當我們相信皈依——皈依是皈和依，皈的意思是把我們和他相合，天人合一的合；依是依靠，是我們以他爲基礎的時候——我們就會爲這個正的力量吸納，我們就回到了道的懷抱，像回到了母親的懷抱。就是老子講的，『既得其母，以知其子，既知其子，復守其母，沒身不殆』。就不是說我自己在抗擊什麼疾病，我自己在改變什麼東西，我自己在克服什麼障礙，或者我自己在強調什麼主張，我們是和一個巨大的場聯繫在一起，這個場就是一個巨大的宇宙能量場，這就是我昨天說的，我們隨時可以調動十萬大軍，可惜我們大部分人不知道。不同的人只是因緣的不同、不一樣，本質上並沒有區別……」

在說最後兩句話的時候，道長已經緩緩起身，隨後抱手：「今天就到這裡了，無量壽福！」轉眼隱遁在了夜色之中，山門之外……

又一天結束了！夜空遼闊，星星點點，無邊無垠！

大家都不由自主深深地呼吸夜色的芬芳。抬頭仰望夜空，月亮安靜地懸掛在天邊。星星無聲無息，似在隱約閃爍……這是我從小就抬頭仰望的夜空嗎？這是人類一直世世代代在瞭望的星空嗎？有多少祕密隱藏在其中，或者一切祕密的答案，星星都已經鋪寫在我們一抬頭的地方……但是，我們還不認識它們美麗的告知呢……

可以盡可能去猜想，道長說，但是，「眞正認識世界，眞正想認識、了解我們自己，練功，是我們當下立刻可以著手做的，它將改變我們生命體的狀況，從而接近了解生命、世界的眞相……」

我返身準備回房間練功。

身後的諸仙友們亦大多「無言獨上養生樓」，留下個別，繼續仰望星空發呆。一時彼此省卻無數廢話……

24

好記有用的口訣

道長笑：「不要著急，有一個常用的口訣告訴你們，能夠幫助你們記憶。你們聽好了，『肚腹三里留，腰背委中求，頭頸尋列缺，面口合谷收。』」

無話不說：「哎喲……這更難！」

辟穀的第十三天。

形同前十二天生活程序的上午。略有差異：極想看書。看了，但是只識得字，卻很難將字與字之間的意思聯繫、貫穿起來。這種感覺太不可思議了：只看得懂一個一個的字，而沒有字與字之間的涵義！在辟穀結束之後一直想再嘗試「複習一遍」這種「獨立字意」的奇妙感受，卻無論如何也做不到了，再難以達到此種「境界」！

大部分人去爬山了。天氣的晴好，解放了他們被小院的約束。微風徐徐送來竹林被陽光照耀的清香。天上的雲細細地、裊裊地飄動。心底似有音樂，讚美著眼睛的所見，嗅著的沁馨。沒有束縛的身體是愉快的，所有的感受、感覺，都自由自在放飛出去，將世間自有的美好，一一帶回……

這種種的美好之中，也有只幾牆之隔的農家小院，侍弄飯菜的人間煙火之香；偶爾竟然也有隨風傳來的嘻嘻哈哈談笑聲！我除了「不識字意」了，其他所有的感受、感覺，像被接長出去了好幾十倍，在山林上下，廟門內外，天空的高低之處，任意馳騁，「探頭探腦」……

中午的時候，爬山的人都陸續回來了。三三兩兩，喜氣洋洋。現在他們一定不會張口就說「幾千年前的人怎麼生活啊」……

離開了山、水、自然，不能人性鬆快，不能自由自在的人，怎麼過生活呢？

中午只伴隨他們去了餐廳，看了一眼桌上的菜，就依然退回到我的小小草地。吃的誘惑真的不像前幾日那麼糾纏了，心的需求，顯然躍然而出，超出了感官與生活的習性，它要看山，看天空，它要放飛思緒，它要大腦聽憑於它的感受，去琢磨它所尋回的種種美妙……

我依它……難得可以這麼寵愛它，慣著它……

下午是依然的調理。調理的時候我睡著了，很舒服，很香甜地大睡了一覺！又似乎是醒著的，常月做的每一個動作，每一次改變與調整，我都清楚明白。

＊＊＊

就這樣，練功、抄經之後，瞬間到了晚飯的時間。這辟穀的第十三天，彷彿也即將過去了……

因為道長回來與我們共進晚餐，我又跟隨去了餐廳。有道長在，就會有一些話題，一些傻傻的疑問，和超出我們料想的回答。

一大桌人團團坐定。晚上的菜比中午豐富，麻辣豆腐、水煮肉片、回鍋肉炒白菜、魔芋燒鴨肉、竹筍黃瓜、清炒豆苗、臘肉炒蒜苗、大蒜菠菜、白灼芥藍、白菜肉丸湯，還有非常「漂亮」的四川涼拌麵，上面撒著綠色的蔥花和一粒粒胖墩墩的小花生米，異常香。

果然，七口、八口之後，大家都超越了口腹之需，開始追問道長昨日未了的「基因話題」。

「基因對於人的控制有多大呢？」

「究竟是基因為我們而活，還是我們為基因而活？」

道長笑：「你們的這些非此即彼的問題……語言是非常危險的東西，因為語言難以表達清、難以表達盡我們眞正要表達的意思。只要我說了，我的語言就會有漏洞，因為語言就是一種非常有侷限性的表達。

「可以說，基因確實在很大程度上決定了我們的生命品質。從這個角度來講，也可以說是基因控制了我們。有很多的毛病，像高血壓、糖尿病都是與基因遺傳有關。適者生存，不適應者淘汰，歷史的發展、生命的發展，歷來都要經歷這個嚴酷客觀的事實。人的身體也一樣，幾百年、幾千年的發展，我們都要一一適應……才能夠有人類的今天。」

道長的話頭突然戛然而止，他轉而面對胖子：

「所以，你回去之後，我建議只要沒有很嚴重的症狀，就不要吃調整高血壓的藥。要相信你身體的感覺，它會自己調整和適應，不要完全依靠測量血壓的數字來判定你的身體。現代醫學的各種檢測指標有一定的普適性，可以作爲某個時間片斷的生理變化參考依據，但並不能對整個生命運行的綜合訊息，以及個體差異性進行整齊劃一的判定。對一些有家族史的高血壓患者來說，正常的血壓反而是低血壓了。人和人是不一樣的，是因爲人和人的基因情況不一樣。你自己的感覺、感受，是最重要的判斷。」

胖子：「如果我沒有難受的症狀，就意味著沒有危險，是不是？」

道長：「對，絕對沒有危險。剛才說到進化過程中生命的適者生存，我們身體的遺傳基因一直會把我們的身體與它所處的環境進行不斷地調整與改進，這種不斷進化與生命改善，在今天也沒有停止過。這種改進就類似一棵果樹，它被種植到各個地方的味道都是不一樣的，因爲它在不斷地適應各個地方的水土、氣候，而且它把適應或者不適應的情況透過遺傳密碼，交給了自己的下一代。人也是一樣，每一代都有自己生命的記錄、自己的狀況。所以用一種藥在不同類型、不同家族史、不同遺傳、不同地理環境、不同生存環境的人身上，在不同時期治療相同的病，是行不通的，簡直是荒唐的。針對不同的人，在不同地區生活的人，如果必定要用藥，也應該是經過因人而異調節過的藥才行。

「我們生命中的很多東西都是這樣的，透過一代一代生命的記錄，交接下去。基因是其中的一個方面。科學終會認識到更多的方面。我們要識別我們生命的系統。」

……

晚上八點，大家準時相聚在二樓的練功房。

練功房不再像前段時間那樣飽滿、擁擠，寬鬆了很多。香港辟完穀的仙友陸續都回去了，我們相聚在這裡，能夠這般安然地聆聽道長傳道授業的日子，已經屈指可數了。明天，無話不說也將結束他的療程，將回到他「久違」的大城市。惜惜之情無需語言，已經彌佈空間，在眞正的分別尚未來到之前，正溫情厚意，凝聚成更加、更加的珍惜，相守、享受這山上分秒可數的每一個夜晚。

道長：「今天我跟大家講一些道家的點穴療法，叫『子午流指穴法』。中國古人在很早以前就不需要任何的器械，甚至不需要借助於針灸，只憑藉十個手指頭，就可以很輕鬆地處理疾病。我今天講給大家的，是點穴療法最基礎的部分。

「我說的基礎，不是準備的階段。這個基礎，是大家可以在生活中應用的，而且一用就能夠起到作用。這套方法的練習是由外而內，我們以『六指蜓蜓力』開始講起……」

＊　＊　＊

大家全神貫注，講座漸入佳境……

道長：「六指蜻蜓力，就是六指著地，效仿蜻蜓點水的姿勢，全身騰空，練習我們手指的力量。我不要求你們練習這個，你們練不了的，我只是讓你們了解這套功法的訓練方法。練習這套功法，最後用六個手指頭支撐起全身之後，同時還可以像蜻蜓一樣點水。」

「六指？我一隻手只有五個指頭啊？還要加上這隻手？」不眠夜舉起了他的兩隻手，十個手指頭。

道長：「是左、右手的拇指、食指、中指，點穴只用這幾個手指。」

大家都伸出自己左右手的拇指、食指、中指，好奇地看著，第一次將自己的手指這般分開打量……

小男：「道長，怎麼像蜻蜓一樣點水？用手指在水上走嗎？」

道長：「雙手六指著地，用我們的頭，模仿蜻蜓一樣點水，最少一百下。這是一種功法，你們一時也練習不了，我們先接著往下說。

「還有一種方法是用一束筷子，兩邊用鐵絲扎緊之後扭動它，也是練習我們手指的力量。經過一段時間的練習之後，以後面對傷筋錯骨啊，幫助活血啊，手指上的力量就會很強。如果再加上內功的配合，用於治病，那就再好不過了。一般點穴的手的功力，就是這樣練習的。」

道長伸出右手，做了點穴的動作，配合在一起的手指極像一個「鳥頭」，鶴頭。

道長：「是以這樣的動作點穴，看見沒有？用大拇指托住中指的指肚，用食指抓住中指的指背，點穴的手指是我們的中指。這樣一來，手指就穩定，中指也有力量。而這樣——」道長做了我們都以為的、電影裡面的點穴指法，「這樣是表演做的，沒有力量，也不穩定。」

大家笑了……

道長：「必須要用大拇指托起中指，這樣頂住之後有力度了，中指特別堅固，手指不可能兩邊滑動。

「第二種方法，把食指和中指曲起來，用拇指扣住食指和中指，把這兩個手指的骨節提起來。這種的力量更大一些，這種手勢的點穴，是用在所有大的部位、骨節間的穴位。大部位的穴位用第一種方法會力量不夠，打擊面也不夠，所以用後面的一種方法。這種將食指和中指曲起來，用拇指扣住的方法叫『扣穴法』，用的是指頭關節頭的力量。

「第三種叫截穴法。把大拇指和小指扣起來，用餘下這三個指頭的關節擊碰穴位，一般是對額骨及所有骨與骨之間的穴位。這些是點穴的基本知識和手法。然後我告訴你們幾個常用的穴位和針對的急症。

「一般來說，所有面部的疾病，包括面癱，或者面部麻痺，或者牙床火腫了，或者舌頭打泡了，包括突然性的視網膜脫落，都有一個穴位可以治療，這個穴位叫合谷穴。找這個穴位不難，把手掌平展開，順著第一第二掌骨這兩邊的骨頭一直走到骨縫的盡頭，也就是拇指、食指結合部的終點，我們自己可以嘗試用另一隻手指用力按一下，有沒有酸脹的感覺？」

有。酸、脹，還有點疼……

道長：「這個穴位有什麼作用呢？除了剛才說的針對面部麻痺、視網膜脫落，還有流鼻血上火、風火牙疼，類似這種發生在面部的狀況，都可以點這個穴位。這個穴位同時也是保健穴，經常點這個穴位能夠幫助調節我們的氣血。這個穴位對於人體是比較重要的，如果正好有什麼感冒啊，點一下都是好的。

「第二，我們要找到『列缺穴』。『列缺穴』非常實用，與合谷穴一樣，大部分時候幾乎隨時都對我們有用，像頭痛、頭暈、頭部的神經缺血、血壓過高，這兩個穴位都是管用的。列缺穴也

列缺穴

可以說是專治各種頭痛頭暈的。這個穴位在這裡……」

道長伸出手，示意坐在他附近的小男也伸出手，然後握手一般將小男的手握住：「兩手正握，虎口交叉，一手食指按在另一手的橈骨莖突上，食指沿著骨頭找到盡頭的骨縫，用力按下去……」

小男隨即大叫起來……

道長：「你們自己的手也可以左右相握——找到沒有？兩隻手都有。這個列缺穴可以解表祛風、保健大腦、降血壓、提醒神志、退燒，也可幫助治療頭部的疾病，也包括頸椎疾病。有的時候嗓子不好也管用。」

大家紛紛兩手相握，低頭尋找，按摩……

道長：「還有一個穴位，叫『足三里』。這個穴位大家應該都知道吧？所有的便秘或者腹瀉，還有女子的婦科問題，按這個穴位都非常的有用。將腳曲成九十度，將右手掌橫紋貼在膝蓋的上緣，然後手掌的食指放在膝下的脛骨，中指尖處按下去就是足三里的穴位。按住這個穴位，第一個感覺是痛，第二是麻，第三是脹，第四是酸。這個穴位非常重要，這個部位治療急性腹瀉非常快。」

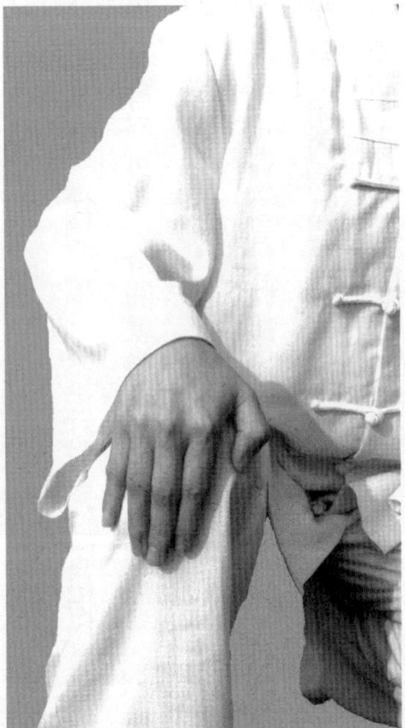

足三里

嘗試……

道長：「還有一個要告訴你們的穴位，『委中穴』。這個穴位主要是針對急性腰扭傷。腰的扭傷有時要一兩個月的時間治療，而透過這個部位，做得好可以一瞬間就治療好。

「委中穴的位置在膝蓋正對面的窩處，輕輕一碰就會很脹。如果按照我剛才教的點穴手法經常保健，對腰背部的功能調節會有很好的作用。有時我們道醫對急性腰扭傷做急救治療方法，有特效。讓突然受傷的人俯臥，把雙腳向上彎過來，然後我們用內勁點住這個穴位，再用力旋轉一周。一般立刻會聽到比小男剛才還要突然、還要大力的一聲大叫，那是好消息，因爲叫的效果是他跳了起來，腰好了。本來不能夠動的腰，可以透過這個穴位的點擊，瞬間好了。不過這個最好經過專門的學習。」

無話不說一直在忙於舉手、舉腳的，這時仍不住發話：

「道長，你說這麼快我記不住！叫委什麼穴來著？還有前面那幾個……記不住你就等於白說了……」

大家笑……

「你的意思是道長損失很大，如果你沒有學會的話……」

無話不說：「說半天我們都記不住，那不是白說了嗎？損失都很大，你重複一個我聽聽……」

道長笑：「不要著急，有一個常用的口訣告訴你們，能夠幫助你們記憶。你們聽好了，『肚腹三里留，腰背委中求，頭頸尋列缺，面口合谷收。』」

無話不說：「哎喲……這更難！我從小寧可解數學題，也不背課文，尤其是詩詞，這東南西北的幾個字，怎麼記在一句話裡面……」

道長：「我解釋一下，你就容易記了。『肚腹三里留』，凡是肚子的、腹部裡面的病，可以透過這個足三里的穴位來醫治；『腰背委中求』，腰的疾病、背部的疾病，在委中這個穴位求治；『頭頸尋列缺，面口合谷收』，頭、頸、面口的疾病，由『列缺』、『合谷』兩個穴位來調理。這樣清楚了吧？口訣還是可以幫助我們記憶的，它把說的這些東西歸納了。明白了嗎？雙手點穴的指法，常見病症能夠針對的穴位？」

有點頭的，有默記口訣的……

道長：「還有一個非常重要的手法要告訴大家，是對於突發心臟病、心絞痛、心肌梗塞的急救，也可以是平時的保健重點。這樣——」

道長微微舉起雙手，將左手手掌包住另一隻手的大拇指，右手拇指向下，用右手的大拇指迴旋按推左手的掌心魚際。

道長：「用力地、慢慢地推。人的自身都具備各式解救自己的方法，問題就是我們自己不知道。曾經都知道，但是慢慢的方法失傳了。我們自己都可以解救自己，一定要記住，因爲當你發生突發症狀，說不出話來的時候，別人是會誤診的。只有我們自己知道哪裡出現了什麼問題，所以心裡不要害怕，要知道怎麼解救。而我們知道了這些，偶遇別人突發疾病，如果你能夠判斷正確，同樣可以解救你遇到的或者身邊的人。」

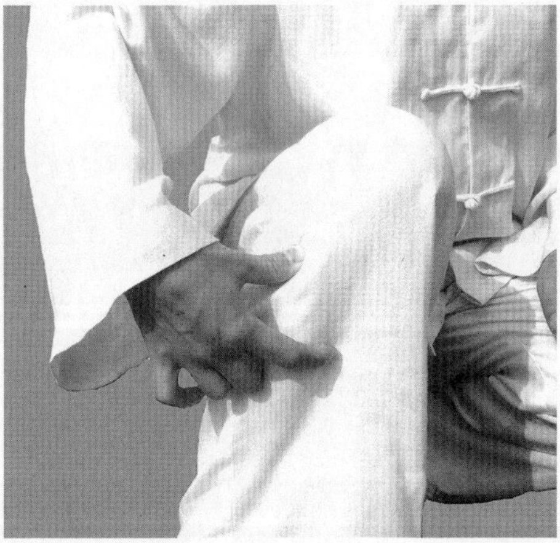
足三里

道長再次舉起雙手：「這個方法非常簡單，你們知道了，都會做，但是手的動作與心的意願要一致，要一心一意專心地去做。我們通常遇到心臟病突然發作或者心肌梗塞的病人時，就用這個搶救方法。要充滿力量、充滿信心地揉搓，幾分鐘之後心臟就會舒服，心裡會踏實。

「如果你們遇到心臟病發的人症狀很嚴重，不要猶豫，你們同樣可以去搶救，千萬不要等。第一，幫助對方馬上平躺下來，用意念把對方的心臟和我們的心臟連通起來——意念是非常重要的，專注、信心、誠意、愛，都是眞正的救治。用意念把對方的心臟和我們的心臟連通，用我們的心臟來幫助他的心臟。然後握著病人的手就這樣按，三十六圈，充滿力量、充滿信心地揉搓，不要太大力，力度要適中，順三十六圈，再反三十六圈。這是用在搶救的時候，一般一會兒之後這個人就會有反應。如果你們做得好，心誠，心靜，在救護車來之前，這個人就已經得救了。否則，心臟病的突發，經常是等到救護車來了，也已經晚了……」

道長：「我跟你們講這些，不僅僅是建議你們見義勇爲——當然你不能夠亂來，不可以有炫耀、虛榮之心，是情急之下，你們也可以救人，有信心，有感情，內心專注地全力以赴；而在平

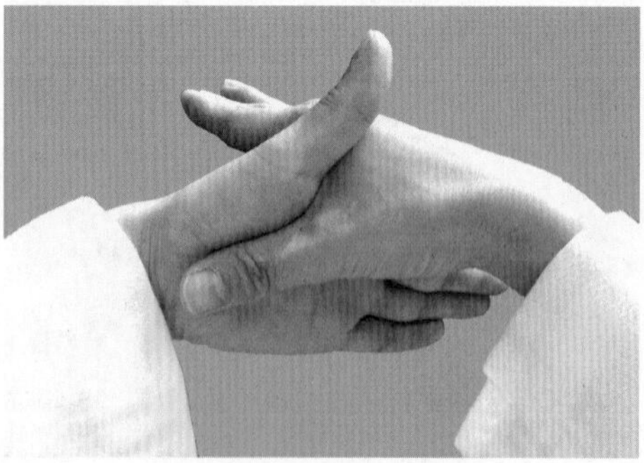

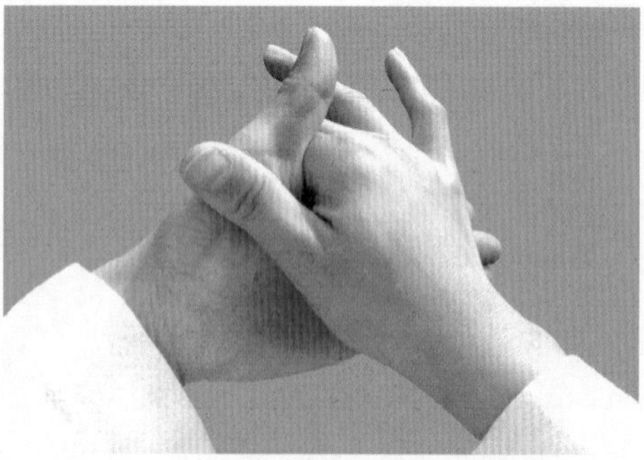

心臟搶救手法

時，這種方法也是重要的保健方法。急救與平時的不同在於，平時不用這麼大的力氣，但是也要順三十六下，反過來三十六下，平時就這麼持續做，你們的心臟一定會非常強勁。在自己不舒服的時候這麼做，心臟就會舒服了。切忌的是一會兒快，一會兒慢，一會兒輕，一會兒重。要勻。這個對血管的保健，對心、腦血管有疾病的人，都有保健作用。」

小男：「對腦缺血有作用嗎？」

道長：「針對腦缺血，效果慢一點，對心臟和心血管最好。這個手掌的部位叫做『魚際』。一些基礎的保健，都是正旋三十六次，反旋三十六次。在點穴的時候，我們同樣可以考慮用類似旋轉的手法，我們叫『陰陽旋』，旁人是看不出來的，只有你知，我知，使用者知，受用者知。」

無話不說：「道長，什麼叫陰陽旋？」

道長：「就是我們的手指在用力量的時候，半圈輕，半圈重，合成一圈，一共三十六次。這樣的手法是爲了平衡。還有是連點的手法，這樣連點——」

道長用手在自己小腿的「足三里」做示範……

道長：「看到沒有？連點，然後在用力上連帶陰陽旋，一會兒皮膚發紅，會很快就見效了。如果有腹瀉，立刻就見好。」

小男：「皮膚發紅，是用力量大小的證明吧？還是一定要發紅？」

道長：「因爲你們點的地方是穴位，一旦皮膚發紅，就說明它帶動經絡了，氣血擴張。慢慢的氣血停止了，熱脹冷縮，它一收縮，就會改變經絡和體液的狀態。我說的這些找穴方法，還有依靠穴位治療的方法，你們都明白了嗎？」

無話不說：「明白了。但是說得太晚，我明天就下山了，這眞功夫才開始說……」

笑！

＊＊＊

道長看著無話不說：「是啊，你明天就要下山，又要回到原來的生活中去了。今天說的這些技術，隨時都可以學，但是更希望你回到自己的生活中，能夠保持這些天的生活習慣，保持健康狀況。如此這般了，不僅僅是你的血糖正常，你的血壓同樣會正常。你要切記的就是一定要細嚼慢嚥，這是最重要的事情。你得了糖尿病，並不是說你的胰島素比別人不正常，這只是一個誤解，實際上是你的循環功能處於阻塞狀態，它的壓力太大了，完全是在負重狀態下進行身體工作。我們道家的醫學也叫平衡醫學，它不是說陰好或者陽好，而是講究陰陽要平衡，陰陽的平衡在道醫裡還有一種說法，叫陰平陽泌。你回到自己的生活中以後，完全可以取代藥物的，就是你要大量地運動；完全可以取代治療作用的，就要讓你的每一口飯都變成藥，當你慢慢咀嚼時，你自己分泌的唾液就是藥。這就是我一再強調的細嚼慢嚥。你在這裡，我對你還是比較放鬆的，你說是不是？你多吃一口就多吃一口，偷吃一點就偷吃一點，水果也罷，肉也罷……」

無話不說羞愧狀……

大家笑。

道長：「反正我基本上是隨你的，因爲你在我這裡還有其他的輔助方法在幫助你，並不是完全依靠你自己，你還有彌補，還有我們監督的練功。而你回去之後，沒有我們每天幫你強力疏通經絡，也沒有人督促你練功，一切都靠你自己了，你就一定要提醒自己，只要你做到了細嚼慢嚥，就等於有一個高明的醫師隨時都在給你治療。還有透過練功，透過運動，使你的排泄功能、排毒功能都能夠旺盛，自身的解毒功能就能夠加強……」

無話不說：「道長，你給我一個評判：我這算是好了沒有？」

道長：「能夠不用藥，能夠正常吃飯，你覺得你好了沒有？」

無話不說：「那你就是已經把我修好了？我是一個正常人了？如果我不像不眠夜這麼以弘道的名義狂吃蛋塔，血糖就不會再高了吧？」

不眠夜立刻抗議：「怎麼叫以弘道的名義？哥們兒就是爲了弘道。這幾天血糖又五點幾，正常了。」

道長笑：「你的情況和不眠夜還有不同。總的來說，你現在的狀況已經很好，可以說好了，但是要鞏固住，回去以後一定要注意，一個是練功，第二是運動，第三是吃飯。本身我們就講究吃飯要七分飽，這個對在座的任何一個人都有益處，如果我們長期吃飯是七分飽，會大大好過飽食終日的狀態。還有休息，如果你的睡眠很充分的話，自身的自控、治病機能就能夠增強。」

無話不說：「這些要求，說實話都很低，但我就是很難做到！比如說練功、運動，這都需要時間，還有睡覺，都需要時間……」

有人笑。人馬座：「那你現在在山上一待半個月，算不算時間？無非把這個集中的時間分開在每一天了……」

胖子：「我記得道長你說過這樣的話吧？如果我們沒有時間練功，沒有時間運動，我們就必須花時間去醫院了……」

道長：「這其實是一種生活的態度，當我們把這些納入生活方式，就不存在這麼多的不可能。西方人非常注重運動，他們把運動當成生活的一個必然內容，認爲如果一個人沒有自己的運動項目，就像沒有宗教信仰、沒有吃飯和睡眠一樣，那是不可思議的。我覺得他們的生活態度是值得我們借鑑的。」

無話不說：「我重視。但是有的時候人在江湖，眞的身不由己！我確實也沒有專門鍛鍊的時間，可能全中國的人都沒有這個專門的時間……」

道長：「這是每一個人都要正視的問題。我們從來都是無度地使用我們的身體，卻從來不改變我們的生活觀念，養護我們的心靈、我們的身體。我們的文化不是這樣的。對我們中國人來說，運動還是很小的一個方面，我們講究修行，透過練功，既有運動的排毒效果，且是高於運動的排毒效果，更重要的是養護了心靈、純淨了心靈。」

無話不說：「練功的時間，我另安排。我知道這很重要。如果我每天走路上班，並且加快走路，或者跑步上班，是不是也算是一種運動？反正我在琢磨怎麼利用必須要使用的時間。」

道長：「我覺得你沒有必要去跑步。你比較忌諱長期激烈的運動，比如長跑，這個對你不好。最好是一種綜合性的（運動），比如打乒乓球，你可以打得激烈，也可以打得慢一點，比較綜合。」

無話不說：「那還得另外抽時間……吃飯，細嚼慢嚥，想一想，也挺難。一堆一堆的事等著呢，基本上我腦子還在那些事上，對怎麼吃飯想都沒有想，就已經吃完了。我說的是實話。」

道長：「一定要改變我們的生活方式、生活態度。吃飯，我們完全可以做到只吃七分飽，要有這個意識。還有細嚼慢嚥。我們快吃和細嚼慢嚥能夠相差幾分鐘啊？快吃才可能吃多了，慢吃能夠控制量。如果你真的有一天一病不起，你還會說『不行，我太忙了』嗎？關鍵還是你們重視自己身體的程度。或者說，你們更重視的是什麼。」

人馬座：「道長，吃飯速度的慢，要慢到什麼程度呢？吃多長時間？」

道長：「認真地說，要比你能夠想到的、做到的，都還要慢得多。充分的咀嚼，一方面可以幫助你們少吃，更重要的是能夠達到我們的需要：讓我們的唾液更多地介入到正常循環功能裡面去。」

不眠夜：「道長，無話不說的糖尿病眞的好了嗎？沒有辟穀也能夠治好？他在山上的這十五天，算是一個療程吧？」

道長：「我白天給他重新檢查了，應該沒有問題。什麼是糖尿病啊？你們被很多西醫的名詞、習慣的成見給嚇著了。我剛才說了，糖尿病就是循環的阻塞和身體功能的混亂。糖尿病只是一種表象、一種症狀，任何疾病都是這個意思，表明我們身體的某一個地方、某一個方面出問題了，要引起我們的注重了。換個角度，疾病是我們的身體終於不堪重負之後，與我們意識的對話。這個症狀，這些症狀，本身都沒有那麼可怕，而把症狀當作原因來治療是可怕的。我們透過病灶，看到了眞正病症所在，全面調整你們的身體、調整生活的狀態，這個病眞的是不可怕的，只要回去以後完全按照我說的方式去做。」

兩天沒有提任何問題的新人：「眞是太不可思議了！我不在這裡看見，絕對不會相信。糖尿病是現代醫學毫無辦法的病症，就這麼幾天眞的就治好了？」

無話不說語重心長地點頭：「確實，連我們親眼所見、親身體驗，都讓我們懷疑：這怎麼可能呢？但是我確實是每天都按時吃飯，有水果有肉食有主糧，我確實從接受道長的調理開始，就停止醫院的藥，停止打胰島素了，現在我的血糖也確實是在正常的數字之內，怎麼還不是好了呢？」

無話不說興奮地深吸一口氣：「沒有想到啊！我是想來辟穀的，一心一意地想，就是不給我辟，成了二等公民，但是居然這樣也醫治好了！牛啊！」

道長笑：「並不是辟穀的就是一等公民，只是方式不一樣。辟過穀的人也不是那麼隨便的，他們半年之內都要注意很多事情，比你要複雜。」

無話不說嘆氣：「我也是有鬱悶的！不管怎麼說，我嚷嚷著說是來辟穀的，來的時候和英雄一樣，吃飯，喝酒，餞行，反正要辟穀了，就像人間的最後一頓飯……現在，病是治好了，但每天都還是吃吃喝喝的，還偷吃偷喝的，這樣回去，自己想想都有點抬不起頭，有點沒勁！不過憑良心說這樣也行！沒有病好啊！有病太不好了，你們沒病的人體會不到……」

道長：「其實病是不可怕的，我反覆在和你們說。人人都怕病，尤其像癌症啊、糖尿病啊，任何一種病的出現你們都會很害怕，因爲你們認爲我們的身體戰勝不了它。這是因爲你們在沒有認識生命的整個系統、沒有認識生命潛能的情況下，所產生的害怕。你們不知道還有一個更大的系統。人就像一座冰山，我們在海面上看到的冰山，已經覺得很大，現在我們知道了，在海的下面還有更龐大的冰體。人的潛能就是這樣，非常大，就像我們不知道的海水下面的龐大冰體。我不是跟你們說過每個人都有生理時鐘的感受體驗嗎？在沒有任何提示的情景下，只要我們相信自己，想要幾點鐘醒來，就能夠幾點鐘醒來！我們要認識到我們具有的潛力，我都是睡著的，怎麼會就在我希望醒來的時刻醒來了呢？你們想過沒有，是誰在操控這個系統？要相信我們一定有另外一個我。你們想過沒有？如果你們得了什麼病，你們也這樣完全信任自己，這樣暗示自己：明天早晨我一醒過來就好了，那又會怎麼樣呢？」

大家沉默著。這是一個彷彿能夠摸得著的幻想，因爲我們確實都有生理時鐘的體驗。

道長：「我希望你們來到這裡之後的諸多收穫之中，要有一個『相信我們生命有兩個系統』的認識收穫。千萬不要把生理時鐘看得簡單了，生理時鐘不僅提醒你該醒了，更加重要的是它告訴你——我們的生命還有另外一個系統，而且這個系統可以接受暗示。就像我們在被催眠的過程中，被告知正在接觸你皮膚的是火，其實那是紙，這個被催眠的人就會二度燒傷一樣。暗示是一種尚未被挖掘的巨大力量，西方人已經做到的催眠術其實是非常粗糙的東西。我們在練功的過程中，我們在肌肉放鬆、入靜的狀態裡，那是非常高級的一種狀態，我們沒有睡眠，我們是清醒的，但是這個時候比我們睡眠的時候更容易掌控自己。所以，如果說你有一個辦法能夠讓你的那個系統知道你要治好這個病，那麼它在治療你的疾病時，它就有辦法。最好的東西，我們自己身上都有，也最平凡、最容易被我們忽視。不要以爲我們知道的東西才是好的、了不起的，要去發現我們還不知道的、我們自身其實都具備的。

「我老是拿你們辟穀的人舉例。你們辟穀期間，就是處在一種很高級的狀態，因爲你們現在的意識完全是開放的，非常敏感，如果你們現在生一點點氣，那比平時你們把桌子掀了還要厲害。因爲這個時候你們是開著的，屬於修行狀態，修行狀態中稍微動一下念，都會比平常要厲害得多。在這種修煉狀態中，要有計劃地朝一個良性意識方向去努力。

「回到無話不說，不僅僅是他，我希望所有的人回到山下之後，在以後自己的生活中，要堅信因緣，堅信我們自己的潛能——自我的能量系統，不要懷疑，不要人云亦云。要相信，即便是癌症，即便是有限的身體一時被同樣有限的癌症所壓倒，但是我們一旦開發了我們的另一個我、無限的我，把那個『我』釋放出來，就是眞正的潛能開發，要制服一個癌症，打垮一個癌症之類的，是太容易了。癌症不可怕，因爲癌症的根本是：我們身體的器質性病變，就是身體的能量累積、由量變引起的質變，變成了器質性的變化，都是一種能量變化的反映。我們只要啓動陰性系統，用我們的能量來中和這個病症的能量，一定要堅信，沒有什麼病是治不好的。聽明白沒有？我不是在給你們鼓氣，是在向你們闡述一個你們尚未了解的事實。這個事實即是，一切你們以爲人難以抗拒的惡性病症，其實並不可怕。『君子務本』四個字同樣可以用在這裡：對待病症，也是一樣要看到它的本質，而不要被表面的病況所迷惑、干擾。要眞正地了解我們自己。」

盪氣迴腸。也有迷霧散去，山清水秀之清朗！解除內心的恐懼，是這麼舒朗、這麼身心輕鬆的……簡直難以尋找到辭彙表達。我想無話不說、不眠夜，更應該有「身輕如燕」般的感受了！

道長：「也許你們內心還會疑問：怎麼了解自己、相信自己？相信自己就是一切嗎？在那麼強大的事實面前，僅僅相信自己就可以了嗎？

「只有一個強大的事實，這個事實即是你們自己。首先要相信我們的因緣，我們就是整個宇宙中最精密的儀器，是宇宙的全息，是整個宇宙都融合到我們身上來了，我就是可以和宇宙相聯繫、相溝通，只是很多時候我們還沒有找到這個『天線』罷了。」

小男一直在頻頻地點頭：「確實，道長，我們現在聽你說，心裡充滿信心，可能你的磁場也在對我們產生作用。但是回到平時，我們就眞的可能更多的是猶豫。如果眞的有一個癌症病人，他一定是相信醫生的手術，也絕對不會相信這些。我們現在聽著都覺得內心舒暢，但是回到現實，這太不可思議了……」

道長點頭：「這就是習慣與成見的力量。也許很多人會覺得不可思議，因爲我們的思維已經成定式，我們從出生就被一種固定的思維模式籠罩住了。但是你們思考過嗎？同樣是癌症的例子，反過來看也能夠說明『堅信』的道理。有不少病人被判得了癌症，一段時間之後發現是拍的片子換錯人了，結果沒有得癌症、卻錯拿了癌症片子的人已經因爲『癌症』去世了，那個眞正得到癌症的，還在逍遙過日子，好得很。有這樣的例子吧？這也說明了潛意識的重要，不過在這樣的例子中，潛意識是在無意中發揮了作用。我們啓動潛意識的按鈕，就像啓動神五的按鈕，一切你們認爲的不可思議都在這個操控裡面。

「要堅信我們自己，堅信我們的潛能，堅信我們一定能夠靠自己的另一套系統治療好我們的病、任何病。而所有這些，無非只是道家修行中最起碼的健康保證。」

這一天是這樣結束的。

我們信心滿滿，對於自身的力量躊躇滿志。我們仰望夜空，星光閃爍，月色皎潔，歲月如斯……然而，十分鐘之後，僅僅十分鐘，心裡那股鼓漲的信心，開始漸漸萎縮，漸漸降落……

習慣的力量再次將我們深深拉入懷疑、疑慮、疑問的滔滔漩渦。我們自言自語「這個……」「那麼……」「難道……」，相互疑問「你說……」「可是……」

我們究竟能夠聽懂多少道長說的話呢？我們究竟是眞的信任我們的傳統文化，還是僅僅在隔岸觀潮一般欣賞我們的文化呢？

25
辟穀第十四天

當然我辟穀了十四天，我的「感悟」不僅限於此了，我的心思，早已經不是十天前看到眼前這道美味風景的時候，恨不能夠張嘴就「吃了」這道好風景！

辟穀第十四天。

睡眠的時間越來越短了，凌晨將近三點睡著，五點多就醒了。睜開眼睛，看見小可愛也不是平常日子四腳朝天、鼾聲呼嚕地睡在身邊，牠也失眠，正以一種不可信任的、懷疑的眼神，有點緊張地盯著我。牠的這種眼神已經持續有三、四天，今天的凌晨似乎走向登峰造極。

一定是因爲我身體發出的氣味。現在我自己都已經能夠聞出來了，似從頭頂散發，又不是頭髮的味道。一種從來沒有聞到過的、奇怪而難聞的氣味。像什麼呢？類似於大雨之後，滿樹林子的清香，但是如果嗅覺能夠像潛水一樣深入到那種清香的深處，可以隱隱約約地嗅到清香後面的怪味，一股藏在香氣裡面的怪味，卻又不是臭味。難以簡單描述！

我在凌晨五點的床上，從醒來的那一秒開始，就在琢磨這不可思議的氣味是怎麼一回事。是不是因爲我們像植物一樣，僅僅依靠吸取日月精華地活了將近半個月之後，就會散發出植物的氣味？就像吃食五穀雜糧後人的氣味？還是因爲辟穀身體散發出來的有毒儲存？

聯想到得了絕症的人會有難聞的氣味；聯想到人體老了，也有難聞的氣味。

那在辟穀期間散發的氣味是什麼意思呢？

小腦有限，一直到天大亮，思緒只是徘徊著，纏繞著，卻未果。

雖然一夜只睡了不到兩個小時，卻依舊是很好的精力。練功，沐浴，又練功之後，去餐廳看他們吃早餐。居然這麼小的饅頭還吃剩下半個？譴責他們一番，帶了給我的小可愛們吃。

依舊是上樓、下樓洗衣、收衣，說話聊天，練功，同時訓導調皮、淘氣的小可愛。與此同時，我也像一個旁觀者一般在心裡悄悄觀察著自己。我居然平平靜靜，沒有因爲明天辟穀將要結束的喜悅與期待。奇怪了，就彷彿明天是很遠以後的事情，或者說對於面前生活——活著的樣子，已經相當習慣，相當認同，相當「歷來如此」了。十四天的辟穀，似乎已經將我的一顆容易躁動，經常激動無比、難以安寧的心，變得從容不迫。

將近十一點，道長在草地出現。

道長細觀我們，欣慰地微笑：

「你們發現了嗎？這半個月來，大家的膚色都有微妙的變化。」

我們立刻轉頭相互盯視，彷彿從來沒有見過對方似的仔細辨認……呵呵！

眞的是，原先上山來時皮膚的黯啞、粗糙，在記憶裡還是明明確確的，而眼前，大多是平滑、紅潤的臉色，最大的變化是每個人的眼睛都清亮了！

小潔驚喜：「哎！眞的！怎麼一回事？山上空氣好？還是練功煉的？」

道長：「記得導引術的第一節佈氣摩面嗎？僅僅這一節，就是起到從內在改善面部皮膚質感的作用。天天練功很重要，現在改善的只是膚色，十五到二十天之後，整個面部就會發生變化。你們只要用心地做二十天導引術，然後仔細地觀察自己的面容，你們的變化自己就能夠察覺。」

大家依舊在相互打量。眞的，那種皮膚質感細膩的變化，溫潤的紅光，是從每一個皮膚的毛孔裡滲透出來的光澤，美麗動人。

亞女：「道長，你再給我們講一些要點好嗎？再提醒我們一下……」

道長：「健康，美麗，是一個多方面因素造就的結果。但是就導引術而言，心意的跟隨，或者說對於雙手動作的引導，也是非常重要的。我們雙手在摩擦的時候就有一個意念，就是在雙手掌心有一個熾熱的火球，用力摩擦的時候要想到這個火球在手心中非常燙，然後把雙手按到面部。這時用力要均勻，千萬不要很輕，也不能夠壓得很實、很重。手指不能留縫。因爲我們的雙手已經氣感運行很熱了，熱量是從高能量位流向低能量位，於是面部在與雙手接觸之後就會發熱。這時有一個關鍵、一個竅門：千萬不要把感覺停留在皮膚上，我們要用導引的方法，體會到氣能、熱能，經過毛孔，滲透到皮膚、肌肉、神經組織的深處，讓我們的面部從裡到外都在感受。」

我們都把手搓熱、發燙了，輕輕捂蓋到臉上，體驗道長說的……

道長：「如果我們的意念只停留在面部，我們的皮膚可能會改變皺紋的狀況，但是改變不了色素沉著，改善不了面部的微循環……」

我們盡力讓感覺帶動著雙手的熱能，往皮膚的深處，深處滲入……

道長：「皺紋和色斑的改變，與我們意念停留的程度有關。所以掌心的熱量一定要導入進去，要想到熱度透到皮膚之後的毛孔、肌肉、神經組織的深處，感覺到整個面部都發熱發脹，這個動作至少需要三分鐘。然後再進入一個重要的意念狀態，開始回想我們在十二歲之前皮膚的柔嫩光滑、青春無限時的樣子。一定要用心對待這個過程，不要忽略這個過程，這個不是臆想，是你們、是我們當今世界，所謂科學的發展還無法進入、無法了解的：在功態中，我們進入了一定的狀態，整個生命的機能就會往回走，因爲我們的時間雖然流失了，但是從細胞的全息理論裡面我們知道，我們所有時間的印記都會被記錄下來，被我們生命體的DNA記錄下來。我們的染色體會記錄下生命整個生長的過程，在十二歲以前的過程，我們的染色體也記錄下來了。爲什麼說是在功態中呢？透過練功狀態，我們打開潛意識的大門，我們要主動地去搜索各種生命的訊號，其中就有——我要讓無垠的宇宙和我生命所有的細胞去發出訊號：十二歲以前、時間的跡象，出來！說一句題外話，終於有一天科學會發現，時光倒流、往日重現，並不是什麼科學的儀器向外探索，其實是我們向內解決的問題，也不是什麼憑空想像……需要好好研究中國的傳統文化。」

我們停頓在那裡。道長的題外話，讓我們思緒阻塞了……

道長：「回到導引術『意想我們在十二歲之前皮膚柔嫩光滑、青春無限的時候』，你們一定多多少少懷疑過，這樣的調動潛意識究竟有沒有作用？會不會成功呢？事隔十多天，你們相互觀察，其實已經能夠解答你們自己的這個疑問了。當然會成功，這就像我們都有經歷的生理時鐘。我們向似乎無形中的細胞發出訊號，發出指令，我就要十二歲以前皮膚的細胞和質感，這個『調令』是管用的，你的潛意識發令了，它就會被你調出來。這就是一個天天訓練的過程。」

無話不說嘆息：「眞的，道長，這些眞功夫你說得太晚了！我只有抓緊提問了：那『鶴髮童顏』就是一個事實了？不是形容詞？」

道長笑：「是形容一個事實的形容詞。這個事實就是：當我們很老的時候，還能夠保持著像兒童一樣的面容。你能夠相信嗎？」

無話不說：「我盡量相信吧，因爲我不相信，對我沒有什麼好處……」

大家笑……

道長：「你不能否定很多的訊號與你所不知道的可能性。確實，你一味地不相信、一貫地否定，對你自己沒有什麼好處……」

小潔壞笑：「最簡單的，你的皺紋、黑斑會比別人多……呵呵，我們以後看看你的面色，就知道你這段時間都在相信什麼了！」

道長：「人爲什麼要改變名字？（因爲）五行不對。一個經常被叫的名字，就會深入到你的五行。因爲叫你的名字，就是聲波不斷的傳送，不同的聲波，將導致完全不同的變化。同樣的，我們如果不斷地磁化，大家都在給你加訊息，你卻說你偏偏不要這個訊息，那確實對你沒有什麼好處，眞的是一種浪費。」

人馬座：「是的，你看你現在，又白又嫩的，說你有糖尿病，沒人會相信！原來你的膚色有點發黑，這個改變，導引術一定有點作用……」

無話不說：「我說了我盡量相信，因爲不相信對我沒什麼好處，相信了呢，還有一個『萬一』呢！萬一成了呢！我說的都是實話，所以我很努力，一天做兩遍導引術，三遍站樁，我的臉色比你們都好，那是肯定的！但是這麼重要的關鍵提示，我今天要走了才聽到，早說啊，道長，我現在說不定都已經回到二十幾歲了……」

笑……

道長：「這就是念頭。花三分鐘時間，想到十二歲以前的形象。因爲十二歲在我們的道裡面是一季，是一個階段……我們都說過生命韻律的問題。」

大家：「再說說……」

道長笑：「十二歲是一季，還有二十四歲，三十六歲……是本命年的道理，這說過了。我可以補充一點，嬰兒出生的時候陽氣不足，一直要成長到十五歲，這時體內的陽氣達到了頂峰，所以男子十五歲的時候，陰陽達到了一個正常的平衡狀態，十五歲之後陽氣就開始逐漸衰退。把三十年作爲一個階段，三十歲以前都叫做少年期，三十歲到六十歲叫成長期，六十歲到九十歲是衰退期，全面的衰退，然後九十到一百二十歲是死亡。這是一個沒有修煉的人，壽數的大致定向。爲什麼孔子說三十而立呢？因爲三十歲而立之年結束了少年期，然後一直到六十歲都是成長期。六十歲之後到九十歲，陽氣開始衰滅，到陽氣徹底地全面衰竭到終結一般是一百二十歲。」

小潔：「那修煉的人呢？」

道長：「經過道家修煉的人，『眞人之氣在踵』，意思是這樣的人是可以活到一千歲的。」

小男：「我們知道的能夠活到一百歲以上的人都很少。呵呵，生的偉大說過，不要說一千歲的人，一千歲的人參都難找……」

道長：「是啊，爲什麼人正常應該有二百五十歲，一般人的壽數是一百二十歲，而大部分的人卻連這個壽數都不能夠活到呢？這是因爲有很多的因素制約了我們。在我們的生命過程中，因爲不懂因果，不重視緣分，有很多的人事，自己的事，都沒有處理好。我們無數古人留下的經典都講到，人在活著的時候，有很多很多的方式實際上是在消耗我們的能量，消耗我們的原陽，最後造成我們沒有辦法活到一百二十歲這個最起碼的壽數上去。從內解決問題，你們明白嗎？一切都在自己。世界就是這樣的，無論哪一個朝代，哪一個人生，哪一個社會，遇見的問題、人生的境遇，說到底都是大致相同，外包裝不一樣罷了。而我們個體的人生所面對的，是我們自己的心態、自己的生命、自己的因果原則、自己的悟性。每個人其實都是僅僅在面對我們自己。明白嗎？所以要修行……」

胖子：「我理解這是一個主觀、客觀相互轉換的關係。中國傳統文化的偉大，在於我們的這個文化一把抓住了根本點，從一個根本上來看待人生、世界的一切變幻。」

道長點頭：「是。我們文化的根本在於天人合一，君子不器。」

胖子：「那麼從這個根本點再延伸到各種各樣的現象，『器物』之中，排除種種社會的、心理的因素，只是從生理、從健康的層面來講，阻礙人長壽的最大問題是什麼呢？」

道長點頭：「人體的循環狀態是一個大的問題。比方說女性為什麼到了一定的年齡會有色斑？中國的傳統文化也可以具體到這個層面。每天我們的氣血在臉部都有循環的正常色素，還有塵埃、垃圾、廢料，但是我們的生命體，它的基本功能是新陳代謝，這個代謝功能就是它能夠排毒、排泄，也能夠產生新的生命跡象，這種性能是它的正常狀態。但是逐漸的，因為生命的種種境遇，因為人事、世事所導致的內心種種波蕩，我們遇到了代謝的障礙，生命開始出現問題了。小的問題就是憔悴、衰老或者未老先衰，大的障礙就是因為阻礙而產生的疾病。疾病就是我們既不能正常地排除毒素，吸收能力也不行了，疾病是『堆積』而產生的問題爆發。那麼幾乎人人都會遇到的面部色斑、面部的色素沉澱呢？也是因為面部的某一個地方因為不能夠照常地氣血循環，不能夠像燦爛的少年一樣朝氣蓬勃地新陳代謝了。那些原本應該經由新陳代謝排除的塵埃、循環的垃圾，不斷地堆積堆積，時間長了就是色斑。皺紋的形成也是這樣，面部肌肉的細胞老是在裂變，肌肉老是在生長出來，然後又新陳代謝將壞死的細胞消耗出去。但是我們的細胞到了一定的時候就代謝減緩了，特徵就是皺紋出現了，皮膚鬆弛了。皮膚如果每天都分裂細胞，又代謝細胞，就始終是繃得很緊的，質感就很圓潤。皮膚鬆弛以就事論事解釋，就是面部的細胞代謝減緩了，所以皮膚就臃積在那兒，成了皺紋。

「那麼，為什麼我們面部的細胞代謝減緩了？為什麼有的人面部皮膚鬆懈早，有的人將近六十了面部皮膚還是圓潤飽滿？這都與我們內心的情緒掌控、我們對於世事人事的看待以及相處，有極大的關係。練功，看似在主動調整我們生理層面的狀況，實則更加是在潛移默化地改變我們內心的狀況。你不豁達，內心精神不鬆弛，怎麼可能進入功態？這是最表象的顯而易見。所以我說，修行是積極的，絕不是你們錯以爲的消極。修行是在嘗試改變人生帶有成見的消極，嘗試我們能夠積極面對生命歷程中的種種境遇。再回到我們這個流傳了上千年的小小導引術，僅僅從面容的改變來說，就能有效改善我們舊有的狀態。這個『有效』，幾乎可以說是立竿見影的，你們自己都能夠看見。」

點頭。依照無話不說的思路，道長沒有在忽悠我們。我們自己能夠感受到，能夠觀察到。

人馬座：「道長，我的頸椎常常不舒服，導引術是不是也能夠治療頸椎的問題？」

道長：「當然。我們還有一套專門的訓練，治療頸椎毛病的功，叫『仙鶴點頭』，對於當世是更加有用了，頸椎病現在成了世界的一個大病。按摩不行——很多人不明白，頸椎是脊椎的向上延伸，非常珍貴脆弱，要非常小心；用藥不行，藥力達不到；手術更不行。而掌握了道家的這套仙鶴點頭功，基本上就能夠拯救你們的頸椎。」

「怎樣的？怎樣的？」

在場幾乎沒有一個人的頸椎是強健、沒有問題的。

無話不說尤其一副一言難盡的樣子：「這一說，才發現自己一身都是病……」

他恨不能讓道長餘下若干小時將與身體相干的功法通通講個透！

道長：「這樣，模仿鶴喝水的姿勢……」

道長將下巴盡量地伸出來，到了極盡、極限之後，再用力往回勾回來，將下巴緊緊貼回到盡量靠近脖子的部位。

道長：「看到嗎？把我們的下巴比擬成為鶴喝水的嘴巴，收緊腹部。在我們做這個動作時，脖子會啰、啰地響。要連續做三十六次。鶴點頭能夠治療所有的頸椎病，也是防治所有頸椎病的方法。」

＊ ＊ ＊

中午的人間煙火是這個樣子的：涼拌麵，燒茄子，芽菜肉沫四季豆，香辣排骨，紅燒帶魚，粉皮紅燒豆腐，木耳菜，仔排冬瓜湯。

太好了！我的眼光流連忘返，為世間時常有這般美妙的安排欣喜！似乎我才將將發現，原來每日在重複的「日常」裡面，竟潛伏著這麼好的、能夠四五個小時一重複、一變化的色、香、味！我想起一九九七年在福建拍攝紀錄片，記錄一個將近八十歲山民的生活，當他用濃重的福建口音，充滿幸福感地緊緊用拇指扣住了小指，舉著三個小樹墩一般佈滿歲月滄桑的手指頭，告訴我們，他住的是「三房一客廳」，我心裡被他打動的深深幸福感，就是如此這般：美好的東西都在我們的身邊！問題是，為什麼我們老是感受不到？總是視而不見、嚐而不知呢？日常生活中時時刻刻在重複著的這些細細碎碎，不但沒有被我們欣賞、享受到它們原本都具有的難以描述的美妙，反而成為負擔了呢？甚至「厭食」、「厭世」了呢？

一個餐桌就可以連掛出來全部生命的厚重涵義！何止是色香味呢？在每日這樣的餐桌邊，我們可以任意與喜愛的家人、心儀的朋友、尊敬的長者等等共處的人，分享這些，分享充滿著「這些」的時光。

一生不就是由這般長長短短的各式時光組成的嗎？

當然我辟穀了十四天，我的「感悟」不僅限於此了，我的心思，早已經不是十天前看到眼前這道美味風景的時候，恨不能夠張嘴就「吃了」這道好風景！我在心裡「望菜生義」一番之後，坐下，愉悅而心平氣和地「享受著他們的享受」，「可惜著他們粗糙地咀嚼」！

＊　＊　＊

下午。

現在連午睡都睡不著了。心裡暗喜，這是不是道長說的「精滿神旺」了呢？練了半小時睡功，起來利用兩點練功之前的一個多小時，又開始熨衣服。熨衣服也很美妙。「生命全部的厚重涵義都可以連掛在熨一件衣服裡面」，呵呵！

此時，在心裡才那麼清晰地感受到了，小芽頭一般悄悄冒出來的喜悅：辟穀就要結束了！這點春天小綠芽一般的小喜悅，慢慢地自己在爬升。

已經近在明天了？已經近在明天了！

並沒有之前驚恐瞎想的危險，沒有以爲會發生的什麼錯失，一切都是按部就班地進行，我像道長說過的任何一個來辟穀的人，即將順利、正常地結束辟穀。

我竟然眞的十四天沒有吃任何東西，還可以這樣好好活著、熨衣服？

此時的感覺很奇怪，我像一個「分裂」的人，一會兒在從前那個紅塵之中的角度看我自己，一會兒又好像已經有所徹悟一般，從現在看自己，看過去……

我停下手裡的活，伸開雙手：手變得蒼白而細長，但是沒有妨礙我用這雙變細、變軟的手做身邊的任何事情。我有點無力，起身、走路速度比平時緩慢了許多，但是我畢竟還在起身、走路，到處逛遊，找道長說話，正常思維。

心情有些晃悠悠地激動起來。這算是一個奇蹟嗎？這是一個奇蹟？也可以發生在我身上？

我還是原先那個我嗎？

＊　＊　＊

下午調理完畢，無話不說衣冠楚楚地來與我們一一道別——原來我們已經習慣了他天天裹在大浴袍裡面的日常狀況！這時才發現，與我們剛剛在上山時見面相比，無話不說不但沒有瘦，反而健壯了，認識十多年了，臉色是從來沒有見過的這般正常與好！立刻當面轉告給他！

無話不說笑容可掬，也是這十多天以來從來沒有過地面有害羞狀，只與大家握手，不是「無話不說」了。他終於結束了縉雲山的十七天生活。

簡短地爲他總結一下：雖然十七天以來無話不說始終沒有達到他上山的初衷——辟穀，卻同樣很美滿地結束了他的治療。十七天以來，作爲一個悲觀失望的糖尿病人，無話不說基本上並沒有節食，一日三餐，每餐早飯包子、饅頭兼具，午餐、晚餐各不少於兩碗米飯，魚、肉或雞或鴨各式具備，從不缺乏、忌口，天天吃水果。頭幾天無話不說還抱有惡狠狠的念頭，爲了辟穀，只吃不練功，後幾天道長的苦口婆心、「調心」見效，開始練功了，然後自覺發展到每天三次站樁、兩次導引術的好學生狀況，每日三次進行通電調理，泡藥浴，談話治療。吃了一次蛋糕。天天控制不住地測量血糖、血壓，卻能夠控制住沒有吃一粒藥。

現在，這個經常憤怒的、焦慮的、心情容易絕望的、直言不諱的、眞誠誠懇的、不會說好聽話的、開心疑慮擔憂都在臉上的「無話不說」，帶著體內指數正常的血糖，壓力正常的血壓，笑容滿面、暗自得意、面帶羞澀地來和我們道別了。

他笑嘻嘻，和每一個人用力地握手，每一個動作，每一個表情，都在清晰地宣布：我的血糖很正常！我和你們一樣了！怎麼著！

他是我們這期「傳統文化學習班」第一個下山的人。「生的偉大不算！他有我這麼努力地練功嗎？我可以說得道了，哪怕在某一個小小方面的小小認識上。他差遠了……」

臨上車前，無話不說得意地宣布了一下。然後他像一個偉人一樣舉手向我們揮別，被來接他的人簇擁著上了車。

他眞誠喜悅的笑臉一直「貼」在窗玻璃上，直印入我們的心裡，變成一張年畫般的永久喜慶記憶。

這天是二〇〇五年九月三十日。

* * *

送走無話不說，道長又下到半山腰去紹龍觀忙觀裡的事務了。

天色漸漸暮色四起，國慶日的前夜降臨。隱隱約約的晚霞慢慢褪盡，望下山去，依舊是車流如梭，車燈長長地連成了兩道，彷彿遊走的星辰，璀璨華麗。竹林裡響起小蟲兒們早秋的鳴叫。

歲月如斯……

晚飯的時候，我們辟穀的幾個都沒有去餐廳。空氣中有絲絲微涼的芳香，山下紅塵璀璨若星辰般的車流，早秋蟲兒的鳴叫，月亮安安寧寧地懸掛天邊，所有看見、聽見，都讓我們捨不得挪身。

縱觀漫漫歲月，有幾番景致，能夠眞正入得我們的眼中、心裡？

小男不無感慨：「你們明天就辟穀結束了！我還有四天……我會不會著急？」

胖子安慰他：「不會！我們也不走，等你辟穀結束，一起下山。」胖子不由憧憬：「回到北京，先來碗炸醬麵……」

小男笑著擺手：「新疆辦事處。新疆菜……」

胖子：「餃子！我知道哪家好……」

小男：「三個貴州人也不錯，眞擔心別回到北京，換了廚師做得不行了，呵呵……你呢？」

我？如果明天辟穀結束的當夜，能夠喝完兩杯果汁，再喝一碗鯽魚湯……

小男：「那事先就得在『農家樂』訂好了！一會兒我們先去看看……」

眞的這兩位就按耐不住了，待夜色濃重，「一會兒」之後就溜達出了山門，去「農家樂」看有沒有午夜的鯽魚湯去了。

看鯽魚湯之前，胖子居然取來了紙筆，認眞與小男商量著，寫下了北京的「美食計畫」：

十月九日晚上開始：涮羊肉；

十月十日中午：女人街附近的韓國牛骨湯麵；當晚，山西菜；

十月十一日，中午一定是炸醬麵；晚上嘗試不眠夜一直推薦的「土雞土鴨」；

十月十二日，霄雲路的西餐，半生的肥牛排；
十月十三日，必須「三個貴州人」，而且要建外soho的那一家；
十月十四日，新疆烏魯木齊駐京辦事處；
十月十五日，餃子；
十月十六日……一直寫到十月二十一日！

呵呵！儘管當時借月色寫下的「每日美食計畫」依舊被我收藏，實際的情況是，計畫往往都是被變化掉了！辟穀結束以後的心態、期望，完全不是此刻我們月色之下的餐單、美食計畫可以擔當與分解的，而且，南轅北轍得厲害……後話。

但是，計畫在當時，也是足以讓我們享受的！

* * *

夜晚。道長還沒有回來。小男在門廳看書，胖子看電視上的國慶慶典，關心著紅塵大事。

我又到草地上，想看看月亮。整座樓都靜悄悄的，窗裡有燈光，在大山黑沉沉的背景之下，溫暖又安逸。這偶爾幾扇亮起的「溫暖」，讓我依依不捨。彷彿今天不是今天，已經是十天之後我們離去的景象，彷彿我們已經重新沉浸在熱騰騰、鬧哄哄、燈火輝煌的北京城，而我彷彿是在懷念中又站到了這裡。這裡的一切，這裡的氣味，這裡的山、水、月亮，這裡的氣氛，竟然讓我這麼的迷戀。

我知道在未來的歲月，我深深感觸的、心裡「留戀」的東西，一定不僅僅是懷念，它一定還會自己要發芽，會生長出來，會帶給我們出乎意料的驚訝和喜悅。因為所有的種子都會在播種之後，在未來的某一天發芽。

我深深地吸氣。夜晚的空氣清香。

一樓餐廳有微弱的燈光。我推門進去，小潔和另外一個女孩還在抄《清靜經》。她們沒有開燈，而是點了兩支蠟燭，一些小食與水果隨意擺放在她們的手邊。在燭光的輕輕搖曳之中，我眼見的這一切組成了一幅彷彿屬於中世紀的畫面……

＊＊＊

見我進來，她們並沒有回頭，只是笑嘻嘻地輕聲道：「好舒服啊！」

我一眼看見她們手邊的兩根香蕉：「你們的香蕉眞香啊！」

「是嗎？」她們伸過鼻子去嗅。從她們的表情，看出並沒有嗅出什麼結果。

我：「我聞到身上有很難聞的氣味，你們聞到了嗎？」

她們又把鼻子伸過來，使勁地吸氣：「沒有啊。」

她們聞不到。有一層由食物組成的薄膜隔在我與她們之間，我們聞到的、聽到的、感覺到的，由此都完全不一樣。

她們就一人剝了一根香蕉，先聞，然後就吃了！

我抓過香蕉皮，覆蓋在臉上，深深地吸氣！現在，滿鼻子都是香蕉濃郁的芳香了！

小潔嘻嘻笑：「明天就可以吃香蕉了，明天晚上你們就重返人間了！」

是啊，這又期待又不期待的明天啊……

將近十點，道長回來了。他一定是看見餐廳的燭光進來的。他看我們抄寫的經文，小聲詢問、指點一番，又問我辟穀的情況。

我順便說出明晚辟穀結束想喝魚湯的打算。

道長有點吃驚地笑了：「你們還有這麼大的計畫？辟穀結束，你們不能夠喝魚湯。你們有十五天沒有吃任何的東西，胃非常虛弱，只能按照我們的規定，喝一杯蔬菜汁、一杯水果汁。非常簡單。」

我：「魚湯、雞湯也很簡單啊，都是流質，還更加有營養。」

道長搖頭：「這完全不一樣。辟穀結束之後，我們的身體還處在一個生命轉型剛剛結束的時候，這時我們吃到肚子裡面的東西應該是沒有煙火氣的，簡單說就是我們還應該在不食人間煙火的狀態，這時只能夠吃一點純天然的、自然的果、蔬流質。」

我：「因為水果和蔬菜都不是在我們的廚房用煙火做出來的？」

道長：「對，它們是日月精華的滋潤自己長成的，這樣的東西就更接近我們的自然。透過蔬菜汁和水果汁，使我們慢慢地轉化，使我們的胃有一個過程逐漸地重新來認識食物，重新開始對食物建立一個由認識開端的基礎接受，相當於我們從前的重新開始。」

小潔：「什麼從前的重新開始？」

道長：「純潔得像個嬰兒一樣的重新開始。」

外面開始有風吹過樹的聲音，樹葉「嘩啦嘩啦」地響，歲月的脈搏正一點一點走近這一年的秋天。

究竟在發生著什麼，究竟已經發生了什麼，也許要等到很久以後我才能夠明白。明白什麼是需要資歷的，在這方面，我就像我十五天沒有經歷任何食物的胃，我也沒有資歷，或者說，我才剛剛開始建立資歷。

我們開始閒聊……

我則隨意胡思亂想：人說話是這樣，發音帶出語言，語言表達訊息……那其他呢？

窗外風過之後「嘩嘩」下起了雨，那雨是不是一種語言呢？風呢？如果風是「什麼」發出的聲音，它帶來的訊息就是「變化」了。下雨了，那雨的聲音帶來的訊息呢？潮呢？四季呢？它們重複發出的美妙聲音，重複在說的、在傳遞的訊息，僅僅是四季的變更？一年的又一年嗎？我們眞的都聽懂了嗎？也許聽得久了，也就以爲只是一種聲音罷了……

道長：「你們在山上這麼多天，感覺怎麼樣呢？」

女孩：「眞好！眞的，我不大會表達，山下太鬧，是非太多了，心也不靜，常常弄得心潮起伏！在這十幾天，我少了好幾條皺紋，哈哈……」

道長笑：「修行應該讓我們學會換個角度看待人生。這個我常常在說。我們生命中有很大的財富，比方說我們和某個人發生了一個特殊的關係，這個關係使得我們因爲這個人的背叛也好，接納也好，或者他的全心付出也好，讓我們感動，或者是讓我們憤怒，或者是憂傷，引發種種心情。但是如果我們能夠明白這是個因緣的話，我們就應該感謝我們所有的遭遇。我們也會明白，很多的東西、很多的情緒，是不必要有的，它是一個因緣，很多事情的發生對於我們來說是不可逆轉的。要知道我們的因緣，不需要去在意好或者不好，因爲我們永遠不可能把一個和我沒有緣的人抓在手裡，我們也永遠不可能把一個和我有緣的人打發走。明白這些，也許就不會在山上消皺紋了，它根本就沒有機會長出來……」

女孩：「但是如果我們遇到了坑蒙拐騙呢？還有不惜一切出賣朋友、出賣自己人格的人呢？這些人做人的底線都沒有，而且這些人不管什麼方式，他確實也得到了他可能不該得到的。」

道長極其肯定地：「如果他得到了，那個東西一定本身就是他的，只不過他不知道他原沒有必要得到得這麼難看、這麼不擇手段、這麼窮凶極惡。」

女孩：「怎麼會是原本就是他的？那小偷偷東西呢？原本就是他的嗎？」

道長笑：「一個極端的例子！完全有可能他想偷的東西，原本他命中就有，不過他完全可以經由其他方式得到，比如說工作，做一個正直善良的人。很多事情緣起的方式不一樣，導致因果的相連也不一樣。『偷』這個字可以放射到很大，不僅僅是物，還有比物更誘人的。所以一個明白人是知曉因緣的，他重『緣起』，懂得自己的命。」

女孩笑：「那……別人搶了我的，無論是物，還是比物更大的，我們都不需要氣急敗壞，因爲可能那個就不是我的，是搶的人的？」

道長：「是你的，他搶得走嗎？大到政權，小到飯票？縱觀歷史，和我們身邊的人與事，還不能夠讓我們看清嗎？

「換一個角度說，你們沒有發現嗎，有的東西不管我們怎麼努力，最後這個東西還是不屬於我，不是我的；而今天我們、你們獲得的很多東西，根本就不是能夠不顧一切努力可以得到的。你現在擁有的，都是你奮不顧身努力得來的嗎？」

女孩呵呵笑：「那倒是！他們老是說我命好，沒見怎麼著，就過上花天酒地的生活了……哈哈！」

道長：「你要特別注重因果。當你能夠幾乎沒有付出什麼就在享受生命的華彩，你一定要有生命的善因延續。

「大部分的人生都是流浪生死。其實我們的生命有無限的潛力，有很多的方法可以把這個潛力調遣起來。如果我們生命的結構能夠重新改變的話，我們就應該發現、應該思考，有很多東西原本看似是有意義的，實際卻是沒有意義的；而原本看似是沒有意義的，實際上又可能是非常有意義的。還有很多東西是可以共同努力去創造的，包括去重新認識我們自身和我們的世界。這是一個大的良性意識，這個良性意識帶給我們的是一個貼近生命底線、貼近生命原點的思維。這個原點思維帶給我們的是，當我們在一個更深入的點上或者一個更高的點上，看我們所有的生活方式、生活行為，看我們所有生活之中的遭遇：第一，我們絕不會低估自己，這是一個非常重要的問題；第二，我們在另外一個層面上，會更大地體悟到，我們原本那些很執著的東西，看得很認眞的東西，實際上是我們沒有看得開，是我們一直以來與這些看得很重的東西貼得太近了。沒有高度，沒有距離，好像這些我們希望能夠死死抓住、得到的東西，是我們生命的全部，世界的全部了。世界很大，我們自己也有無限無限性，但是因爲近，而使我們狹隘，我們的心把眼光狹隘住了。心本來是開的，心從我們來到這個世界就是開的，是人爲的意志把心狹隘住了。所以只要我們放棄，如果我們能夠放棄，在現實生活中也好，在練功的過程中也好，放下很多的東西，放下，我們馬上就會明白，我們並不會因爲放下而損失很多的東西，也並不會因爲放下而吃什麼虧。表面上這『放下』似乎是一件很可怕的事情，但是眞的走到這一點，完全不是這樣。當我們放下的時候，我們才有可能獲得一切。雙手握緊的時候，其實是什麼也沒有、什麼也抓不住的。當我們把手鬆開時，一切都有可能在我們的手中。」

小潔：「所以你說生病也不是壞事。」

道長：「這個世界上哪有絕對的壞事呢？我說過啊，換個角度來看病是因緣，是一個必然因果的運動。透過病的出現，能夠讓我們有機會重新認識生命、審視生命、關注生命，重新關注我們自己。當我們沒有得病的時候，我們往往看不到自己，什麼事情都比我們自己重要，只有倒下了，病了，才一下子豁達了，看開了。是不是這樣？這是我們生命被動的突破，我們不是在這種突破中昇華，就必將在突破中死亡。生命體出現病，皆是生命體告訴我們要怎麼昇華的一個前奏。從單細胞開始，人類的每一次出發，每一次躍進，都是伴隨著各種各樣的『作爲病』這種方式出現的對身體的侷限性開拓。到現在也是這樣，無論是對於整個的生命而言，還是針對個體生命的突破。遺憾的是，有多少人能夠讀懂這種生命的語言呢？而修行，是我們主動地尋找這種突破。」

小潔有豁然開通之感：「換個角度眞的病就不全是病了！」

道長：「帶給我們昇華。如果我們有勇氣，我們應該說『來吧！疾病』！」

女孩：「啊？這可是要眞的有點勇氣！」

道長：「我們的生命體就是這樣發展、進化過來的。我們觀察一下就會發現，一個得過病的人，他的身體一旦恢復，身體的組織都會得到很大的進步。比如得過肝炎的，只要治好了，他可能一生都不會再得肝炎。一個孩子出生以後，如果從來沒有經歷過痛苦，這個孩子肯定一直就是幼稚的。每一次痛苦經歷的遭遇，都意味著人生的一次走向成熟。我們生命的成功、成熟就是這樣的，爲什麼我們要敵視『病』呢？」

小潔：「有的時候內心的矛盾呢？比如說，早晨，我心裡說『該起來了』，但是好像還有另一個我說『再睡一會兒』；吃飯的時候，我心想『眞好吃，再吃一點』，另一個警告『可以了，不能再吃了！』常常這樣兩個我。還有時候，一個欣喜若狂，另一個警告自己『小心樂極生悲』；一個傷心，另一個說『這有什麼，沒事……』我應該聽哪一個？哪一個才是比較眞正的我呢？」

道長：「那都不是眞正的你，都不是眞正的我，所有這一切都不是。我們要完全眞眞實實地存在，而不是由外在的影響來決定存在。古人說，『不以物喜，不以己悲』，有多少人理解了、明白了？就是你一下子得到了五百萬，你不會因爲這突然得到的五百萬而高興，不以它喜；反過來，你瞬間失去了五百萬，也不以它悲。我們修煉的目的，就是要找到自己，成爲自己的主人……」

＊　＊　＊

子夜。道長上樓練功去了，我們也散去。

這是一個正在「重返人間」的午夜。二十四個小時後的此刻，我將重新「誕生」！

更睡不著了。胖子也和我一樣，精神十足。他一個頻道一個頻道地翻看電視節目，念叨著二十四小時之後的事情。

小男還坐在空蕩蕩的門廳裡面，看書。

我想到我看書的奇怪感覺，便問他，看得進書嗎？看得懂文字寫的意思嗎？

他笑了，說眞的是看書意思連貫不起來，太奇怪了。但是不看書，也睡不著覺，要做什麼呢？

小男的眼睛在夜晚的燈光下也是份外明亮，黑漆漆亮晶晶。所有辟穀的人都是這樣，依照道長的解釋，是由於體內眞氣旺盛，眼睛都像嬰兒般的漆黑晶亮了。

「你看看這個。」小男將書遞給我。

他在書中用橫線畫出的部分：

「在中國文化中，儒家對於人倫道德、教育修養的最高標準是把一個普通平凡人的人格提升到迥異常人的聖賢境界。而在另一面，還有道家的學術，從宇宙物理的研究，與生理的生命功能而立論，更加提高人生的標準。道家認爲一個人可以由普通愚夫愚婦的地位，而修煉昇華到超人，提高人的價值，可以超越現實世界的理想，把握宇宙物理的功能，超過時間空間對立的束縛。而且早於西元前一千多年，毫無十六、十七世紀以後的科學觀念，便能產生他們自己獨立的一套科學觀點，無論它是幻想、是事實、是欺世的謊言、是有實驗的經驗之談，都是值得我們瞠目相對，需要留心研究。」

小男：「我是眞的對道家的文化有些著迷。這裡還有對道長說的五種仙的解釋……」

小男將書頁翻到開頭部分，同樣畫了橫線：

「神仙的種類，歸納起來，約分五種。其一，鬼仙，修到死後的精靈不滅，在鬼道的世界中，能夠長久通靈而存在的，便是鬼仙的成果；其二，人仙，修到祛病延年、無災無患、壽登遐齡的，便是人中之仙的成果；其三，地仙，在具備前兩種修行成果的，再修到辟穀服氣、行及奔馬，具有少分神異的奇蹟，可以部分不受物理世界各種現象的影響，如寒暑不侵、水火不懼的，便是地仙的成果；其四，天仙，秉承以上修行成果，再修到飛空絕跡，駐壽無疆，而具有種種神通，有如《莊子》、《列子》寓言所說的境界的，才算是天仙的成果；其五，大羅金仙，最高能修到形神俱妙，不受生死的拘束，解脫無累，隨時隨地可以散而爲炁，聚而成形，天上人間，任意寄居的，便是大羅金仙，也即是所謂神仙的極果……」

小男：「你說，眞的能夠修煉成這樣嗎？說實話，聽道長說，我將信將疑，雖然我自己也是在辟穀，也在經歷自己都不那麼確信的事情。道長說的話都是我們聞所未聞的。但是從書本上看到白紙黑字，感覺又完全不一樣了。我習慣接受文字的傳遞，認同文字的權威和知識。這些天我確實在考慮，人生的眞相到底是怎麼樣的？生命會終結，靈魂是不滅的嗎？就像道長說的訊息不滅？呵呵，這麼想來想去，更睡不著覺了……」

是啊，我們這兩個不食人間煙火的、睡眠愈來愈少的人，坐在門廳閒話來去，又到了凌晨三點多。

小男說昨天凌晨也是這個時候，他在門廳看書，遇見練功結束的道長。

「道長是不是晚上不大睡覺啊？只是練功？」

呵呵，我們的話題不知不覺好奇地轉向了八卦……

回到房間都快天亮了，或者說我們見到了天色微微發亮，才回到房間，強迫自己閉上眼睛，等待這辟穀的最後一個白日，姍姍而來。

26
具足的生命

道長：「我們每個人的生命之中，都有代表了五十億年生命進化史的紀錄，在這個生命進化史的過程中，所有的一切都具足——對它而言是具足的。每一個細胞都記載了生命進化的所有過程，只是我們的生命目前還無法把它再現出來而已。」

辟穀第十五日。

看手機上的時間，其實才睡了一個多小時就醒了。

起床以後沖洗最後一次冷水澡，依舊有一股旁人不能夠聞到的氣味，濃郁地包圍著我，有點噁心的感覺。想到夜裡就可以洗熱水澡了，不知道這氣味將會如何呢？

與這漫長而短暫的十五天依依不捨。這難能的十五天，像是一道起跑線，連接向了一個我從未探索過的空間。我讀到過一句西方哲人說過的話：研究哲學就是研究人生，但是不要指望哲學會告訴我們如何度過人生。感受辟穀，也是感受人生，但是不要指望辟穀可能成爲我們全部的人生。對於我來說，這難得可貴的十五天，將會是支持我未來生命的一個嶄新開端和永恆支點。

上午平靜地過去，一點也沒有覺得時間流逝的緩慢。在草地上坐一會兒，和胖子、還有四天才辟穀結束的小男閒聊著，很快就到了中午。

胖子卻表現出來了急不可待，尤其面對似乎更加豐盛的午餐。他以一種熱烈的語氣，大聲報著菜名：泡椒炒雞蛋！清炒黃芽菜！番茄炒雞蛋！京蔥炒肉絲——哎呀！蒜茸空心菜！南瓜湯！

大家笑起來，說聽他念菜名比吃著還香！

＊ ＊ ＊

下午開始覺得時間的緩慢了。很慢，很慢，很慢！

午飯之後我依舊回到草地上。外表一動不動，內心浮想聯翩，小小心靈忙碌不暇……

兩點練功。下午三點，辟穀期間的最後調理。

推開調理室的門，滿屋子的酒味。常月拿了一只小小的碗正在調試，她說今天要給我大面積刮痧。

常月：「這叫全身大掃除，準備『過年』！」

刮痧的過程……呵呵，雖然皮膚的反應沒有第一次那麼厲害，卻也是觸目驚心的暗紅痕跡。

常月：「你現在的身體狀況，比第一次刮痧是好多了。你排毒排得很好……」

我想起前天半夜右大腿處有隱隱的麻疼，告訴了常月。她用電疏通經絡，感覺舒暢多了。

辟穀第十五天下午的調理，身體的整體「大掃除」，比平時多出幾乎一倍的時間。在走廊上遇見胖子，他搖頭感慨：

「才四點！今天可是過得太慢了！」

這是我昨天午夜以來聽見他說的第三句話。「第一句」是中午餐廳的大報菜名；第二句是下午練功之前量血壓，胖子的血壓已經回落到了高壓一二五，低壓一百，心跳八十一次/每分鐘。他說，「像做夢一樣！」此時是第三句。

我們又稱了體重。我還是四十七公斤，是我十七歲以來從來沒有達到過的輕盈！胖子又輕了一公斤，只有八十三公斤了。看得出他的驕傲和激動！身體裡面淤積了幾十年的垃圾，二十多斤垃圾、不必要的脂肪，都被清理了。

「這是我一九八〇年的體重。這就是脫胎換骨！」

這天的第四句話。

一直未見道長。在草地上閒聊一會兒，又拍照記錄身材，黃昏不知不覺降臨。

這「最後的晚餐」，我們三個辟穀的都沒有去餐廳，尤其是我們兩位今天夜裡要出關的。我們戀戀不捨地坐在草地上，以前所未有的、不帶人間煙火的靈敏嗅覺、聽覺、感覺，感受這個亙古千秋的又一日黃昏！

兩個字：難得，美妙……

＊ ＊ ＊

晚上八點。我們再一次圍坐在二樓的練功房，聽道長的講道。

道長微笑地環視我們許久：

「今天又有兩位仙人要出關了，恭喜。要記得你們在這裡的生活、你們的體驗。我們的生命會有很多的錯過，當我們錯過的時候，我們自己並不完全是知道的，有的時候甚至是完全不知道的。生命原本是應該如此舒順的，生命應該充滿喜悅。當我們透過祈禱、看經書或者誦經來了解一種宗教，我們並不是在經歷一種儀式，或者說將自己的生活儀式化，事實上是我們在對生命發現的嘗試和努力，是對自己生命的每一次觀察，對自己生命的每一次覺悟。實際上是我們借助了一種方法來幫助我們在現實生活中，能夠找到生命的本相，找到生命眞正的快樂。而不是把宗教獨立於生活之外，甚至會使有的人覺得因此而占據了我們生命的時間。在你們十五天即將結束的今夜，我想我們總結一下，中國的道文化對於今天我們的生活，究竟是一種怎麼樣的影響和關係呢？」

＊ ＊ ＊

道長：「道文化是中國的本土文化，它不僅支撐了中國唯一的本土宗教——道教，也養育了中國的佛教和儒教。道教是東方傳統文化的重要載體，東方文化的核心即是『道』的思想體系，包含了東方文化對宇宙、對生命最本質的理解。當代文明的成就使得我們在今天，有條件更清晰地描述和認識這一古老東方文化、東方文明的內核。而在這一條件下，東方的道文化思想對當代文明的構建，以及科技發展與革命，也必將產生巨大影響。

「二十一世紀是人類高度文明的時代，但是這個文明的開篇卻是伴隨著『全球一體化』進程而呈現出來的『文明衝突』。人類未來社會是文明衝突主導全球政治，還是由文明衝突帶來文明對話和文化互融，是我們今天關注的焦點。這其中，東、西方文化的互相對待以及融匯，將決定當代文明的進程。這裡有光明，也有黑暗。」

道長停頓，思索著什麼。

道長：「所以，我們的弘道既是一種文化的溝通和傳播——我認爲從個體而言——也是我的一種修行。人在弘道的過程中，道也在弘人，因爲人本身是在道中，道也在人的身上表現出來。

「我們人因爲個體的差異性，把世界分得太清楚了，因爲個體的我，而把世界隔離開了。我們以個體的有限性，破壞了宇宙的無限性。當今科學的發展，讓我們知道了我們的一個細胞，足以複製出一個人；而我們的祖先在幾千年以前就認爲，人是整個宇宙的一個部分，是宇宙最精密的一個細胞。今天，由於我們不了解自己的文化，我們不知道也不大願意相信我們的生命記錄有大約五十億年的生物進化史。我們也不知道應該怎麼去和那個無限的我溝通，也就是與道的溝通。《禮記·大學》說，『古之欲明明德於天下者，先治其國。欲治其國者，先齊其家。欲齊其家者，先修其身。欲修其身者，先正其心。欲正其心者，先誠其意。欲誠其意者，先致其知。』我們首先要成爲一個無限的人，有一顆無限度的心，能夠打開束縛我們的界限，最終我們才能夠獲得。這也是修行。

「我們堅持『在這個世界上，人與道是合一的』這樣的理念，也就是我們的祖先、古人幾千年前就提出來的天人合一，我們無數古典經文闡述的主題。弘道，弘揚中國幾千年來璀璨的文化，引導人類與天地共存、與人共存的和諧，是一個永恆歷史的主題，也是我們今天更加顯著的責任，因爲這更是當今二十一世紀的一個人類主題。我們在找這個主題的時候，就像我們透過宗教觀察我們的生命、認識我們的生命、覺悟我們的生命一樣，實際上我們在找一個東西，這個東西的本身不是宗教，而是道在這個世紀的腳步。我們在觀察、在認識、在覺悟、在自身修行的時候，我們一直在思考的，是如何跟隨道的腳步。道和我們是同在的。什麼是道？

「道在每一個時代的顯現不一樣。我們在二十一世紀，拋開一切迷惑的假象和種種遮擋的陰霾，我們可以抓住這個核心之中的兩個字：生命。在我們身處的這個時代，無論是西方還是東方，越來越多的人在關注的是生命。這也是人類一切文明之中始終占主導的一個主題：關愛生命。」

思索。在這沒有語言的一瞬間，我們清楚地感覺到了，道長篩選了他的表達……

道長：「生命是一個漫長的存在事實，關愛生命一直都是人類文化的主題。這個主題進行到了今天，我們人類的文明演變到了今天，我們更加具備了生命探索與關懷的條件和基礎。我們在這個時代表現出來的生命問題，從表面上看，似乎只是生命品質的提高和生活狀態的提升，但實際上蘊涵的是整個生命文化的突破。」

停頓。

道長：「這場生命文化的突破，需要有東方文化與西方文化的交融，來共同產生這個突破。

「從近兩百年來看待中國的文化和經濟發展，中國是落後的；但是在整個漫長的歷史長河中，這兩百年只是非常短暫的一個小階段，一個極其短暫的退敗現象。幾千年以來從人類的整體發展來看，中國一直以文化爲旗幟，在人類發展的各個領域，昭示著科學、經濟、軍事等等方面的前衛進步，至今不改。中國必將崛起，遲早之事。在當今，中國經濟和軍事的必將崛起，首先是中國文化的崛起。

「我們再重申，中國文化是以和文化爲核心和表象的，而西方文化是以分文化爲基本和表現的。東方是和的文化，西方是分的知識，在很多具體方面顯示出來。西方有哲學家、科學家、文學家、藝術家、音樂家、數學家等等，還可以分得更細。中國人從來不是。我們自古開始講究的、研究的，都是一個『整體性』，體現在文化、醫學、美學、書法、住宅建築、家庭觀念等等的一切方面。『分』在中國人的觀念裡一直是沒有立足之地的。文學作品裡面，一個大家族衰敗的特徵，就是從分家開始。我們古人，即便是一個大政治家，可能也是現在所謂的書法家、文學家、醫學家，在人生的成功體現上，也是一體的。我們中國人追求的是『君子不器』，『君子務本，本立道生』。因爲我們是一個和的文化，如果你不是務本，如果你只是一『器』，那你就不是君子。受西方文化的影響，我們現在，文學家是一個種類，藝術家是一個種類，科學家是一個種類，哲學家是一個種類，等等，在這些種類裡面還有各種更細分的種類。回到君子不器，這『種類』就相當是一個器物，當一個東西被『器物』了，被『明相』住了，概念住了，那就不是我們追求的上善若水了，一種文化也會因此而出現衰弱。

「上善若水是什麼呢？水是沒有形狀的，遇見什麼就是什麼形狀，它永遠是水，裝在什麼東西裡面就是什麼形狀。一個君子，既可以接受科學，也可以接受哲學，還可以接受藝術，如果你悟了道，你什麼都可以接受，哪個不是道？你領悟了，你就會抓住實質。我們現代人在很多時候是屁股決定大腦，你坐在哪個位置上，就會從哪個位置去思考。而君子呢，永遠是腦袋決定屁股，因爲他知道屁股只是我們的一個位置、一個角度。比如說你目前是站在一個杯子的角度上，你自己要很清楚，但是很多人就是會因爲站在杯子的角度上而影響了思維，因爲除了杯子，他什麼都看不到，什麼都不願意去看到了。他沒有整體的感覺，但是他又確實很懂得杯子。這就是西方式的教育，一個學科去分、去學，學得很枯燥、很累，再成功，也是一個細小的部分。而整體感是跨越這些、超越這些的，是中國人的世界觀。

「所以在今天，在我們這個世紀，兩種文化的融合將有利於全人類。中國的文明狀態有一個源代碼，西方的文明狀態也有一個源代碼，這兩個文化正好可以透過各自的源代碼達到完美的互補和配合。」

沉默。

道長：「從另一個角度，我們看以現代西方爲核心、爲代表的科學發展，表面上是現代的物理學、化學、生物學等等一切學科的高度完善，似乎得到了空前的發展，但是實際上他們發展的成績到目前，還沒有超越對中國傳統文化進行解碼。就像我和德國人說的那樣，道還是道，只不過你們到今天爲止掌握到的系統論、泛系理論、控制論，還有資訊理論，包括今天出現的混沌論、相對論，還有力學、波粒二象性、反物質、暗物質……這些東西都沒有超越對中國傳統文化的解釋，而且恰好都是完全用來解釋中國傳統的文化和哲學。比如像他們發明的紅外線成像技術和聲納接收儀，終於可以依靠這個新的科學成果來證明幾千年前我們說的經絡的存在，以此類推，可以很多。

「爲什麼我說在這個世紀，我們的東方文化與西方文化要合作相融呢？因爲一方面，西方自己分類科學的發展已經到達了瓶頸，大多受到制約。反過來他們科學的發展到了今天，西方人終於能夠依靠自身的科學成果來展示、表述、證明中國的文化了。而我們中國古老的文化，也因此可以借助西方的文化作爲載體。這就像靈魂和肉體的關係一樣。

「我們每個人的生命之中，都有代表了五十億年生命進化史的紀錄，在這個生命進化史的過程中，所有的一切都具足——對它而言是具足的。每一個細胞都記載了生命進化的所有過程，只是我們的生命目前還無法把它再現出來而已。我們連健康都不能確保，都沒有信心……」

* * *

半晌，不眠夜：

「確實。我感受最深的，就是我自己的身體。這幾個月來，不斷地去醫院，感觸很多。我雖然沒有道長這麼深刻的思考，但是去醫院看病，那一連串複雜、有關無關的檢查，完全把我查蒙了，越查越離譜。而很少有醫生願意花時間聽從一個病人完整地敘述自己的病情、感受。我有時候想，可能有一個讓我信任的醫生能夠花兩小時好好聽我說一說，病自己也許就會好了許多。以前我會覺得我這是在胡思亂想，胡說八道，病是一種客觀存在的東西，與你說不說的，沒有什麼關係。但現在我不這麼認爲了。道長說的『信心』，也許能夠解釋我的這種猜想，或者說我這種不切實際的願望。

我爲什麼要囉唆這些呢？因爲我覺得道長說的中國文化的整體感，與西方文化的分類、細分，在我們每一個人都在經歷的看病這個問題上，已經充分體現。而且問題太大，什麼都分類檢查，最後什麼問題都解決不了，醫生還沒有什麼責任，因爲他覺得該做的都做了。當然我這麼說有些偏激，西醫也解決了很多問題，我只是從道長說的『整體感』，與西方文化的『分類、細分』來談我的實際感受。在看病這個問題上，生命不是產品，不是什麼該做的都做了，都檢查一遍，螺絲都栓緊一遍，就行了。我感受到的這種現象，或者說情緒，不滿意、不理解，歸納到問題的最深處，其實就是兩種文化的差別。西醫分得太細了。而針對病人，這種因爲細分而導致的病情歸納與排除，有一定道理，仔細想下去，還是荒唐的、不解決實際問題的。」

人馬座點頭：「仔細想是這樣。我們都有這種經歷，我有一個朋友腰不舒服，到了醫院先檢查腎，醫院讓這人塡寫一大堆單子，然後去化驗，照片子。然後醫生根據這些檢查的結果、數據，一一排除可能的病情。因爲這些片子和化驗的數據是正常的，那就不要再問再探究了，建議去泌尿科。同樣，檢查一遍之後，一切數據都正常，建議去骨科。每一個看過病人的醫生大多都是根據檢查的結果排除自己範疇內的病因。」

道長點頭：「這就是西醫的排除法。他不產生整體的聯想，不認爲生命是一個完整的東西。有的時候僅僅是情緒，就可以讓一個人身體的諸多方面產生不適。」

人馬座：「其實西醫也是滿認眞的，但是我覺得道長說得對，是他們的整個方向錯了，本來用作參考的數據成了決定性的判定，所以有不少人都危在旦夕了，結果在醫院查不出毛病，因爲所有檢查的數據都是對的。」

不眠夜：「道長，人是一個整體，認識到這個問題並不難啊，西醫眞的看不到這個問題嗎？」

道長：「在人的病痛、一些小問題上，西醫的『針對性解決』是有效的，這也助長了西醫解決人病痛的信心與依據。但是從另一個方面，當醫生對病情缺乏判斷的時候，往往是依據數據和拍到的片子來證實自己掌握的學科與病症無關。而這個問題的根結，不眠夜說對了，它代表了西方文化『細分』的弊病。爲什麼西醫會這樣越分越細？這是沒有辦法，因爲西方文化對生命、對整個世界的認識出問題了，具體到一位有高資歷的醫生、一個高明的外科醫生只知道手術，而對人體的其他方面不具發言權；一個泌尿科醫生不懂其他的科，他不懂人體泌尿以外的其他東西，也不懂外科，他們從開始學習的時候就是封閉的，他們深深進入的是細節，而不是從整體來看待我們的生命與身體，所以他們會越分越細。而人體更接近一個怎樣的事實呢？

「一個人的病症有可能就是生命體整體運動過程中的一個個體表徵，應該從這個人生命的整體狀況去分析、看待，包括情緒。但是在西醫，病人都被侷限到生理非常具體的部位去檢查。用排除法是有失偏頗的，這種『器物』式的思維方式，是我們中國人不贊同的。因此西方是越來越走向分析，越來越依靠分析，而中國的和文化從來依據的是整體感，中國的文化是走向整合。」

停頓。

道長：「我們並不是在討論西醫有多麼的糟糕，可能恰好相反，在一些局部問題的處理上，西醫非常了不起。我們在探討的是，作爲一種文化，作爲一種世界觀，西方文化有缺憾，中國文化要偉大得多。」

胖子：「既然當今的人們更容易接近西方的科學，理解科學的發展，西方科學的發展能夠有一天把中國文化的一切內涵都再現出來嗎？」

道長：「就是需要等到中國文化眞精神的完全注入。反過來說，東方文化如果不經過西方科學的發展揭示，也是無法成爲被社會廣泛接受的一種技術而服務於社會、服務於人類的。」

小男：「這一定是未來的方向和必然嗎？」

道長非常肯定：「是。透過生命修煉的實證，能夠成爲未來的一個必然。我在實修的過程，在我的境界裡面，已經看到了所有的存在。」

亞女驚訝：「這是什麼意思？超越時空嗎？」

道長：「並不神祕。你們可以把這個理解成爲在靜坐過程中超越了自己的實相，也可以把它理解爲在睡覺的時候夢到了一些景象，而在醒來的時候實現了。這種現象不是有很多人體驗過嗎？這彷彿是一種不自覺的偶然，沒有人能夠知道或者控制自己的夢與現實的相合，但是練功可以練成隨時的自覺。」

不眠夜喃喃：「這個……道長，也許眞的是夢幻呢？未來也還沒有到啊？」

道長：「不同的是，只有在很少的情況下，夢境才能夠與未來的現實吻合。但是我在功境中出現的，永遠不是幻想，這是可以被自己把握的。而夢呢，是睡覺時迷迷糊糊有可能出現幻相，那是我們無法把握的。在練功中不可能出現幻覺。」

小男：「道長，你堅信你在功態中感受得到未來？」

道長：「對。因爲我知道了，也可以說我看到了，東、西方文化在這個世紀融合的必然。難以置信，是嗎？

「就像你在練樁功的時候，肯定知道是自己站在那兒啊，如果你感到你的臉在發麻，那是眞的在發麻啊，因爲你在練功，你並沒有睡著。幻相只存在一種不自覺的狀態中，在自覺的過程中，意向是很清明的。」

小潔：「怎麼……證實是眞實的呢？」

道長笑：「我們也從一個大的世界觀，越說越具體，越說越細分了。看來這是所有人類的實際需求。你們想要證實的這個事實，是我在功態中把氣從丹田裡面調出來之後實現的。但是這個我無法讓你看到，這是我自己的修煉。你們只有透過同樣的修煉，有一天會知道我說的是實話，而且還不僅僅於此。

「這絕不是一個幻相。並不是任何一件事情都能夠有共識，關鍵要看我們是不是在一個層面上看待這個事情、這個問題。能不能夠有同感，因人而異。我們日常的很多事情也是這樣。

「東、西方文化在這個世紀的融合是必然的。我們人類將面臨一次健康的革命。這個已經開始面臨的現實，是我目前能夠和大家一起來討論、一起來實現的。

「健康是每一個人的渴求，是每一個民族都在力圖做到的事情。人類新文明狀態的出現，必然是東方的生命科學技術——是技術而不是理念，進入理念就是玄學了——和西方生命技術的結合。由技術與技術之間的整合，進而逐漸成爲觀念與觀念之間的整合，理論與理論的整合，產生出來人類新文明的狀況。這個人類新文化在生命技術方面，將使現在的生產力得到飛速的發展和提高。

「就基因科學而言，改變基因，將產生出一個劃時代的變化。然而，我們現在能夠看到的基因改變，只是人類探索了在物理量上的改變。比如說要讓你的基因發生一個變化，一定是要給你注入新的基因，植入基因，或者讓你的基因發生轉移。它一定要注入新的基因來改變你，像水果樹的嫁接，這樣才能夠改變出來一個新的果實。而我們中國的東西不是這樣。」

停頓。

道長：「依舊以身體、疾病爲例。一個疾病改變了，『好了』，病症消失了，是什麼力學體系在支撐？我有時說是第四力學體系，其實很不準確，我只能夠選擇你們能夠接受的語言。這是一個新的力學體系，更是一個本有的體系……」

停頓。

道長：「是它，使物質直接發生了變化，而不是說還要等給你植入一個新的東西……」

停頓……

道長：「這個話題就要涉及很多的東西了。簡單的可以說消滅身體的癌症病變，我們的辟穀，大一些的可以舉例我們的水下生存，還有更多更多的技術體現的生命能力。我們這些『功夫』也罷，潛在能力的表現也罷，沒有哪一個是依靠外在物質對我們生命的植入來達到的。不是吃藥，不是打針，不是放療、化療，是我們自身做到的。用西方人的科學來解釋，這個世界上任何一個東西的改變，一定要有一個力學體系的支撐，那麼我們能夠改變生命體本身的這個力學體系，是一個什麼樣子的東西？是什麼力學體系？我們現代的科學還沒有辦法來了解、來解釋，也還沒有能力掌握這樣一個力學的體系。我能夠解釋、能夠理解，但是你們能夠認同、能夠相信我的解釋、我的理解嗎？更多的人能夠認同和相信我的解釋嗎？這個就是需要科學的發展和進步來普及的一個技術和觀念。

「而我們今天的當代科學還不能夠涉及。雖然這個完整的東西是存在的，無論現象、還是道理、還是本質，早就存在了。未來這個新力學體系的誕生——更應該說『面世』，將提示宇宙運動的根本力，是導致『陰陽相推而生變化』的那個力；是『道沖而用之或不盈』的那個力；更是『道法自然』的那個力！這個中國人在幾千年之前、從本質上了解了並成功地嘗試使用過的古老而嶄新的力學體系的被挖掘，將刷新包括牛頓力學在內的相對論力學體系，它才是從根本上解決基因的問題。而這個解決問題的鑰匙，在我們中國人的手裡。」

寂靜。無人提問，無人應答。

我不知道該不該用「震驚」這兩字來表述！當場的感覺是遠遠超越「震驚」。想大喊，想大哭，又寂靜得彷彿落入了生命黑沉沉的最深處……

而那裡分明是一片光明。未知的光明……

＊ ＊ ＊

半晌。沉寂之後——

胖子幾乎一字一頓：「確實，震撼。但是，道長，從情感的角度、文化驕傲的角度，我們非常容易接受，非常願意接受。而從更加廣泛的……一個人群接受面來說，你說的這個，姑且稱作爲第四力學吧，能夠爲大家見證？或者承認？或者……還是只有在道家的範圍之內才具有呈現與說服力？唉！這個問題，眞的想提問都很難！」

道長：「首先，道家沒有範疇，道是對生命、天下、宇宙，遍及一切有形、無形的理解與解釋。人在解釋它，人在理解它。其次，中國古人，中國傳統文化對於生命、宇宙等等一切的解釋，今天的西方科學發展也在朝這個方向努力，但是他們的方向錯了。當現代科學更多地從外在、從物質世界的有限之中尋找時，一切都是有限的。

「比如說目前科學界最爲關注的基因問題。現在基因科學的研究實際上已經進入瓶頸狀態了。簡直它要解決、改變基因的原來狀況，就要去找到基因的問題，這有多麼的艱難，他們自己知道。這個太難太難了！這麼多的染色體，每條染色體又那麼長，他們怎麼能夠找到是哪一對出了問題？這個太難了。所以西方科學現在使用的是盲點推演法，而那個實際上是一個很大面積的、整體的東西，盲點推演法不可能精確地找到某一個位置，而且還要讓它發生精確的變化。西方的科學家一直在探索、考慮的是強作用力的問題，而這是物理層面的力學，這樣的思維相對中國人的思維，顯得簡單而強硬。在這個問題上，如果只靠單一地注入基因，是不能夠解決他們希望解決的問題的，只能夠解決某些問題，解決生命中的某些現象，並且還伴隨存在巨大的隱患，這隱患也包括引發社會道德及倫理的討論與顛覆。而所有的這些，西方的科學、西方人希望達到的目的，對於我們東方人的思維來說，改變已經發生了。」

停頓。

道長：「這個改變早就已經發生了。而且這個改變不是有爲的，是道法自然的改變，一切改變都處於自然而然的和諧之中。」

小男：「怎麼發生了呢？我們怎麼不知道呢……道長，你的水下生存也與這個第四力學有關嗎？」

道長：「我們現在的討論一直在形而上的層面，我們不要輕易落到形而之下爲之器的具體，不要落入術……」

人馬座：「其實西方科學的發展也是非常嚴謹與輝煌的，為什麼說西方科學發展的本質，是在不斷地解釋我們東方的文化呢？」

道長：「因為事實就是這樣。他們幾百年來一直從外部在求證的東西，都是我們中國文化的核心。比如人體經絡，我們幾千年前的學說、應用，西方科學家僅僅在二十年前，因為某種儀器的發明、誕生，才能夠做到對經絡的求實。包括反物質的出現，波粒二象性的出現，這些學術與研究，其根本都是在對陰、陽做根本的解釋。而陰陽，是中國文化一切的核心。」

靜默。

道長：「我剛才說『這個改變早就已經發生了，而且這個改變不是有為的，是道法自然的改變，一切改變都處於自然而然的和諧之中』，是什麼意思？

「中國的文化一向排斥妄語，排斥『廣告』。我們沒有時間，也沒有意義在這裡自欺欺人，說一些沒有依據的事情。中國文化中有很重要的一個支點：誠信。

「我這個話的意思是說，我們中國人早就在實踐現在西方科學企圖做到的事情了。當代西方的基因科學，不就是希望找到某對染色體，然後改變人體的某種特質，以達到某種更為理想化的目的嗎？但是，他們的方向錯了。」

停頓。停頓。還是停頓……

小男：「道長，你請說啊，時間有限……」

道長微笑：「我正是在考慮是不是說太多了。這其實更應該是我們自己，包括你們實證的過程和感悟。當什麼東西被這樣用來討論的時候，其實已經開始背離它的本質、本性了……」

不眠夜：「道長，你先說出來，求求你了，我們這些俗人，實證得證到哪輩子啊！我們已經對當代科學執迷不悟了，你先給我們洗洗腦，也許這輩子的餘生，就有可能自己來求證了，求求你了，道長……」

道長笑……

小男無奈地笑著，前後晃動身體以示確實太無奈：「呵呵，道長，關鍵時刻啊！你不能這樣，讓我們多知道一些我們祖先是怎麼想的，也是弘道啊……」

道長微笑著，思索著，彷彿空氣都在絲絲糾纏、凝結。似乎能夠感覺到他在浩瀚波蕩的腦電波之中，慎重地選擇……

道長一字一句：「我們的道文化認識到的，中國人幾千年以來一直在實踐的，可以用來改變自身狀況的東西，完全不是現在科學人為的技術企圖來達到人體改變的。

「什麼是現代科學的技術呢？比如說藥物，物理、化學手段的植入。現代科學技術大都用『有為』法。我們古老的中國文明依靠的則是『無為』法，是透過營造一個環境，設法讓我們回到原點上。讓生命體按著自己本然的樣子，自然而然地轉變。」

不眠夜笑：「道長，你說得太深奧了，眞是欲言又止啊！呵呵，完全聽不懂，你還是沒有說！」

小男：「我聽懂一點點。我反面的理解啊，道長，是不是因為技術本身是我們中國的弱項？所以我們早就拐彎了……」

不眠夜：「你聽懂啥！你還不如我聽懂一些了呢！中國人壓根就不理會什麼技術，都是從內的調整，是不是，道長？但我只是瞎說，我還是不懂，請你說。」

道長微笑：「小男說『技術本身是我們中國的弱項』，完全是你的錯覺。中國人長期以來一直被認為是沒有科學技術的，那些是西方人的東西，錯了。其中不同的是我們的『科學』、『技術』，被命名成了其他的名字。我們當然是有技術的，因為沒有技術就達不到，而這個『術』，一直被歸納在我們的理、法、術之內。中國的文化不是在名相上，這又涉及了另一個問題：佛教的禪宗非常偉大，但是為什麼到了後來，禪宗在某些地方都成了末流禪，變成了口頭禪？本來禪宗是明心見性的，但是後來就變成了很多名詞概念。任何的一種文字或者語言，都是把我們帶入一種境界中的工具，但是往往後來卻是這工具成為我們的根本了，在說任何事情的時候都要把這些名詞和術語掛在嘴邊。我平時講很多的事情，像未來的發展，像管理學，用的都是現代的語言，而不是用傳統道、佛裡面的一些名詞，那是不是中國文化裡面就沒有這些西方名詞的內容？完全錯了，所有當代的語言、辭彙，無論哪一個地區、哪一個朝代，闡述的其實都是中國文化中的那個『道理』。無論什麼『管理學』、『未來的發展』，我們要講的在學的，依舊是道中的那個東西，而不是名詞。所以我們講道，與我講現代科學都是一回事，並不是我們沒有技術，沒有被稱之為『科學』的東西，我們有的是比科學要深遠得多的技術和理論，無非我們用的是不同的語言方式。」

人馬座：「既然這樣，為什麼我們還要依靠西方的分類科學來解釋中國的傳統、整體的文化？」

道長：「應該反過來看，是他們需要中國的文化對它的植入。他們本身的存在就是一種解釋，因為可以用他們的數、理、量來描述我們的東西。科學技術也是一種術。如果沒有西方科學的出現，中國的文化還只是存在於一種寬泛的狀態。就像人的右腦和左腦，它們的作用是截然不同的，我們的大腦除了要有想像功能，還要有記憶功能，還要有邏輯思維的能力，兩個大腦是不能偏廢的。所以東、西方文化是一定能夠合作，一定需要交融的。」

停頓。這次的停頓順暢多了，道長似乎已經從選擇「表達什麼」，轉而到思索「怎麼表達」了……

道長：「從上個世紀到這個世紀人類文明的發展，到地球村狀態的形成，還有我剛才說的現在的系統論、泛系理論、波粒二象性、反物質、暗物質、量子力學、質能互換理論，這些東西的出現都在呼喚一個主題：東、西方文化的對話。而在以前，東、西方文化是不可以對話、不可能對話的，因爲我們的東方文化的原典精神翻譯不過去，而他們的觀點也不能被我們眞正地接受。我們道家的醫學、哲學理念一直得不到推廣，就有一個翻譯不能夠被接受的現實。」

小男：「透過對健康、對生命的關注，人類所有地區都會來翻譯我們中國的道文化？」

道長點頭：「是的。」

選擇性的思考與停頓又開始了……

道長：「我們現在說的養生和健康，實際上只是一個序曲。在這個健康主題裡面的，是人類當代的生命文化和生命科學的一次眞正革命。隱藏在生命文化和生命科學革命背後的，是東、西方文化的融會貫通。隱藏在東、西方文化的融會貫通背後的，是這個時代的文明突破。而隱藏在這個時代文明突破後面的眞正意圖，就是道在這個時代的眞正意圖，就是我們將產生比文藝復興更大的一次對生命更全面的解放。

「這一切，都是以健康爲主題序幕展開的。東、西方文化的內容和表現都非常寬泛，我們以什麼交融啊？這需要一個載體，這個載體，就是我們生命的健康。

「所以說，我們從這個角度，找到了道在這個時代要做什麼事，然後我們去對應它。我們放掉自己，用最空靜的心靈去感受，在我們找到它之後，在努力去做的同時，我們會看到它自己，也會給我們創造條件來實現這些東西。」

靜默。

小男重複著：「我們在努力去做的同時，我們會看到它自己，也會給我們創造條件來實現這些東西……這個……」

人馬座：「哪些算是『它』給我們創造的條件？如果沒有這些條件的出現呢？大部分人都在應付生存，怎麼可能想這些呢……」

道長：「一個世俗中的人確定了一個目標，他想要做什麼事，是相信加倍的努力，以至於有時會不擇手段，於是他覺得就在朝這個目標前進了，他努力了，甚至拼命了，他廣開思路用了很多很多的辦法，竭盡所能朝他希望的這個方向一步一步去推進。

「而我們修行的人，一個有修爲的人，或者說一個宗教人士，如果我們有一個什麼願望希望實現，我們是用最虔誠的心去許願、去上香……」

胖子：「等等，道長，僅這一點，就是當代文明與傳統文化的衝突。上香、許願，也是一直以來被歸納爲迷信的……」

道長：「是的。這就是我今天晚上一直在選擇用什麼樣的語言，能夠讓你們接受我的表達，能夠表達我的表達。確實很多人不知道怎麼用我們每個人都有的這顆心，來達成我們的願望。我們每個人都有一顆偉大的心，心的力量無邊無際，這是西方科學應該努力靠近、努力探索的對象。因為心與思維、情感、心、靈，與我們的整個世界，關係都是最大、最緊密的。中國文化一直在探索心的力量。西方文化一直在探索身體、四肢、物理層面的力量。一個是否虔誠的心願，主導了人願望的成敗。比如對於一個我這樣在修行中的道長，或者是寺廟裡修行的和尚，或者是基督教、天主教的神父、牧師，這些修行之中的人如果希望做成一件什麼事，我們虔誠地許願，基本上已經完成了我們希望去成就的某個事情的70％了。我們發了願之後就是等著事情的緣起。這個緣起，從表象上來看，就是我們會發現某一天突然來了一個什麼人，然後來了一件什麼事情，正好把這個事情解決了……而大部分時候這樣的『表象』，往往被我們誤認為『幸運』、『意外』、『中獎了』，卻忽略了我們發念時心的力量……」

27
我們就在道中

道長：「其實每一個中國人骨髓裡都浸透了道的文化，就像我們常說的，道之外，空無一物，道之內，也空無一物，我們就在道中，道就在我們之中。每一個中國人，其實都是道文化鮮活的體現。」

小男：「肯定是這樣嗎？好像有點……」

道長點頭：「肯定是這樣，一定是這樣的。我們的很多事情都是因爲緣分的因果關係，有一天科學的發展也會得到證明，無非比較遙遠罷了。當你發了願以後，一切的東西，乃至整個宇宙，都會幫你朝這個方向緣起，所有和這個訊號同頻的人，他自覺、不自覺地都會創造很多條件向這個方向靠近。」

人馬座難以置信地：「僅僅就是一個心願？一個念頭？」

道長：「只要一個虔誠的心願，一個單純的念頭，這是成就一件事情的開始。我們發出的訊號會影響到很多人的潛意識。發願是非常重要的一個開端。」

小男：「怎麼才叫發願？就是想一下嗎？」

道長：「用現在科學的語言來解釋，發願就像一個發射塔一樣，把我們心裡的願望向全宇宙發佈。所以不要小看我們自己，我們，你，是功力、功率很大的。你們眞心想做一件事情的話，你們沒有感覺到過嗎？你想的事情，慢慢地、逐漸地都會出現在眼前，比如你半年不見的人，因爲你眞心在想他，他就會突然地和你聯絡或者遇到了。你們沒有在意過這樣的經歷嗎？」

有的，確實大家都有過多次這樣的經歷。

道長：「一件事情如果能夠成的話，我們都以爲是自己每天做很多事情做成的，不是的。很多事情，在這個念頭和那個念頭之間有很多縫隙，我們的生活就像斷片。我們看似做出的努力好像有了回報，不是的，一直是我們的潛意識在幫我們成事。爲什麼佛洛伊德說我們一生的經歷，都是童年時決定的呢？我們的童年可以影響一生哪，因爲八歲以前就是我們的潛意識形成的狀態，這個年齡接受的東西非常重要，會影響一生。回到我們成年，在我們成人以後，如果我們非常虔誠地去想一個問題，全宇宙的力量都會來幫助我們……」

小男：「還不是很明白。」

道長笑：「我用你們比較能夠理解的語言。你們知道發願是一個什麼樣的概念嗎？第一，我們要知道我們的潛意識是巨大的，發了願之後，我的潛意識就成了主導意識；第二，發了願，我們就調動了潛能力，那是八歲之前的功力；第三，發了願，這個訊號發出去了，實際上已經爲我們創造了很多的條件，但是有了這些條件之後還需要具體一步一步去做，這就有點像戰略和戰術的問題。戰略和戰術是兩個概念，某種意義上來講，我們把願發了，我們應該以積極的心態去應對，再以一個明確的方式去做。」

小潔：「生活中的各種事情都可以發願嗎？」

道長：「當然有好的願和沒有什麼意義的願。這裡有三個重要的提示，其一，不管你發的願大不大，你的願是什麼，是不是合乎道……」

小男：「對不起，道長，請你先以最簡單的話解釋一下，究竟什麼是道？什麼是修道？」

道長：「道就是每個時代中根本的法，是道在每個時代的烙印。修道就是以道來修正自己，打開我們的心界。剛才說的第一，不管我們發的願大小與否，但是我們要了解，這個願要反映一個什麼狀態？其二，要潛心地、虔誠地發願，這是相當重要的。了解道在這個時代的表象是理，潛心地發願是法，然後具體的去做就是術。如果你背道，你的發展始終不會大，做出事情的效果會反其道而行之。其三，我們發了願之後去做事情，做的時候要知道不僅是這個有限的我在做，我們和無限的宇宙是聯繫起來的，發大願，發宏願，這個願發出去，就是最根本的法，它會影響冥冥中的很多東西。比方說在危急關頭，它會使事情轉危為安；在明明不可能的情況下，會突然出現一些人把這事情給調整好了；很曲折的道路，但是出現了很光明的前景。」

小男低頭想了好一會兒：「發了願，很多事情難道眞的等著就會來了嗎？」

道長：「可能更應該這麼理解，發了願之後，你心往的事情已經完成了70％的工作，剩下30％的工作，就是我們應該盡量力所能及要去做的事情了。剛才我話沒有說完整，很多時候，控制我們的事情，往往是我們不能夠控制的事情。一個偶遇，可能就會影響我們的一生。你們想一想，你們現在做成的事情，甚至你們的愛情、婚姻，是不是都有偶遇的因素？那麼是誰在做事情？這就是我盡力在想要和大家講明的一個道理。這個道理很晦澀，很難講清楚……」

道長停頓住。眞的不知道他是在想怎麼講，還是在決定或者不講？

大家期待地看著道長。

道長笑：「有很多的東西，講不清楚的話反而會有副作用。所以科學的發展也是必須的，因為它能夠讓大家簡單地相信。我想說什麼呢，無論我們再怎麼努力，如果把我們的前提條件改變了1％的話，我們就不是我們，你就不是你了。像我們每一個人的形成，精、卵相交是一個很複雜的程序，稍一改變就不是我們現在的我了，這樣比喻是不是稍稍清晰一點？所以很大的程度上來講，我們每天在做很多努力的事情，它是有很多變數的。眞正成事的，眞正在推進這個事情做成的，是大家俗語中的老天爺，也是冥冥中的規律，是它在推進這個事情，不斷地讓這些事情過來、形成、完成。所以一件成了的事——我們先不講發願——能夠成了的話，80％、90％都是老天在運轉——老天是指代名詞，只有很少一部分才是我們人為的努力能夠達到的。而這其中稍微改變一點點因素，我們都不是今天自己這個樣子了，很可能都是另外的一個人、另外的一種生活方式了，我們也不可能都在這裡相遇。人與人之間的分分合合、敗敗成成，自己是搞不清楚的，在這一連串的過程中，有一點，順應各種各樣的法則，這個法則在我們生命開始的時候早就已經決定。」

人馬座：「是不是像西方科學目前認識到的，基因決定了我們？」

道長：「基因科學的研究證明了基因的程序決定了人生命的期限。因為他們在實驗室裡證實了，所有的白老鼠活到第四年都會死掉；所有的人如果一路平安活到八十歲到一百二十歲之間，都會出現問題，西方科學認為這是生命的程序。且不管他們在證實的這個程序對不對，他們沒有意識到，其實西方的科學已經涉及了一個我們東方文化一直在關注的問題：是誰設計了這個生命的程序？是誰限定了有限性與無限性？是誰在人類個體壽命到了八十歲和一百二十歲的時候，就自動地把生命控制住了？」

沉默。

道長「像所有這些問題，我們東方文化、中國祖先的智慧，證悟到的，是無量的因緣，是生命的密碼、生命的源代碼問題，而不是西方人在科學的實驗室裡實驗、試驗出來的結論。西方的科學試圖從另一個角度來證實、來揭示、來解釋，他們非常努力，但是方向不對了，因為他們是在從生命的淺表看待生命，他們把生命很簡單地『量化』了，把生命放到了生命之外的實驗室，他們沒有整體觀，不知道生命是不可以以局部替代整體的。西方生命科學將生命的數據化、淺表化、量化的剖析越具體，距離生命的實相就越遙遠。因為生命是在整體運動之中的，生命在『運動』之中才接近生命的眞相——我們說的運動，完全不是西方人的『運動』概念。生命有密碼，這是更深層面的事情，又涉及到了無量因緣的輪迴、運轉，涉及到修命、改命。這些完全、全部都是中國傳統文化之中的認識與實證。」

沉寂……

道長：「爲什麼說一個人『江山易改，本性難移』呢？這句話的實在涵義，就是說在我們生命更深層面的東西，不是我們自己能夠決定、控制的。簡單舉例來說，你明知道吵架不好，但是到了那個時候，你知道了還是會吵。知道吵架不好，和做到不吵架，完全是兩回事。因爲這個不由你決定，這也是命。所以我們要修行，要明白，要醒悟。明白什麼？醒悟什麼？

「還是只能簡單地說，這個明白與醒悟，小到爲人處世的道理，大到對於自己生命密碼的解碼，修正命……」

沉寂。

好半天，不眠夜以從來沒有過的虔誠與小心：「道長，請你再說下去好嗎？」

＊＊＊

道長沉吟：「這些話其實都是說太多了，都不應該說，因爲說不透。像無量因緣、修命、改命，是在我們自己的修行過程中，一步一步實證過來的。東方的『生命科學』不是實驗室科學，它是一個實證的過程，是生命個體對於自身的實證。像我們剛才說的發願，其實就是一個內在改變的開始，這是比科學還要科學得多的一件重要事情。但是我們的基礎不夠，我們才剛剛開始踏入這個偉大的門檻，在個人的修行達不到的時候，我卻已經說了這麼多，這是不應該的。因爲脫離了實證，我們也會像偉大的禪修一樣，慢慢地有一些滑落到了口頭禪。東方的文化，我們中國人實證出來的『生命科學』，是需要我們具體修行的過程的。」

沉默。

道長：「而我們怎麼看西方的科學發展呢？還是那句話，西方科學的進步和發展，實質上就是解決了一個對東方文化闡釋的方式和管道。遲早，所有人都會接受這樣的觀點。

「而在具體的方式上——方式由觀點誕生，比方說我們現在要讓分子發生變化，西方科學用的力學體系是牛頓的力學體系，而我們中國的古人幾千年前就相當先進了，我們用意念，用我的功力。這是你們需要經過實修才能夠明白的，這也是我說的發願，我同樣能夠達到目的。」

沉默……

道長：「我非常清楚，這樣的說法太不可置信了，因爲與我們的實際相差太遙遠。所以爲什麼說我們的生命科學必須是實修的呢？否則就是屬於在胡說。我再以當代科學的語言闡釋一句我說的『意念』、『發願』、『心願』是什麼意思：它即是生物體的微波通訊。」

沉默……

小男：「這個辭彙能夠理解，但是……」

道長笑：「你們用各式各樣的方法在迫使我說下去……」

不眠夜虛心地：「我們實修的開始是先懂道理，這是我們現代人與古人的區別……」

道長：「我是依照西方技術的辭彙和表達，藉以『生物體的微波通訊』來闡述生命的一些原理，就是讓生物體之間發生定向的改變。

「這個改變千古以來每天都有發生，比如夫妻相，甚至人養的小貓、小狗與天天養牠的這個人都像，這就是『生物體的微波通訊』的表現和結果。但是夫妻之間讓誰更像誰，這是我們控制不了的，而透過修行，你就能夠做到，或者嘗試能夠做到讓生命定向地向一個方面變化……」

＊　＊　＊

沉靜。而每一個人的腦海裡，那些固有的方向與見識，那些未被開啓的寧靜角落與沉寂了億萬年的「區域」，如果不是被道長的這個語言力度攪成了一鍋漿糊，就是被激起了「驚濤駭波」！內心與大腦彷彿正醞釀「深深海底」十二級的海嘯，這巨大的漩渦與衝擊力，反而讓每一個「海平面」——每一個人的面容，平靜得不能夠有絲毫表情的動彈！

任何一個小思維，只要朝著道長說的這個「……透過修行，你就能夠做到或者嘗試能夠做到讓生命定向地向一個方面變化」略微挪動、想像一下，彷彿「主機」立刻面臨崩潰、癱瘓……

這是與科學孜孜不倦追求、發展，甚至以國家名義不惜衍生出來多少戰亂、相互掠奪、侵占、生命的侵犯等等相對於東方生命觀念而言，「原始許多」的肢體行爲完全不同的人類方向，是相比之下高級許多許多，也是孤獨許多許多的智慧方向。

而這樣的智慧，隱匿在每一點生活、每一個人生之中的點點滴滴、舉手投足、點頭微笑、一日三餐、一晝一夜之間，平常到完全被人忽略。人們在時光的流逝中習慣了對自身的視而不見，迷失了眞相，而奔向了遠方……

西方人認識到的「生活在別處」，是他們的大實話；而我們中國人說的「返璞歸眞」，也是一句大實話，卻隱藏著一個千萬年之久的神祕暗示。

返什麼璞？歸什麼眞？

腦袋要爆炸……

道長：「我們不談論這個事情，太複雜了。我只希望你們能夠和我一樣了解到、認識到，中國傳統文化是非常浩瀚偉大的文化，中國人的認識是非常浩瀚偉大的認識。對我們今天來說遠在時間那一頭的中國人，他們對於宇宙、世界、人生的理解與認爲，是遠遠超出我們現在人能夠理解、了解的文化，是有待當今科學技術的發展來解密的文化。

「西方有西方的生命科學，我們有自己東方的生命科學。我們東方的生命研究也是科學，而且是實證科學。我一直想建立一個東方科學院，它和目前的科學院是不一樣的，因爲在西方所謂『先進科學』的影響之下，現在的科學院實際上大部分已經是西方的東西了，很少有屬於我們中國自己的、傳統文化流傳下來的中國傳統文化的精華。而眞正東方傳統文化的精髓保留，這些偉大智慧的繼續流傳，可能需要我們盡快去建立自己文化傳遞的殿堂。」

沉默。我心裡湧動著一大堆彷彿只有透過淚湧才能夠表達的一種什麼東西。而這一大堆的「什麼東西」，又因爲我的辟穀，而被冷靜地遮擋在了一個什麼地方。我心裡擁擠著的湧動，與被遮擋了的空曠，在這種複雜的、難以表達的「張力」之下，居然「大陸漂移」、「板塊合併」出來了逐漸的心曠神怡……

也許我的內心正「拷貝」這億萬年之前地球大陸的新板塊新世界……誰知道啊！究竟宇宙與我，

我與地球，你與我，到底是什麼關係？是個什麼謎語呢……

道長：「而回到目前，我們正在做的，我反覆說的，都是每一個人都能夠做到的，非常簡單，也是非常切實地被任何一個人需要的：希望能夠透過養生來開啓這個開端。」

我喘回了一口氣。幾乎每個人的臉上都遺留有將將經歷了「大陸板塊漂移」的表情。

道長：「人人都在乎自己的生命。透過養生，經過修行，我們都會有自己的體驗、體會，因此能夠打造一個中國傳統文化的、養生的生命科學的研究方向。在這樣的狀態中，你們才能夠理解、能夠相信中國傳統文化沒有在胡說，你們多少參與實證了，東、西方文化的交流才有可能。」

＊　＊　＊

人馬座點頭：「眞的近代以來有太多的中國人因爲不了解我們自己的文化，而反對、質疑自己很優秀的東西，甚至直接反中國的傳統文化，現在看來是很無知的表現。」

道長：「這是一個莫大的遺憾。鴉片戰爭開始，西方人以他們的堅船利炮打掉了中國人的自信。而上個世紀五四運動以來，由於一些現實的狀況，使我們缺乏遠見、缺乏自信地變得主動廢棄了中國的傳統文化，一味地都是向西方學習，幾乎是全盤崇洋，連文字和語言都想改變。當然從某個方面來講，西方的文化、科學發展，確實有非常實用、非常好的一面，但是並不意味著我們傳統的東方文化就應該徹底否定和放棄。因爲相對於我們四千年的文化精髓，西方的科學太年輕、太幼小了，幼小得就像一個嬰兒。今天，我們中國終於恢復一點民族的元氣，比以前強大了，我們可以找尋、推廣自己的文化，呼應文化認同。我希望、我等待的，是道的推廣之後，能夠和更多人的努力聯合起來，逐漸形成一個東、西方文化的通融、合作。人類現在面臨的種種疾病，像愛滋病、癌症、糖尿病、高血壓、心腦血管疾病等等讓我們覺得難以應對的身體問題，其實沒有我們想像的可怕，只是方式錯誤了，把我們身體的整體問題局部化對待了。像我們剛才說的基因科學，在西方，不止美國一個先進國家投入了大量的資金、全部的力量在做研究，大家都全力以赴，但是在我看來他們的道路、方向都錯了……」

小潔：「對不起，道長，我始終有點糊塗，基因科學究竟是怎麼一回事？是什麼意思？」

道長：「簡單地說，想要葡萄的味道發生變化，我們只要把葡萄樹和梨樹相互嫁接一下，從而改變生物的分子結構，改變生物體之間的染色體，產生新的品種，這就是全世界的基因科學到今天為止的成果。就是說，必須要在植入新的基因的基礎上，才能夠發生改變。」

小潔有點怯怯：「那麼，道長覺得它的方向怎麼錯了呢？」

道長：「而我們認為，生命體之間存在著生物與生物之間的微波通訊，我們根本不需要採用物理的、外在的手段。眞理常常會隱藏在人們輕易常見、但是從來不知道的現象裡面。」

道長沉思，似在選擇著如何表達——

道長：「像一顆蘋果從樹上掉下來，這麼常見的現象，兩百年前從來沒有人去多想，只有等到牛頓出現，他去想了，發現了萬有引力定律。同樣的，看見水從鍋裡沸騰溢出來，也是平淡到不見任何驚奇的現象，從來沒有人去多想，直到瓦特在這個世界上出現，他去想了，發明了蒸汽機。現在全世界都在研究基因科學，他們想要改變基因，因為基因科學能夠改變人的狀況，開發出更加大的能量。他們都花費了巨大的財富、昂貴的代價，但是為什麼幾乎進步不了？因為他們一切的研究方式，都是用牛頓力學在改變生物的性徵，這就是我說的方向錯誤了。不對的，依靠牛頓力學是改變不了的。他們不知道，其實根本不需要這麼複雜。」

又停頓……少頃，道長：

「中國的傳統文化裡，古老的中國智慧對宇宙和世界的認識裡，就隱藏有遠遠不止這些的智慧寶藏。就在我們的生活中，存在著許多的改變，這些改變的跡象我們沒有眞正看到，或者說看見了也是早已經習慣而熟視無睹了，沒有嚴謹地去思考。」

不眠夜：「道長，解決疾病的問題也是同理嗎？基因對於我太遙遠……」

道長：「也一樣。對於疾病的解決方式，如果排除西醫的巨大經營收益問題，只是一味想要治病救人的話，他們同樣是方向錯了。以最讓人們恐慌的愛滋病舉例，西方人已經認識到，這個病就是人體免疫系統的疾病，是自我免疫機能的問題。爲什麼我剛才說這在我們看來，這些病都不是他們認爲的這麼恐慌的問題呢？你們現在應該了解了吧？我們道家的養生，道家的功，實則是幹什麼的？」

胖子：「調節生命能量。」

道長：「對了。我們道家養生的功，更進一步的功法，都是爲調節生命的能量，這是一個最直接的目的，再翻譯一下，就是加強我們自身的免疫系統。是不是？我們每天練功練的是什麼？是練我們的氣，這個氣就是我們自身的免疫功能。解決一個疾病，難嗎？需要大動干戈嗎？」

有豁然開朗之感，也有人表情相當困惑……

道長：「但是打個比喻，即便我們知道了一個數學公式，也不是每個人都能夠因此解出數學問題。還有一個關鍵是什麼？」

小潔：「多做數學題！練功。」

道長：「對。是我們堅定的堅持。有時候『有信心』、『堅持』，也是在選擇著眞正有緣分的人。道理都知道了，但並不是每個人都能夠依照這個道理去做。有的人做著做著就懷疑了，更多的人怕麻煩，『沒有時間』。但是我們去看望任何一個得了重病的病人，他絕對不會、再也不會說『不願意住院接受治療』，說自己『沒有時間』，是不是？爲什麼要等到得病了，才有時間呢？大部分聰明人的思維會在這麼簡單的道理上面梗阻……」

小男：「道長，你說的這些，我們東方人對生命的理解和研究，都是太好了的東西！但是依靠你這樣傳道的話……是不是應該『公布』啊，還有透過某些世界性的學術會議……」

道長沉吟：「很多事情需要等待時機，也就是我常常說的緣分。要公布一個什麼東西，是需要具備一個完整力量的，而現在我們還不具備……」

小男：「不具備什麼？」

道長沉吟：「今天我們也許可以比較自豪地宣布在某一個方面的認識或者一些成果，但是我們繼續研究的力量、研究的人才，甚至研究的經費，各方面都還不具備一個完整有力的力量……」

胖子：「我知道道長的意思。像我們的四大發明，其中的火藥、指南針，在西方的擴張，經濟利益主導之下，很快被其他國家所掌握，爲人類、也爲發明火藥、指南針的我們，帶來很大的災難。而道長你現在涉及的東西，完全不亞於當年火藥、指南針的威力，依照目前西方科學的發展，非常有可能會迅速地被利用，然後那些經濟先進國家以傾國的財力、物力去研究，之後這個東西也有可能會像中國以前的火藥一樣，被利用在一些利益與擴張上……」

道長：「因爲我們的文化導致的價值觀完全不一樣。中國道文化一定是人類發展的方向。我們經過修煉能夠做到的，西方人經過他們的探索同樣能夠做到，無非要經過很漫長的時間才有可能達到。文化的融合、傳承，不是一朝一夕的事情，更不是習俗，它一定要經過嚴格的訓練，還要有機緣，任何的急於求成都有可能往回走。我們要做到的是等待西方科學的發展，也培養我們自己的學生。培養能夠傳承我們自己文化的人，是目前我必須要做的事情。」

小男琢磨著：「等待西方科學的發展……」

道長：「道教作爲中國的本土宗教，道文化作爲中國傳統文化的根基，到目前爲止還沒有被人們眞正地認識到，甚至都不被很多的中國人認識到其偉大與燦爛，這是我個人感覺到最痛苦的。其實每一個中國人骨髓裡都浸透了道的文化，就像我們常說的，道之外，空無一物，道之內，也空無一物，我們就在道中，道就在我們之中。每一個中國人，其實都是道文化鮮活的體現。如果我們明白了什麼是道，什麼是生命的眞諦，每一個中國人心中就會有一片淨土。我們需要有這一片淨土。」

沉默。

人馬座：「道長，你是怎麼開始思考這些問題的？」

道長：「在我悟道的那一天。」

眾人期待……

道長：「那眞是神奇的一天。因爲那天我充滿絕望，結果我反而悟道了。從那個時候開始，我明白了人是萬物之本，我抛開了全部外部的東西，沉入到一個根本的事實裡面……

「所以我告訴你們一個重要的事情，你們千萬、千萬不要小看自己，每個人都是一樣的，絕對是一樣的，最重要、最重要的就是執心。執心是最誠摯的一顆心。用你們都能夠理解的話說，思路決定出路。一些表面上的衝突和與人、與社會的格格不入，對於生存的困惑，對於他人的不理解、失望，甚至對於自己的種種因困惑、無奈而產生的絕望，實際上都是很內在、很根本的一些個人問題。看不到這個，就解決不了『我』這個個體，與世界的矛盾，與生存的種種艱難糾纏。所以，看明白了，你們都會悟道。」

* * *

小男：「道長，你怎麼看待今天的文明？」

道長沉吟。

道長：「人類到今天已經進入了一個術的時代。術，就是技術，包括了今天的科學技術。但是這個年代的術，相互之間是隔離的，像內科不懂外科，外科中的肝膽科不懂腎科，腎科又不懂骨傷科，這是以西醫為例，它以術為主導，而且越分越細。以個人為例，在這個『術』的年代，專業的、技術型的人才越來越多，這不是一件太好的事情。『術』可以解決一些實際的問題、小問題，但是中國的文化根基是『天人合一』，是『君子不器』，如果一個人真正悟道了，他是『君子不器』，只有在沒有悟到大道的情景之下，君子才可能變成為一個器物，會為表象所吸引。所以，看待當今世界的文明，越發會對我們中國的傳統文化具有信心，中國的文化、中國古老的文明，在當今必定會成為全世界文明的主導。因為『術』的侷限性太大了，人們越依靠，越彷徨，出現的問題越多，越難以依靠。中國文化是一個整體的文化，從中國文化的縱深與整體性來了解中國，了解人，了解社會與宇宙，這是人類文明的未來，它與中國極其古老的文明是銜接的。」

沉默。今天晚上的話題，已經遠遠超越了「養生」、「辟穀」，又是完全「起拔」於養生、辟穀的……這座思維之中從未建立的大廈，已經遙遙挺拔向上，從內心，穿越頭腦，伸展向黑幽幽的太空……

道長：「所以我說我們這個時代是一個偉大的時代。以人人面臨的疾病爲例，我們對比東、西方兩種不同的疾病觀，無論從認識還是治療，一個整體，一個細分局部。我覺得科學在進步，正在轉換看待事實角度，正在迎向我們的整體觀念。

「我們東方的文化特別早熟，它在很早的時候就成形和發展了，在唐代以前已經形成了一個非常完善的文化模式，這個文化模式在一起步的時候就是大成的，它過分早熟了，這是它的極大遺憾，所以無法溝通，因爲它的偉大，而天生缺乏普適性，除非你自己、我，經過修煉，否則覺悟不到這個境界，很難感受到其中的精髓。」

亞女：「即便是修煉了，就能夠悟道嗎？也不是人人都能夠的，所以更讓人懷疑了……」

道長：「修煉和讀書一樣，有的人程度高，有的人程度低，有的修出來了，有的沒有修出來。所以大家看到的這個世界是完全不一樣的，這種感受又難以傳遞，難以分享。而西方的科學就不是這樣了，西方科學是可以普及的，可以大家都適應的。像我有一個手機能夠接受到訊息，你有一個手機也可以接受訊息，這樣一來，當然是西方的科學容易讓人接受和相信，因爲它不僅是簡單，而且有普適性。但是畢竟西方科學的發展，還在一個區域的過程。」

小男：「這個過程容易溝通嗎？就是說，與我們的傳統文化可能相輔相成，產生信任嗎？」

道長：「人是萬物之靈，宗教又是人靈性中最傑出的部分，它提示了生命久遠的過去。我們東方古老的道文化，與當今人們認同的『科學』是相同的，不同的是語境罷了。我反覆提過，獲得諾貝爾物理學獎的湯川秀樹說過的一段話：現代世界物理學的成就，幾乎都是對中國傳統道家學說的回應。還有科學之父、人類歷史上偉大的科學家愛因斯坦也說過：現代科學的成就建立在兩個偉大的發現之中，一個是希臘科學家發現的歐幾里德的幾何學體系，第二就是透過系列和系統的實驗，發現了事物中的因果關係。他說，這是西方的成就，中國的哲學家沒有發現到，這個不奇怪，令人驚奇的是中國人把結果同樣做出來了。

「西方人經過了漫長年代，用這些手段求出來的結果，中國人自己可以說早就做到了！我們可以發現很多很多這樣的例子，會發現我們諸多的科學發展到了一定的程度，所揭示的這個世界，都是中國傳統文化裡面不斷探索和有了結論的東西，同時也可以理解爲西方宗教所接觸到的這個宇宙世界。」

小男：「我總琢磨著愛因斯坦說的話。爲什麼當今科學透過這麼多的實驗，經過這麼多年發現了事物中的因果關係，而我們中國人早在幾千年前就已經得知了？我們怎麼這麼牛呢？」

道長：「我們中國的古人是站在宇宙的角度上最直觀地理解世界，然後又在我們的生命體，透過自身去求證，於是他們爲宇宙建立了一個核心的框架，就是我們宇宙生命的大框架。就像西方的建築學家，他們始終不了解爲什麼中國人能夠在那麼多年以前，就可以在幾十公里之內把座標定得那麼準確？他們不知道我們是以太陽爲座標來確定方向的。中國的古人取象比類，遠取諸物，近取諸身，從自己和宇宙之間形成一個大的架構，一個了解生命的象數模型，這就是我們說的易之道。我們的先祖是從這個角度上去認識生命。

「還有比方說雙螺旋結構，還有我們生命中出現的種種奇異現象，甚至包括二進位制，我們在認知這一切的過程中，實際上是在不斷地重新證明我們生命的自身。我們在不斷證明自身生命的過程中，推斷出來一個大的東西，大的結論。

「所以我常常在說，科學本身不是眞理，科學是不斷證明眞理的一種手段。

「科學的過程中經常出現的就是不斷地糾正錯誤。有一本講生命來源、生物考古的書，裡面寫到考古學家發掘了一具動物的大骨架，爲了證明它曾經的威猛，科學家們做了很多的假設，甚至到後來沒有依據，只憑想像地試圖還原這具骨架的肉身，爲了與龐大的骨架形成「相當」的威猛匹配，他們甚至把一顆牙安裝到了它的鼻子部分……

「科學出於善意，出於天眞，也做過很多可愛、可笑的事情，有不少人爲的錯誤，更有很多不小心的失誤。更多的是人類在認識的過程中堅持自己固有的固執，這個固執造成了我們對人本身、對人類種種的錯解。

「就像經典物理學發展到登峰造極的時候，人們都以爲只是需要對它進行添磚加瓦了，宇宙已經被解釋開了，但是布朗運動、愛因斯坦的證明，一個一個地從根本上把西方人對宇宙的看法拓展了，包括人類以前認爲的這個宇宙只有銀河系，後來哈伯告訴我們，銀河系是一個小得可憐的星系，太小太小了……所以科學是在發展的，今天的科學成就對世界的認識只是非常小的一個功績。從更大的程度去看，科學的發展就是：它到了一定的程度，所揭示的這個世界，都是宗教所接觸到的這個宇宙世界，我們中國祖先探索、證實了的世界。萬物變化，以道觀之，從這個角度來講，宇宙萬物就是在我們生命中最有活力的一個顯現。我們把握了道，然後再去看待宇宙萬物的發展和演進，那麼我們就是從生命和宇宙最貼近本質的角度去思索。」

沉默。幾乎無話可說了……

人馬座：「還有一個問題。道長，你剛才說的『君子不器』，對應我們的這個時代，我們現在普遍認爲的『人要有專業』，某個人『專業很強』，其實並不是一個很完美的事情，甚至是一個比較失誤的人生追求了。這個觀念，恐怕還不是很現實，很難讓大部分人接受的吧？」

道長：「如果眞要討論問題，就要有突破侷限、認識事實眞相的勇氣。我們說過，中國的古人是政治家，又是詩人，可能還是醫生、書法家、文學家等等。我們的爲人處世哲學是追求『不器』的，一項強大專業的發展，有時候反而是眞正侷限自己發展的。因爲侷限了個人有可能產生的巨大發展，從而廣泛的來說，也侷限了一個民族長遠的發展。即時的利益永遠是短淺的，因爲歷史太浩瀚、太漫長了，中國目前的落後，幾百年來的委屈，甚至窩囊，放在漫長的歷史長河之中，我們還是一個偉大的民族國家，還是幾千年不散的大家庭。中國的古老文化，還是當今現代文化的起點，甚至是支撐，這是太了不起、太偉大的事情了。在這個星球上，有幾個文明是千年以來持續到今天、至今還不斷代的？你們知道你們是誰嗎？你們在做著什麼事情嗎？眞的是魚兒在水裡，牠可能不知道水是怎麼一回事，你們也可能不大清楚『道』究竟是什麼，但是世世代代傳承著『道』之中國文化的，是你們，是我們，是每一個中國人。我們的血液，我們的思維、習慣，我們的每一個眼神、每一種認爲，我們日常的分分秒秒，對父母、對他人、對自己，都在傳承著這個東西。不同的是，現在的我雖然還在『水裡』，確實越來越不明白『水』是什麼，但是我們沒有離開這個水啊，離開了，我們就活不下去……在我們這個年代，最需要做的是彌補自己的文化缺血，完善對自己的了解、認識……」

終於，子夜即將降臨了。指針滴、滴，時光彷彿在道長的話語裡面，在這一晚上，它同樣是穿越了千年而至。它裹挾形如晝夜般短暫的世代，泯滅瞬間長衣短衫的人生，隨意展現這塊擴展而去的土地上徹夜的輝煌與繽紛的戰亂……

大道無情。大道無情？大道無情……

道長靜靜地停止了講話，我看見好幾個人同時低頭看錶。眞希望長夜無期，光陰駐足，這一刻永不過去，永不消逝……

但是，呵呵！想起剛剛開始辟穀的時候，自己擔憂地想過，也幾個人開玩笑地聊過：千萬不能讓道長下山、被人拐走之類，否則無人有功力爲我們「封頂」，這頂永遠「開著」，恐怖……

現在，也就再過十幾分鐘，這個不可思議的辟穀，即將以封頂宣告結束。這瞬間的聯想，爲萬般不捨的現狀緩衝了心情。

而全身的血液，終於在道長緩聲「今天我們就到這裡……」的宣告之間，不可抑制地迅速地奔跑起來！心臟突、突地跳動，一個非凡的階段就要結束了！另一個非凡的階段、辟穀期間想入非非的階段，終於要到來了！

道長起身。大家抱手，互道「無量壽福」。

道長：「十分鐘後，我在三樓給你們開頂的房間等你們。」

28

生命的重新開始

我不知道我是不是已經發生了什麼變化，不知道我的未來將與之前會有什麼樣的顯然不同，但是，此刻開始的我，從一杯果汁重新開始的生命展現，一定與之前的那個我，完全不是那麼一樣了。

十分鐘後，當我又一次鎮定完自己走出房間，二樓的走廊寂靜如同沒有人息。連同我的開門、關門，也彷彿是無聲影片之中的一個緩慢動作。走廊昏沉，有一點光亮隱射出來上樓的樓梯。人呢？

在我現在的回憶裡面，我已經分不清當時的感覺是我的心情，還是確鑿的狀況。反正，我如同行走在另一個世界，寂然無聲地移動上了樓梯。

這讓我戚戚：我還活著嗎？是不是這十五天已經讓我去到了另一個地方？不是很多電影中描繪，有的人離開了世界，自己完全不知道，依然像平常一樣行走、做事，在平常的場景之中依舊的生活？

這個念頭一閃，嚇我一大跳！我大力踩踏一下腳步，瞬間，我聽見了我上樓的「踏、踏」聲，四處房間裡面隱約的電視聲音，洗澡用水的聲音，輕輕說話嬉笑的聲音，宛若逐漸擰開的音響，細弱卻奔放而來！

三樓樓梯頂端的溫暖燈光，清晰地投射出我有點不安與激動的身影。

我與這個世界依舊銜接在一起！我實踐了十五天的未進食，依舊思維活躍，身輕如「煙」——然後呢？然後又會怎樣？

從二樓，上到三樓，穿越小露台，進入另一端小小的走廊……總共不到四十公尺，兩分鐘的路程，其漫長猶如穿越人生的未知階段。期待，忐忑，猜測，幻象，略微的擔憂，各種心思、心情，在這簡短而又悠長的「途中」，盛會了一次。

三樓的露台依舊黑黢黢地，與它後面沉默肅立的山緊緊相靠。風在黑暗中溫柔穿行。早秋的子夜微寒，涼爽滲透其間，在每一寸、每一毫的空氣裡面，轉告歲月如此流逝的痕跡。

在我推開露台之後、東邊門扇的時候，十五天前穿越這扇門的情景、心情，歷歷在目。彼時的疑惑，內心的驚恐、擔憂，還有同樣瘋狂的想像，都還縈繞在心頭。十五天，尚未彈指一揮間，已經細若蠶絲，讓我平安到達「彼岸」。我認為我不可能做到，或者會經歷生命的危險，已經在這「一瞬間」成為永久的、寶貴的、精彩的記憶。而之間的收穫呢？當我手握涼絲絲的門把，推開此扇木門，我身體的輕盈，衣衫的淡薄，讓我無處尋覓這十五天之中厚重的收益！身體是怎樣的一座無邊無際的寶庫啊！它收藏的東西，看不見，觸不著，卻隨處可以翻取，顯示於自己，告示予世人……

這一刻，有一種一閃而過的「喜出望外」讓我的心小小雀躍了一下！我攜帶我寶貴的身體，進入了這間十五天前道長為我們開頂的屋子。

胖子隨即而至。

依舊像十五天前一樣，道長在有燈光洩漏的裡間。只一會兒，或許是好多會兒，道長開門出來。與辟穀開頂的時候一樣，道長給了我們一人一張圖，圖上是與上次一樣的文字和圖形。圖形表明的是身體的重要部位和器官，文字的連貫就是一種咒語。我們被告誡與開頂時一樣要牢記這些文字和它標明的部位。道長特別關照，它們的排列是有規律和秩序的，千萬不能夠混亂、顛倒。在封頂進行的時候，我們要與開頂的時候一樣大聲誦讀這個文字的咒語，並用意識將部位、器官聯繫起來。

道長又回到那扇門裡，房門緊閉地做他的準備。

我們默念、牢記著這張圖文。在這個簡短過程中，我發現我的手腳逐漸冰涼。我有點緊張，老覺得我會記錯，會混亂這張圖和它所標明的部位、秩序……這是怎樣的一種逆反心理啊！良性意識呢？我滿身心尋找良性意識……

子夜23：00。

與開頂的那天一樣，胖子先進去了裡屋。

片刻之後，我聽見道長與胖子的咒語，如天邊的滾雷，由遠而近、由輕到重，由慢而快，轟轟隆隆響起。如此延續了若干分鐘，之後，寂然無聲息了，之後，胖子摸著自己的腦袋，喜洋洋地出來了。他幾乎是驚喜地，彷彿從來沒有料想到地：「我頭頂的小坑沒了！真的封上了！」

我進入裡屋。

一切都是和辟穀那天一樣的過程。我再次緊張地感覺時間彷彿被放大了，原先緊密排列在一起總是飛逝而過的一秒又一秒，彷彿被放大成了一個個無邊無際的黑洞，每一秒鐘都是一個深不可測的、無限幽遠的黑沉沉沒有邊際……我恍惚掉落在這些幽深裡面！

神祕的咒語過程開始了。回憶過程，我只能這麼描述：我像是靈魂飄離了體外，旁觀著這個奇妙、神祕的瞬間！自己似乎還沒有察覺，就已經開始跟隨道長一起大聲在誦念咒語了。一遍又一遍，由輕到重，由慢到快，一直重力大聲一直快如疾馬奔騰雷聲轟鳴……快到彷彿身體與意識失去聯繫、聲音的知覺幾乎飄失散去……

戛然而止。一切停止了，結束了。在極度的安靜中，我聽見道長略微疲憊的聲音：「好了，你已經成功封頂了，你的第一次辟穀圓滿結束。恭喜你！」

我看見了道長。這簡短的幾分鐘，他瞬間消瘦、蒼白了許多……

道長：「現在你可以摸頭頂了，感受一下。」

我伸手輕輕去摸我的頭頂。眞是不可思議，那個凹陷沒有了，頭頂又是平整如同有生以來……手腳溫暖起來，我的心裡充滿舒暢和寧靜。我輕輕走出來——我不知道爲什麼如此輕手輕腳，彷彿有什麼易碎的東西圍繞我身邊——我內心充滿喜悅！

小男和另外幾位仙友等在二樓的小茶座。茶桌上，兩杯果汁、兩杯蔬菜汁，泛著溫暖而微弱的光澤，在午夜的寧靜中安靜地等待著我們。這個歡迎我回到塵世的儀式是如此的簡潔，如此的樸素而神聖。

我伸手，將我們一起討論了無數次的「第一餐」——我的一杯番茄汁、一杯蘋果汁放到眼前。我已經嗅到它們在空氣中蕩漾著的馨香！我如同珍惜辟穀的「不食人間煙火」，同樣珍惜著這與紅塵重新的交接相融……

蘋果汁緩緩潤入口中。它彷彿是自己尋覓著、緩緩順道而下……這久違了的人間滋味，口中的滋潤，帶來的是眼前一片溫潤的光明！

生命行進至今，從來沒有嚐到過如此甘美的果汁！

它像一串輕柔的樂符，跳躍著，可心地，由舌尖滲入心間！一切生的樂趣，人的希望，來自生命深處，宇宙自然的慰藉，自在的光明，生命的悠然、美麗……

窗外一聲驚雷！旋即刺亮的閃電像一把巨大的利劍劃破黑沉沉的夜空：瞬間電閃雷鳴，瓢潑大雨傾盆而下。

我舉杯震驚在電閃雷鳴之間！我不敢聯想，難以想像，此刻，我，生命的銜接替換，天、地、雷震與閃電之間的種種關聯，生命與宇宙的種種關聯，不敢想像之間我們所未知的「眞切存在」，以及與此同時也有可能的「望文生義」……我只是呆呆地看著這巨大的電閃雷鳴！胖子與陪伴我們的仙友、小男、小潔，也都是目瞪口呆地仰望玻璃頂棚之外激烈、凌厲的閃電此起彼伏地跳動在夜空。

雨珠子就像一袋袋的豆子，正被無窮無盡、不間歇地傾倒在玻璃頂子上。在我們的身體回歸煙火塵世，在這奇妙的時刻，午夜的自然景象神祕奇異得驚撼人心！

如果是電影，此刻能夠看見我仰望夜空電閃雷鳴的雙目之中，也有十五天的分分秒秒歷歷再現，在耀眼的電閃之間同樣炫目地飄閃而過……我居然依靠道長打開頭頂的「天門」，像一棵植物一般吸取雨露精華地度過了十五天。生命的陰陽交錯，人與宇宙的緊密關係，我們身體本在的陽性系統、陰性系統，古老的道文化揭示的天、地、人，陰陽五行……

我不知道我是不是已經發生了什麼變化，不知道我的未來將與之前會有什麼樣的顯然不同，但是，此刻開始的我，從一杯果汁重新開始的生命展現，一定與之前的那個我，完全不是那麼一樣了。

天地雷電爲示、爲證，十五天的辟穀爲證……

＊　＊　＊

我們用了一個半小時的時間，在雷與電的聲、光陪伴之下，眞正「慢慢」地喝完了迎接我們回到塵世的水果汁和蔬菜汁。

番茄汁帶來的感觸與世俗生活更爲接近：當我放下半杯蘋果汁，將「芳香」的番茄汁潤滑入口，淺淺、薄薄的一口番茄汁，居然瞬間緩解了半個月來我對於食物無比的欲望，對於所有食物的朝思暮想，居然連我們談論了好幾天的、原定今天午夜的魚湯，也頓時失色，沒有那麼大的誘惑力了！所有「吃」的欲望，在那一口淺淺的番茄汁之後，全都「晚安」休息去了！

回到房間，精神飽滿，心情愉悅。低頭仔細嗅聞，辟穀以來身上那股不知道從哪裡冒出來的難聞氣味，消失了，彷彿只是一個一時間的幻覺！趕快用熱熱的水洗了頭，沖了澡，這是十五天以來的第一次啊！清晰地聞到皮膚散發出清香。我熟悉的，生活、生命的味道出現了。

將床上所有的被單、枕套、被套，全部都換了。

＊　＊　＊

然後我回到鏡子前。

十五天以來鏡子裡面時時看見的那個消瘦得讓我擔憂，讓我經過鏡子也不願意去看，讓我知道「瘦原來是這麼難看」的人，已經悄悄地「走了」。面向鏡子，這一刻我既是欣慰，又是微微的傷感，對那個已經悄然而走、還正在悄然而走的「瘦」，無限留戀，無限感激，無限的……挽留！這個「瘦」帶給我的變化，將讓我銘記終生！我的手指，輕輕觸碰鏡中的手指，哪個是我啊……這個我正在一點一點回來，那個我也正在片刻片刻離去……彼時連傷感也是飄逸的、輕盈的，彷彿熠熠閃光的……我看著鏡中的自己，竟然陌生得如同面對一個最熟悉的朋友，卻是陌生著，完全的陌生。她的眼神，告別著我的挽留，她的殷殷，告慰著我的切切，無聲道別，依依道別……

就在這瞬間，我眼見自己的面頰飽滿起來，紅潤起來……那個「我」，遁隱了，消失了，也涵化到了這個回到塵世之中的我，合一了，相聚了……

＊＊＊

二〇〇五年十月二日。

新鮮的、芳香的、像一枚雞蛋一樣的、嫩嫩的早晨！

這是我的感受！

似乎一切都和昨天一樣，和每一天的草地、露珠、濕潤的空氣、飄飛著的山霧、清香的竹林、沉默的大山……一樣，但是，一切又和昨天全都不一樣了。我不一樣了！我是嶄新的，是新鮮的，天空、草地、樹木、山霧、竹林、大山，由此一切都是新鮮的了。

下樓的腳步像「加了彈簧」，「小淘氣」尾隨著我，牠又不懷疑我了，哈哈！餐廳的桌子上，加入了我們的碗和筷子：特別小的碗，裡面只有一口粥的量。小粥碗的旁邊是半塊小小的腐乳。要求慢慢吃四十分鐘。

幸福！幸福就是一切的可能！

我們吃得很慢。在這一口粥與半塊腐乳之間，彷彿世界所有的矛盾、隱患都消失化解了！世界美好而純淨，心平靜溫暖得如同口裡的粥……

中午依照辟穀結束的慣例，是與早晨同樣小的一個小碗裡面，半碗沒有一點油水的番茄雞蛋麵。已經是太好的美味了！想吃什麼的念頭統統遠離了。清粥、番茄雞蛋麵，成了這個世界上唯一的美食。我似乎覺得我以後的每一天、每一頓，都要和它們廝守、相伴隨了。

下午又自己加練了站樁、導引術。今天的練功已經完全不同於任何的一天，專注，有力氣，感受到了練功的愉悅。

我自覺有點像雨後的小青草，「蹭蹭」地冒長！

晚飯可以吃很少的一點米飯，吃一點點青菜——大約是兩根。

不眠夜、人馬座，還有好些仙友，都下山了。生的偉大從大自然的群山溫泉之中回來了，帶來了我以前最愛吃的烤雞，還有杭州的醬鴨。

我隔著包裝聞聞，很香，但是並不想吃。

有無錫的朋友上山來看我們。正是蟹肥的季節，帶上來了陽澄湖大閘蟹。很香……小男深情地指著大閘蟹：「給我留著，等我四天以後……」

我啞然而笑。我完全知道，四天以後他將「愛江山，更愛醬腐乳」……

我們守著只有一口量的米飯、兩根青菜，看著他們烤雞、醬鴨、大閘蟹地享用。我們比他們更幸福……

晚飯之後，我們在小茶座。留在山上的人少了很多，「都是精華版了」，生的偉大口無遮攔。我們指責他，生的偉大笑：「總比說『來的都是不該來的，走的都是不該走的』要好啊！反正總要說句錯話！」

道長給了我們一人一張A4紙，上面寫滿了辟穀結束後要注意的事項，非常具體，從飲食的量、速度，到休息的時間，到心情的引導。

我們仔細看。

生的偉大也湊著看：「怎麼辟穀之後他們好像反而成了易碎品了呢？一天八小時都要輕拿輕放了

……」

笑……

小潔：「你一回來，就頂他們好幾個！」

生的偉大：「你很會說話！這是唯一沒有說錯的一句話！哈哈……」

道長看著我們：「確實辟穀之後，你們要特別小心飲食，按時睡眠，特別善待自己。辟穀結束之後，你們的身體猶如一個嬰兒般柔弱、脆弱，一定要清楚地、牢牢地記得這一點。不能有一點的傷害，比如大起大落的情緒、毫無顧忌的暴飲暴食、飲酒抽菸、過度的工作量，這些都是很忌諱的。」

我：「怎麼叫是過度的工作量？」

道長：「一般我們正常的工作時間是八個小時，這個完全沒有問題，但是如果八個小時之後還沒有相應地休息，還是在工作，哪怕是在激烈的娛樂或者無休止地會朋友談天，都不可以。在辟穀之後的半年內都要特別照顧好自己的身體，任何的不好，在這段時間裡都會加倍地傷害到你們的身體。你們現在的身體就像嬰兒，需要在辟穀之後的半年裡調養、休息、調整。辟穀眞正的效果，會在半年之後逐步顯示。這段時間，你們不能夠抽菸，不可以喝酒，更不要吃辣的食物。你也不要喝咖啡了。」

我：「絲毫沒有這樣的念頭。想喝茶了。」

（小私話：辟穀之後由於心裡的好奇也試過喝咖啡，完全不是之前的那個意思了，很像小時候第一次喝到咖啡、可樂的感覺，不是好喝，而是難受。眞的就此戒掉了。）

道長：「茶比較好。爲什麼我特別強調辟完穀之後半年內一定要注意、要善待自己呢？這段時間的重要性不亞於辟穀期間，是非常關鍵的。整個半年時間內，你們的身體、皮膚、精力、活力，會完全地顯現辟穀的功效，比如你以前的記憶不大好，說話說久了會想不起來話題，辟穀之後記憶就會特別敏銳，很多的事情，甚至很久以前的電話號碼都會想起來，整個人的整體機能、你們的大腦，都是整個的年輕化，人很明顯地處於一種年輕狀態。簡單地說，整個生命都在向年輕化轉變。」

小男：「道長，你再說一遍辟穀的好處好嗎？加強我們的理解與信心！」

道長笑：「辟穀的根本作用是提升生命品質，是一種功法。同時，它可以產生很多我們生命很需要的附帶產品。第一可以徹底地、根本性地消除製造癌症的誘因，也可以實現古人盡享天年、無疾而終的幸福離世；第二可以由此排除各種毒素，調理各種疾病，一般都能夠痊癒；第三，它自然就達到了瘦身的效果，好多人為了瘦身不遺餘力，不顧一切代價，而辟穀，瘦身是它的必然階段；第四，可以瞬間完成多少醫院、美容院無法完成的美容效果：辟穀以後，人的皮膚會完全不一樣，臉上的痘痘啊、暗斑啊、皺紋啊，逐一都會悄然消失；第五，人的記憶力、注意力明顯提升；第六，戒除一切菸癮、酒癮、咖啡癮，甚至毒品癮。抽菸的人辟完穀就徹底沒有抽菸的欲望了，像你那麼離不開咖啡的，也就此能夠告別咖啡了。無論是戒菸還是戒咖啡的過程，一點都不苦惱、不麻煩，不像很多人為了戒菸花很多精力、心血還是不成，這些在辟穀中並不是主題，是順便的，作為附帶就做到了；第七，老年生命體的年輕化，能夠走向返老還童……」

＊　＊　＊

像鐘聲停歇之後的餘音裊裊，像暴雨驚雷之後天邊依然滾動著的轟鳴，像春天花開的沁人心脾，像冬天大雪之後的寧靜安詳……

十五天的辟穀結束了，而酣醇依舊，「醉意」未消。看天天湛藍，聽雨雨銷魂，真的是這樣，生命的美好像是一個從未有過的經歷，帶著生命本身的、一直在被我們忽略的優美與沉醉，緩緩舒展開了。

十五天只喝涼水的辟穀，道長娓娓而談、循循深入的講道，每一天的補氣、練功，像一個久違的夢，更是現實中的奇遇。當第一口果汁滑入嘴裡，第一口米粥散發難以置信的醇香，第一口茶汁彷彿瓊漿玉液清冽甘醇。生命存在的意義，再不是那麼縹緲虛無。活著的意義不是哲學的解釋與闡述了，活著是活著本身的感受，是每一時、每一刻，生命享受天、地的饋贈，體味到最樸素的歡心和感激；是對一切身邊看似平常卻已經是相伴多年的諸多、諸多重新發現與享受。

我不知道這是不是道長說的生命品質的提升。

我看見樹，彷彿樹也有笑容，招招搖搖，婀婀娜娜，迎風舒展，我看見了我從來沒有看見過的它們這般的美麗！我回到北京，再一次踏入平時總讓我覺得煩躁不已、嘈雜混亂的超市，我看見超市裡明亮的燈光，貨架上面陳列著的琳琅滿目的食品，人們自在地走動、選擇，竟讓我感動得熱淚盈眶！生命是一種享受啊，是不斷的相遇、不斷的品嚐、不斷的感受與體驗，帶著我們的心靈與身體，與滋養生命的萬物，與天地四季，與風雨變幻，與陽光冰雪……生命有悲有喜，生命的過程有快有慢，但是無論遭遇什麼，其實生命都是一場難得的歡聚！生命是一次盛大的聚會！

我的生活正發生微妙的、卻是非常明確的變化。

最眼前、最直接的，正像我在辟穀期間醒悟到的那樣：我再不浪費了。樣樣東西都是好的，細細體味都是美妙。我在「吃」的方面，首先簡約了。我的食欲並沒有像辟穀時幻想得那般強烈，所有大魚、大肉、大葷的願望，像朝陽之下的晨露，在辟穀結束後伴隨第一口粥的入肚，瞬間化為水霧飄散而去。我的口味變得清淡了，基本上以素食為主，那些不同季節的葉子們、瓜果們，已經滿足了我所有入口的欲望。

我不喝咖啡了。這是一件我以為不可能做到的事情，十多年的日夜澆灌，我不但在精神上已經完全依戀它了，連身體也離不開它——辟穀之前如果哪天上午沒有喝咖啡，就會劇烈頭疼。不喝咖啡，也會情緒低落；喝過之後，更是難以抵擋的情緒低落。辟穀之後，這個讓我沉迷又讓我擔憂的「每日之杯」終於停止了，替之以茶。在咖啡的歲月裡只是被我簡單粗糙對待、用以解渴的茶，在辟穀之後，茶的魅力與韻味，鮮花一般、月夜一般、秋江一般、隱藏多年的暗戀一般，沉醉地綻放。茶和一些小小的茶點，相伴著逐漸消逝、淡弱的光陰之線，讓時光的流逝、生命的片刻，都因為有茶而醇香！茶的清明透澈，它的似是而非的記憶與慰藉，茶的豁智與沉斂，茶的溫厚與包容……茶彷彿將一切都連接上了，讓一顆心定定地靜下來，讓自己，回到自己……

這是兩萬杯咖啡也絕不可能做到的！但是長在自己土地上的茶，這種奇妙的東西能夠做到！

喝茶吧！好友相對地喝，自己獨自地喝！即便是在擾人的商務之中，茶也能夠帶給我們片刻的抽離與逍遙……

辟穀還有諸多諸多其他微妙的、與我自己以前截然不同的變化。而對於生命的好奇與敬畏，對於「我是誰」的浮想聯翩與探索，無論是在做事、練功、睡眠、面對種種生與死的現狀之間，都沒有停止過。

我看見過一組讓我浮想連連的照片：1.浩瀚星空中的一個小藍點——地球；2.被藍色的大氣層包裹著運行中的地球，看見球面上有更加蔚藍色的海洋；3.整幅照片的海岸線，大海正推波上岸，洶湧的波濤溫柔成了一道優美細弱的白色線條；4.彷彿沒有邊際的海邊沙灘上，有一個渺小的黑點；5.渺小的黑點是一個正在享受海水與陽光的人；6.這個享受的人；7.這個人皮膚的特寫；8.微攝鏡頭進入皮膚，放大幾百倍的皮膚、毛孔……

我們對生命有很大的抱怨嗎？

我們更多的是對生命的不了解和想了解的願望！

我們只生活在這個世界的一個局部，非常有限、非常微弱的一個局部。我們不可能感知到更加的宏大，我們也難以進入更微妙的空間。即便我們以「主人」位居，我們依舊被空間的緯度與時間的片段侷限。我相信道長說的，人還遠遠沒有進化到完美。人的狀態，無論是身體還是思維、靈魂，依然在一個低級的狀態。

也許還非常低級。我們可以小小地遙望我們生存的四周，我們依舊在相互掠奪，相互爲了有限的利益殺戮，我們至今分辨不清楚在我們極其短暫、有限的一生中，生命的存在是最爲尊貴的，情感與愛是最爲尊貴的。我們依然還在源源不斷地爲了利益爭奪，爲了地球共用資源爭奪，爲了土地，爲了某種「人」的政治，屠殺與我們一樣的生命。更不用說對人類以外生命的珍惜。我們連自己生存的空間都破壞，花草樹木，飛禽走獸，所有構成地球美麗生命圖景和存在的生命，哪一樣是受到自以爲智慧的人類的珍惜和保護的？我們尚沒有高貴生命的意識，我們沒有因爲尊敬生命（所有的生命）而珍惜生命的智見……我們還非常狹小，我們的心靈，我們對世界的認識，就像我們生存的空間：在廣袤的宇宙中，我們只有三維的空間。

如果修行能夠拓展我們，如果中國幾千年前先人的智慧與覺悟能夠承接我們……

我更少出門了，多了練功和喝茶。手邊中國傳統文化的典籍，漸漸多過了一直以來的西方文化書籍。我是一個中國人，我內心純正的中國血統，埋藏千年的中國文化意識與那顆中國人祖先傳遞到了今天的心，被驕傲地推動喚醒！

中國人的人文精神與追求是：天人合一，陰陽平衡，以柔克剛，以和爲貴，上善若水；是「天行健，君子以自強不息」；是「地勢坤，君子以厚德載物」！

＊＊＊

世界在我的眼中莊嚴而美麗了！虛幻又飄逸了……

生命不僅僅如此，世界不僅僅如此……

今年（二〇〇九年）八月十八日，我接到一個博友的短信：

「馨蔓老師，我是某地的一名癌症患者，我是看了你的書直接到了縉雲山……（大意：被醫院診斷出癌症，需要手術和化療，她堅決不願意）我是來縉雲山第一個沒有經過手術和醫院任何治療的、被確定爲癌症的人，我是看了你的書才決定走這條路的，你的書寫得眞誠而迷人……想不到我有如此的幸運，能夠在生命的危難時刻承蒙啓示與觀照。這裡的道醫講，保證能夠治好我的病，但是我不托底，如果李一道長能夠這樣肯定，我就完全放心了……」

兩天之後，更多的博友上了縉雲山，接受傳統文化的薰陶。這期間，道長四處講課、忙碌，只與這位博友見了一面。

九月一日，我收到道長轉發過來的短信：

「師父：上次樊導讓你見面檢查、在山上治療了一段時間的某某女病友，在山下醫院及名專家的診斷，是三期肺癌，現在經過我們兩個療程的調整和自身身體機能的恢復，下山回醫院檢查了，原先主要症狀的右肺陰影與淋巴瘤消失，只剩另一側肺部的一點小陰影了。醫院、醫生和她本人都爲這麼短時間內的康復覺得不可思議……」

獲益的不僅僅是不眠夜、無話不說。中國傳統文化經歷千年的時光冶煉，留傳到今天的，不僅僅是文字與道理，不僅僅是傳說。

所有的，都在這麼多時日的「娓娓道來」之中……

＊ ＊ ＊

再重播一些道長的話：

「我非常想把縉雲山做成中國的養生名山。有了這樣一個載體之後，東方的生命科學技術在中國的今天就可以在一個地方展開了……」

「我要把中國如此悠久、優秀的傳統文化讓更多的人知道，因爲只有中國的傳統文化才能夠激進當今科學的發展方向，而中國的道文化是中國傳統文化的全面體現。我們懷揣著驚世之寶，卻還在盲目地學習別人並不那麼好的東西……」

「我們不是提出了在本世紀要實現中華民族的偉大復興嗎？這個偉大復興是復興什麼東西？民族復興的根源實際上是民族文化的復興，能夠復興的就是道文化，因爲這是中國文化本有的。中國的道文化，是中國傳統文化的核心，不僅十分穩定，更是十分博大——不論什麼文化，到了中國都能在相應的層面找到知音，不會感到陌生。因此，我們打造文化的強國不會引來眾矢之的，不會有人因此說這個是『中國威脅論』，因爲這是文化！」

「中國的道文化具有和諧、抗衡這個世界的實力！從古至今的文明，在全世界範圍內，中國的文明是少有的、沒有斷過代的。作爲文化強國，透過中國的文化使中國走向世界是唯一的方法，透過文化強國這個載體，我們也同樣會達到經濟強國、軍事強國。經濟不強、軍事不強，你怎麼可以稱爲是文化強國呢？文化強國是一個穩妥的載體，一個安全而強大的發展方向。現在我們逐步開始了以德治國，與時俱進，還有以人爲本。中國只有道文化才能夠把所有的文化通合起來……」

「全世界大多數文明之間都產生爭鬥和流血，像我們眼見的恐怖主義，強國對於弱國的侵占，說到底都是宗教的分歧、民族的分歧。而只有中國的文化是一種和文化，我們要想辦法讓中國的文明走出去。中國人說天下大事分久必合，而這個合，首先要有一個和的文化，才能夠有一個和的世界。所以中國文明、中國的文化，在這個時代必須要讓世界上更多的人知道。中國的文化能夠吹出去一股和風，消除世界的爭鬥。」

「宇宙生命終將走向光明，這是宇宙的一個大道理。人類走到了今天，出了那麼多曲折，那麼多事情，但還是在走向光明，這是毫無疑問的。在宇宙的大勢所趨中，中國的道文化到了今天一定要發展。在我們的文化發展和弘揚的時候，需要去辯論、去爭奪、去爭論、去爭鬥嗎？不需要，我們只要找到自己應該做的事情。推廣道的文化不需要說服，只要下種子就行了。我們都是種子。這粒種子種下去了，至於什麼時候長苗、開花、結果，需要很大自己的因緣。陽光、雨露和水就是因緣，而我所能夠做的，只是一個種子。每個人都會有自己的因緣去完成。我們今天應該做的是沉下心來，深深海底行，而不是與任何的人爭論、爭鬥。我們去做一個最實踐的工作，深信自己擁有的傳統文化，傳遞我們豐厚的傳統文化，經過修行體驗、實踐我們的傳統文化。哪怕可能有時候、有的人會認爲我說的完全是胡說八道，你們也都是荒唐可笑，沒有關係，他心裡的種子，那個很微小的概念，種下了。一顆小小種子，也許他瞬間就會忘掉，但是人生的經歷會讓他終於有一天想起來，有一天明白。不是所有的事情都是永遠想不起來的……而有悟性的人會很快明白，不需要走過很多很漫長的路。」

「在今天這樣的時代大環境，我們既要保留傳統文化，又要和時代共進。以道醫爲例，可能我們要學要用的，不是華佗當年的方子，而是華佗對生命的理解、對藥物的理解。我們要學習的是他如何用藥物來調節生命的思路。這就叫師古人心，無襲古人法，也就是宗教說的心傳，要見本性。所以我們『弘道』，弘的是道對生命根本的理解和拓展。」

「生命的本質是道。生命是你要修煉的東西，是你要進入、實地觀察的東西。就在這個世紀，人將會明白很多很多相關生命的事實。今天西方的科學技術，不透過東方的科學技術是得不到發展的。不要以爲當今西方的科學已經很發達，如果我們中國人的生命觀念、中國幾千年的生命科學、宇宙科學不介入，當今高度的科學是發展不起來的。而反過來，如果說我們的生命觀念、宇宙觀念，不能在實證科學的基礎上、在生產力的層面上、不能從技術方面去體現，這個時代就變成了一個空想時代，就會變成我們魏晉時期的玄學時代。但是現在絕對不是魏晉的時代了。我們的這個時代，整個的生命觀念、生命形式，乃至於生命技術，都將發生本質的變化。我們已經到了二十一世紀，一個我們自己還不了解的全新世紀。在這個新的二十一世紀，將要進行一系列複雜的生命觀念的革命、生命科學的革命。其中最核心的是生命技術的革命。觀念只是哲學的交流，而由生命技術的革命，將推動這個時代進入到生命的一個新的自然。在這個世紀裡面，人們會重新對生命產生理解，它是透過生命技術、生命觀念和生命的覺悟層次飛速提升的。」

「我們一直說的『仙』是什麼意思？我們理解的這個仙，也可以稱為超人，或者說是新人類。這樣意義上的一個文明狀態出現，就是我們現在要做的事情。這個文明狀態僅僅依靠西方是不夠的，基因科學永遠辦不到這些事情；而東方的文明，我們自己也同樣達到不了，因為東方文明如果能夠辦到，就不需要等到現在，等到西方文明起來了。現在西方的科學確實具備了一切技術，但是這些技術只有我們東方古老的文明、中國的文明能夠去催生它。因此這個時代是個陰陽文明、東西文明交流的時代。我們選擇養生的方式，實際上是在做一個生命觀念的革命，而生命觀念革命的目的，是要做東、西方文明的交流，而東、西方文明交流的終極，是我們將在東、西方生命的實證技術方面進行一次融合。我們要透過這個融合，在根本意義上解決對生命、人和宇宙本質的一次昇華、提升，促使人類新文明的誕生，而新文明的誕生就是在這個時代中弘道。我們將在這個世紀最徹底、最根本的程度上解放我們的生命。這就是人類將會面臨有史以來的第三次生命的革命。」

「中國是強國、是大國，但是要清晰地證明這一點，要立足於這個世界，我們該打得是什麼牌？什麼是強國、大國？是想打造經濟強國？還是軍事強國？而無論發展成為經濟強國或者軍事強國，都一定會成爲這個世界目前強國的攻擊目標，都可以被歪曲爲對目前世界的『威脅』，成爲因爲發展而招致可能的災難事實。這個肯定不會是我們所希望的。我們是文明的禮儀之邦，我們是和文化誕生的民族，我們期望平和、安寧地處世，那我們就要追求我們的發展不會對他人、他國造成威脅，我們只能打一個牌：文化強國！」

＊＊＊

全文完成……

寫落淚了，也因爲「完成」而落淚了……

我們不會告別，我們將「再見」！

感謝李一道長的諄諄教誨！人生引導！

感謝吳心道長，常瓊道長，常平道長，常雲道長！

感謝常月，常芷！

感謝蔣師兄，常平師兄，常強師兄，金師兄……

感謝新浪網站，感謝小槍……

感謝所有支持博客的博友！

感謝所有中國文化的擁有者，傳播者，傳遞者……

眾生系列　JP0084

【世上是不是有神仙3】

生命可以如此——辟穀記（下）

作　　者／樊馨蔓
副 主 編／劉芸蓁
行　　銷／顏宏紋、李君宜

總 編 輯／張嘉芳
出　　版／橡樹林文化
城邦文化事業股份有限公司
台北市民生東路二段141號5樓
電話：(02)25007696　傳眞：(02)25001951
發　　行／英屬蓋曼群島家庭傳媒股份有限公司城邦分公司
台北市民生東路二段141號2樓
書虫客服服務專線：(02)25007718；(02)25007719
24小時傳眞專線：(02)25001990；(02)25001991
服務時間：週一至週五上午09:30～12:00；下午1:30～17:00
劃撥帳號：19863813；戶名：書虫股份有限公司
讀者服務信箱：service@readingclub.com.tw
城邦讀書花園網址：www.cite.com.tw
香港發行所／城邦（香港）出版集團有限公司
香港灣仔駱克道193號東超商業中心1樓
電話：(852)25086231　傳眞：(852)25789337
E-mail：hkcite@biznetvigator.com
馬新發行所／城邦（馬新）出版集團
Cite (M) Sdn Bhd
41, Jalan Radin Anum, Bandar Baru Sri Petaling,
57000 Kuala Lumpur, Malaysia.
Tel: (603) 90578822
Fax:(603) 90576622
email:cite@cite.com.my

版面構成／歐陽碧智
封面設計／周家瑤
印　　刷／韋懋實業有限公司

初版一刷／2014年2月
ISBN／978-986-6409-72-1
定價／420元

城邦讀書花園
www.cite.com.tw

國家圖書館出版品預行編目（CIP）資料

生命可以如此：辟穀記(下) / 樊馨蔓著. -- 初版.
-- 臺北市：橡樹林文化, 城邦文化出版：家庭傳媒城邦分公司發行, 2014.02
面；　公分. --（衆生系列；JP0084）
ISBN 978-986-6409-72-1（平裝）

1.中醫　2.養生　3.道家

413.21　　102026656

廣　告　回　函
北區郵政管理局登記證
北 台 字 第 10158 號

郵資已付　免貼郵票

104 台北市中山區民生東路二段 141 號 5 樓

城邦文化事業股份有限公司

橡樹林出版事業部　收

請沿虛線剪下對折裝訂寄回，謝謝！

|橡|樹|林|

書名：生命可以如此——辟穀記（下）　書號：JP0084

橡樹林文化

讀者回函卡

感謝您對橡樹林出版社之支持，請將您的建議提供給我們參考與改進；請別忘了給我們一些鼓勵，我們會更加努力，出版好書與您結緣。

姓名：＿＿＿＿＿＿＿＿＿＿ □女 □男 生日：西元＿＿＿＿＿年

Email：＿＿＿＿＿＿＿＿＿＿＿＿＿＿＿＿＿＿＿＿

● 您從何處知道此書？

□書店 □書訊 □書評 □報紙 □廣播 □網路 □廣告 DM □親友介紹

□橡樹林電子報 □其他＿＿＿＿＿＿＿＿

● 您以何種方式購買本書？

□誠品書店 □誠品網路書店 □金石堂書店 □金石堂網路書店

□博客來網路書店 □其他＿＿＿＿＿＿＿＿

● 您希望我們未來出版哪一種主題的書？（可複選）

□佛法生活應用 □教理 □實修法門介紹 □大師開示 □大師傳記

□佛教圖解百科 □其他＿＿＿＿＿＿＿＿

● 您對本書的建議：

＿＿＿＿＿＿＿＿＿＿＿＿＿＿＿＿＿＿＿＿

＿＿＿＿＿＿＿＿＿＿＿＿＿＿＿＿＿＿＿＿

＿＿＿＿＿＿＿＿＿＿＿＿＿＿＿＿＿＿＿＿

＿＿＿＿＿＿＿＿＿＿＿＿＿＿＿＿＿＿＿＿

＿＿＿＿＿＿＿＿＿＿＿＿＿＿＿＿＿＿＿＿

我已經完全瞭解左述內容，並同意本人資料依上述範圍內使用。

＿＿＿＿＿＿＿＿＿＿（簽名）

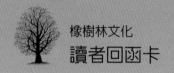